부처님께 재를 털면

부처님께 재를 털면

처음 펴낸 날 / 1999년 9월 21일
1판 2쇄 / 2000년 1월 18일

엮은이 / 스티븐 미첼
옮긴이 / 최윤정
펴낸이 / 김광삼
편집 / 윤제학, 강지숙
표지 디자인 / 여시아문 편집부
펴낸 데 / 여시아문

출판 등록 1995. 3. 2.
제1-1852호

110-170 서울시 종로구 견지동 110-33
737-0695(영업부), 737-0691(편집부), 737-0697(팩시밀리)

값 9,000 원

ISBN 89-87067-16-5 03220

엮은이와 출판사 간의 약속으로 인지를 붙이지 않습니다.

부처님께 재를 털면

스티븐 미첼 엮음 / 최윤정 옮김

여시아문

선(禪) 수업은 마치 창문을 보는 것과 같다. 처음 우리가 창문을 보게 되면 거기에는 우리의 얼굴만 희미하게 비칠 뿐이다. 그러나 배우면 배울수록 우리의 시각도 분명해지면서 그 가르침도 명료해진다. 결국에는 완전히 투명해져 그것을 통해 모든 것을 보게 되고, 또 우리 얼굴도 보게 된다.

이 책은 숭산 대선사께서 미국에서 가르치신 것을 모아 엮은 것으로 대화, 이야기, 독참, 법문과 편지들로 이루어져 있다. 그 용어들이 생생하게 살아 있기 때문에 상황을 그대로 나타내 보여 주고 있다. 각각의 상황은 게임이며 동시에 생사를 판가름하는 문제이다.

이 책의 제목은 숭산 대선사께서 한 제자에게 숙제로 내준 문제에서 유래되었다. 내용은 다음과 같다.

한 사람이 담배를 피워 문 채 선원에 들어와 부처님의 얼굴에 연기를 내뿜기도 하고 손에 담뱃재를 털기도 한다. 당신이 그곳에 있다면 어떻게 하겠는가?

이 사람은 성스러운 것도 속된 것도 따로 없다는 것을 알고 있다. 이 우주 삼라만상은 하나이고 그 하나가 자기라고 생각한다. 그래서 자기는 무슨 짓이든 다 해도 괜찮다고 생각하는 것이다. 재가 부처이고 부처가 재라고 생각할 뿐이다. 담배가 타들어 가서 재가 털어진다. 그러나 실제로 그는 오직 일부만을 이해했을 뿐이다. 그는 제법이 여여(如如)하다는 경계를 아직 깨우치지 못했다. 성스러운 것은 성스럽고, 세속적인 것은 세속적이다. 재는 재이고 부처님은 부처님이다. 그는 공(空)과 자기가 깨달은 것에만 집착하고 있어서 어떤 말도 다 소용 없다고 여긴다. 그러므로 당신이 온갖 말을 다 동원해 그를 가르치려고 애써도 그는 당신을 때리려 들 것이다. 만일 그를 때려서 가르치려고 한다면 오히려 그는 당신을 더 세게 때릴 것이다. (그는 힘이 아주 세다.) 당신은 어떻게 그의 망상을 고쳐 줄 수 있겠는가?

당신은 선을 배우는 학생이니 또한 선을 지도하는 선사이기도 한 셈이다. 당신은 일체 중생을 고통으로부터 구해 주겠다고 서원한 보살도를 걷고 있다. 이 사람은 그릇된 견해로 고통받고 있다. 당신은 그가 진리를 깨우쳐 이 우주 삼라만상이 있는 그대로임을 알도록 도와 주어야 한다.

자 어떻게 할 것인가?

당신이 이 문제의 해답을 찾아 낸다면, 올바른 길도 찾을 것이다.

스티븐 미첼

깊은 산 속, 산사(山寺)로부터 울려 퍼지는 범종 소리.

새벽녘에 울려 퍼지는 이 범종 치는 소리를 들으면 우리들 마음 속에서 모든 생각이 싹 사라져 버린다. 거기에는 '나'라고 할 것도 없고, 또 '내가 아니라'고 할 것도 없게 된다. 오직 범종 소리만이 우주를 채울 뿐이다.

봄이 온다.

꽃이 피고 나비가 나는 것을 보면서 지저귀는 새들의 노래를 듣고 있자면, 절로 봄기운이 몸 속에서 솟구치는 것을 느낄 수 있다. 우리들 마음 속에는 오직 봄 뿐이다. 그밖에 다른 것은 없다.

나이아가라 폭포를 관광할 때, 여러분은 폭포 바로 밑으로 배를 타고 간다. 그러면 우리들 눈앞과 좌·우 그리고 마음 속까지도 폭포수가 쏟아져 내린다.

나도 모르게 절로 외치고 만다.

아 ! ! !

이런 경험을 할 때마다 우리의 마음 속과 밖은 하나가 된다. 이것이 선(禪)을 하는 마음이다.

본래 자성(自性)에는 아무런 상대를 갖고 있지 않다. 언어와 문자가 필요 없다. 조금도 생각을 내지 않으면 모든 것은 있는 그대로인 것이다. 진리는 바로 이와 같은 것이다.

그렇다면 왜 우리는 문자를 쓰는 걸까? 또 이 책은 왜 만드는 것일까? 한약 처방을 보면 더위먹은 병은 뜨거운 약을 먹어야 한다고 되어 있다. 사람들은 너 나 할 것 없이 모두 언어와 문자에 집착하고 있다. 그러므로 우리는 문자와 말이라는 약으로 이 병을 고치는 것이다.

대부분의 사람들은 아주 망상에 사로잡힌 시각으로 세상을 보고 있다. 있는 그대로를 보지 못하기 때문에 그들은 진리를 깨닫지 못하고 있다. 선(善)은 무엇이고 악(惡)은 무엇인가? 누가 선을 만들고 누가 악을 만드는가? 그들은 온 힘을 다해 자신의 견해에만 매달리려 하고 있다. 그러나 모든 사람들의 견해는 다 다르다. 어떻게 자기 견해만이 옳고 다른 사람의 견해는 틀리다고 할 수 있겠는가? 이것이야말로 망상이다.

만일 여러분이 진리를 알고 싶다면 자신의 상황이나 조건, 그리고 모든 견해를 몽땅 다 놓아 버려야 한다. 그렇게 할 때 우리 마음은 생각 이전의 상태로 돌아간다. '생각 이전'이란 깨끗한 마음을 가리키는 말이다. 깨끗한 마음에는 안과 밖이 따로 없다. 있는 그대로일 뿐이다. '여여한 경지'가 진리인 것이다.

어떤 조사께서 이런 말씀을 하셨다.

　이 문을 들어서거든,
　알음알이를 내지 말라.
　入此門內 莫存知解

이 말은, 생각을 내게 되면 선을 이해할 수 없다는 뜻이다. 여러분이 마음을 생각 이전의 상태로 지킨다면, 바로 그것이

선을 하는 마음이다. 그러므로 또 다른 조사께선 이런 말씀을
하셨다.

부처님께서 가르치신 것은,
모두 다 옳게 생각하라는 것뿐이다.
만일 이미 생각을 끊어 버렸다면,
부처님 말씀이 무슨 소용이 있겠는가?

『반야심경』에 이르기를, '색즉시공 공즉시색(色卽是空 空卽
是色)'이라 하였다. 이 말의 뜻은 '무색무공(無色無空)'이다.
그러나 '무색무공'의 참뜻은 색은 색이고, 공은 공인 도리이
다. 만일 생각을 하면, 이 말의 뜻을 이해하지 못한다. 그러나
생각을 내지 않는다면 '있는 그대로'가 다 불성이다.
무엇이 불성인가?
깊은 산 속, 산사로부터 울려 퍼지는 범종 소리.
진리는 바로 이와 같은 것이다.

숭산

차 례

1. 선(禪)이란 자기를 이해하는 것이다

하루는 시카고에서 온 학생 하나가 프로비던스 선원(Pro-
vidence Zen Center)*을 찾아와 숭산 선사(崇山禪師)께 "선
(禪)이란 무엇입니까?" 하고 질문하였다.

선사께서는 주장자를 머리 위로 치켜들고는 말씀하시길,
"이해하겠느냐?"고 했다.

그 학생은 "모르겠습니다." 하고 대답했다.

선사께서 다시 말씀하셨다.

"그 모르는 마음이 바로 네 자신이다. 선이란 바로 그런 자
신을 이해하는 것이다."

"제 자신에 대한 이해라는 것이 무엇입니까? 가르침을 베
풀어 주십시오."

선사께서 말씀하셨다.

---

* Providence Zen Center : 숭산 행원 스님이 이끄는 대한불교 조계종 재미
홍법관음선종회(在美弘法觀音禪宗會)의 본사로서, 현재 528 Pound Road,
Cumberland RI 02864, USA. (401) 658-1464에 있다. 당시에는 보스톤 근교
Providence 시의 한 아파트에 있었다.

"과자 공장에서는 동물 모양의 과자나 자동차 모양, 사람 모양 또는 비행기 모양의 과자 등 각기 다른 모양의 과자를 구워 낸다. 비록 이름과 모양(名狀)이 다른 과자들이지만 그 것들은 모두 다 같은 반죽으로 만들어졌기 때문에 맛이 똑같은 것이다. 이와 같은 이치로, 우주만물도 — 해, 달, 별, 산, 강, 사람 등과 같은 — 비록 다른 이름으로 불리고 다른 모양을 하고 있으나, 본래 그 본질은 같은 것이다. 이 우주는 상반된 양면성을 가지고 있어서 빛과 어둠, 남자와 여자, 소리와 침묵, 선과 악이 공존하는 것이다. 이렇게 이름과 모양은 다르지만 결국 본질은 하나다. 인간의 생각이 이름과 모양을 만들었을 뿐이다. 만일 우리가 생각을 멈추고 이름과 모양에 대한 집착을 떨쳐 낼 수 있다면, 본질이 하나임을 알게 된다. 바로 그 모르는 마음이란 일체의 생각을 떨쳐 내는 것이다. 이것이 너의 실체이다. 이 주장자와 네 자신의 본질이 똑같으니 네가 주장자이고 주장자가 너다."

그러자 학생이 다시 물었다.

"철학자들에 따라서 그 본질을 에너지니 마음이니 하느님이니 본질이니 하고들 말합니다. 선사님께서는 과연 어느 것이 옳다고 보십니까?"

선사께서 말씀하셨다.

"네 사람의 소경들이 동물원으로 코끼리를 구경하러 갔다. 한 소경은 코끼리의 옆구리를 만지고 이렇게 말했다. '코끼리란 놈은 벽과 같이 생겼어.' 두번째 소경은 코를 잡아 보고는 이렇게 말했다. '코끼리란 놈은 뱀과 같이 생겼어.' 세번째 소경은 다리를 만지고는 이렇게 말했다. '코끼리란 놈은 기둥같이 생겼어.' 코끼리 꼬리를 잡은 마지막 소경은 이렇게 말했다. '코끼리란 놈은 빗자루같이 생겼어.' 그래서 네 명의 소경들은 서로 다투며 자기 생각이 맞다고 우겨댔다. 그렇지만 사실 네 명의 소경은 모두 자기가 만져 본 부분만을 이해했을 뿐 전체를 이해한 사람은 아무도 없었다.

이와 같이 본질이란 이름도 모양도 없는 것으로 에너지니 마음이니 하느님이니 물질이니 하는 것은 다만 그 본질이 나타내고 있는 이름과 모양에 불과한 것이다. 본질이야말로 절대 진리다. 이름과 모양이 있는 것은 모두 상대적인 것이다. 이처럼 세상 사람들도 소경들이 자기가 옳다고 다투는 것과 같은 행동을 하고 있다. 자기 자신을 이해하지 못하고서는 진실을 알 수 없는 것이다. 우리 인간 사이에 다툼이 있는 까닭이 바로 여기에 있다. 세상 사람 모두가 자신을 이해한다면 절대 진리를 얻을 수 있고 그때서야 비로소 세상은 평화로워질 것이다. 세계 평화를 이루는 것이 바로 선이다."

그 학생이 다시 물었다.

"참선하는 것이 어떻게 세계 평화를 이루는 길입니까?"

선사께서 말씀하셨다.

"사람들은 재물(財), 명예(名), 색(色), 식(食), 수면(睡)을 취하고자 한다. 이런 욕구가 생각을 내게 하고 그런 생각이 바로 괴로움이다. 그 괴로움 때문에 세계 평화가 없는 것이다. 생각을 내지 않으면 괴로움이 없고, 괴롭지 않으니 세계가 평화로울 수밖에 없다. 세계 평화는 절대적인 진리이며, 절대적인 진리란 바로 자아(自我)인 것이다."

학생이 다시 물었다.

"제가 어떻게 해야 절대적인 진리를 이해하겠습니까?"

선사께서 말씀하셨다.

"바로 네 자신을 이해해야만 된다."

"어떻게 제 자신을 이해할 수 있을까요?"

선사께서 주장자를 들어올리고 말씀하셨다.

"이것이 보이는가?"

그리고 주장자로 법상을 탁 치고는 말씀하셨다.

"이 소리가 들리느냐? 주장자와 이 소리, 네 마음이 같으냐, 다르냐?"

학생이 대답했다.

"같습니다."

선사께서 다시 말씀하셨다.

"만일 같다고 하여도 이 주장자로 30방(棒) 맞을 것이고, 다르다고 하여도 30방 맞을 것이다. 어째서이냐?"

그 학생이 잠자코 침묵하였다.

선사께서 "악!" 하고 할(喝)하셨다.

이윽고 "봄이 돌아오니 풀이 절로 난다(春來草自生)." 하고 읊으셨다.

2. 선(禪)과 원(圓)

어느 날 저녁, 숭산 선사께서 프로비던스 선원에서 다음과 같은 법문을 하셨다.

"선이란 무엇인가? 선은 나를 이해하는 것이다. 나란 과연 누구인가? 선을 이렇게 원으로 나타내 보자. 원 위에 5개의 점을 표시해서 0°, 90°, 180°, 270° 그리고 0°와 똑같은 위치에 360° 순으로 눈금을 나타낸다. 0°에서부터 90°까지를 살펴보면 이곳은 생각과 집착의 경계이다. 생각이란 욕구이고 욕구는 괴로움이다. 모든 사물은 상대적인 것으로 나뉘어지는데, 선과 악, 미와 추, 네 것과 내 것, 싫어하는 것과 좋아하는 것이 있고, 행복을 잡으려고 노력하고 괴로움을 피하려고 애쓰는 것이 그것이다. 여기에서의 삶이란 괴로움이고, 괴로움이 바로 삶이다.

90°를 지나면 의식의 경계 혹은 업아(業我)의 경계이다. 90° 이전에는 이름과 모양에 집착했다. 그러나 여기는 생각에 집착하는 경계이다. 여러분이 태어나기 전에는 여러분은 0이었다. 그러나 지금은 1이고, 미래에 죽는다면 다시 0으로 된다.

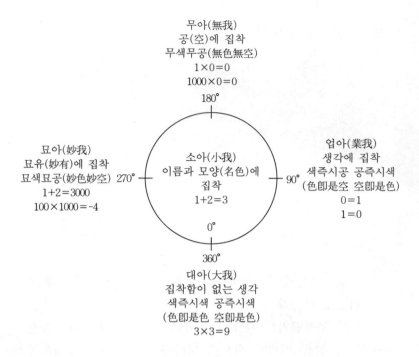

무아(無我)
공(空)에 집착
무색무공(無色無空)
$1 \times 0 = 0$
$1000 \times 0 = 0$
180°

묘아(妙我)
묘유(妙有)에 집착
묘색묘공(妙色妙空) 270°
$1 + 2 = 3000$
$100 \times 1000 = -4$

소아(小我)
이름과 모양(名色)에
집착
$1 + 2 = 3$

0°

90°

업아(業我)
생각에 집착
색즉시공 공즉시색
(色卽是空 空卽是色)
$0 = 1$
$1 = 0$

360°

대아(大我)
집착함이 없는 생각
색즉시색 공즉시색
(色卽是色 空卽是色)
$3 \times 3 = 9$

그러므로 0은 1과 같고, 1은 0과 같다. 이 경계에서는 같은 본질로 이루어졌기 때문에 모든 것이 같다. 만물은 이름과 모양이 있지만 그 이름과 모양은 공(空)으로부터 온 것이므로 다시 공으로 돌아갈 것이다. 그러나 이것도 역시 생각이다.

180°에 이르면 전혀 생각이 없어진다. 이것이 진정한 공의 경험이다. 생각을 내기 전에는 낱말이나 언어가 존재하지 않았다. 그러므로 산도 없고, 강도 없고, 하느님도 부처님도 없으며, 아무것도 있을 수 없다. 거기선 오로지……"

바로 이때 선사께서는 법상을 내리치셨다.

"다음이 270°의 경계이고, 신통과 기적의 경계다. 여기서는 시간과 공간으로부터 전혀 장애를 받지 않는 완전히 묘유(妙有)로운 경계다. 말하자면, 묘각(妙覺)이라고 할 수 있다. 몸을 뱀으로 바꾸기도 하고 구름을 타고 서방정토로 갈 수도 있다. 또 물 위를 걸을 수도 있고 생사를 마음대로 바꿀 수도 있다. 이 경계에선 동상이 눈물을 흘릴 수도 있고 대지가 밝거나 어둡지도 않고 나무는 뿌리가 없고 골짜기에는 메아리가 없다.

여러분이 만일 180°에 머물러 있으면 공에 집착하게 된다. 또 270°에 머물러 있으면 묘유에 집착하게 된다. 360°에 오면 만물은 있는 그대로가 된다. 진리란 이렇게 여여(如如)한 것이다. '여여함'이란 아무것에도 걸림 없음을 뜻한다.

360°는 0°와 똑같은 지점이고, 즉 우리는 돌아서 우리가 항상 존재하는 출발점으로 되돌아 온 것이다. 차이라면 0°가 집착하는 생각임에 반해 360°는 집착하지 않는 생각이란 점이 다를 뿐이다.

예를 들어, 여러분이 만일 무언가 집착하는 생각으로 차를 몰고 있을 때는 정신이 다른 곳에 가 있기 때문에 빨간 신호등일 때도 계속 주행한다. 집착하지 않는 생각이란 마음이 항상 맑음을 뜻한다. 운전을 할 때는 아무 생각 없이 오직 운전만을 할 뿐이다. 진리 역시 꼭 이와 같다. 빨간 신호등은 정지를 뜻하고, 푸른 신호등은 가라는 신호이다. 즉각적인 행동이다. 즉각적인 행동이란 어떤 욕구나 어디에도 집착함 없이 행동만 하는 것을 뜻한다. 내 마음은 모든 사물을 있는 그대로 비춰 보여 주는 깨끗한 거울과도 같다. 빨간 빛을 받으면 거울은 빨갛게 되고, 노란 빛을 받으면 거울은 노랗게 될 뿐이다. 이것이 보살도이다. 자신을 위한 욕구는 없고 일체 대중을 위해 하는 것뿐이다.

0°는 소아(小我)이다. 90°는 업아(業我)이다. 180°는 무아(無我)이다. 270°는 묘아(妙我)이다. 360°는 대아(大我)이다. 대아

는 시간과 공간을 초월한다. 생(生)도 없고 사(死)도 없다. 오직 일체 대중을 구제하려는 것뿐이다. 대중이 기쁘면 나도 기쁘고 대중이 슬프면 나도 슬프다. 선이란 360°에 도달하는 것이다. 여러분이 일단 360°에 도달하면 원 위에 있던 모든 점들은 사라지게 된다. 원이란 오직 선을 가르치기 위한 방편일 뿐이다. 실제로 존재하는 것은 아니다. 우리는 생각을 쉽게 하고 학생들의 이해를 가늠해 보기 위해 원을 사용하는 것이다."

선사께서는 책과 연필을 들어 올리셨다.

"이 책과 이 연필이 — 이 둘이 — 같은가 아니면 다른가? 0°에서는 다른 것이다. 90°에서는 모든 것이 하나이므로 책이 연필이고 연필이 책이다. 180°에서는 모든 생각이 끊어졌으므로 낱말이나 말이 필요치 않다. 대답은 오직……."

선사께선 법상을 치셨다.

"270°에선 완전히 자유롭다. 그러므로 좋은 답을 하려면 '책이 화가 났고, 연필은 웃는다' 할 수도 있다. 마지막으로, 360°에선 진리는 있는 그대로이다. 봄이 오면 풀이 절로 난다. 안은 밝고 밖은 어둡다. 3×3=9이다. 모든 것이 이와 같이 여여하다. 그러므로 책은 책이고 연필은 연필이다.

이와 같이 각 위치에 따라 대답이 달라진다. 어느 것이 맞는 답인지 알 수 있는가? 자, 여기 여러분을 위한 답이 있다. 즉, 5가지의 답이 모두 틀렸다는 말이다. '어째서인가?'"

한참 동안 그냥 계시다가 선사께서는 "악!" 하고 대성일갈(大聲一喝)하셨다. 그리고는 "책은 푸르고 연필은 노랗다. 여러분이 이 뜻을 이해한다면, 여러분은 자신을 이해하는 것이다. 그러나 여러분이 자신을 이해했다고 한다면 이 주장자로 30방을 맞을 것이요, 또 만일 이해하지 못했다고 해도 이 주장자로 30방을 맞을 것이다. '어째서이냐?'"
　다시 선사께선 한참 동안 계시다가 말씀하셨다.
　"오늘은 몹시 춥구나."

3. 내 법은 아주 비싸다

옛날, 어떤 승려가 향봉(香峰) 선사를 찾아와 말했다.
"스님, 불법을 가르쳐 주십시오."
향봉이 말했다.
"미안하지만 나의 법은 아주 비싸다네."
"얼마입니까?"
"자넨 얼마를 낼 수 있는가?"
그 승려는 호주머니에 손을 넣어서 동전 몇 닢을 꺼냈다.
"제가 가진 거라고는 이게 전부입니다."
향봉이 말했다.
"비록 자네가 내게 금을 산더미만큼 갖다 준다 해도, 내 법의 값에는 못 미치네."
그래서 그 승려는 다른 곳으로 참선하러 떠났다. 몇 달을 열심히 고된 수련을 한 그는 향봉에게 돌아와 이렇게 말했다.
"스님, 제 생명을 드리겠습니다. 스님을 위해서라면 무엇이든지 하겠고, 종이라도 될 터이니, 제발 법만 가르쳐 주십시오."

향봉이 말했다.

"비록 자네가 천 번 죽어 목숨을 바친다 해도, 내 법의 값엔 여전히 못 미쳐."

딱 잘라 거절하자 그 승려는 다시 떠났다. 먼저보다 더 오랫동안 열심히 정진을 한 뒤, 승려는 다시 찾아와 말했다.

"제 마음을 드리겠습니다. 이제 가르쳐 주시겠습니까?"

향봉이 말했다.

"네 마음이란 건 썩은내 나는 쓰레기통일 뿐이지. 내겐 소용없다. 그런 마음 만 개를 가져온다 해도 내 법의 값이 되질 않아."

그래서 승려는 더욱 정진을 하기 위해 또 떠났다. 얼마 후 그는 우주가 공하다는 것을 깨달았다. 이윽고 승려가 향봉에게 돌아와 말했다.

"이제는 스님의 법이 얼마만큼이나 비싼지 알겠습니다."

향봉이 말했다.

"그래, 일마더냐?"

승려가 소리쳤다.

"할!"

"아니다. 아직도 더 비싸다."

이번에는 그 승려가 매우 당황해 하고 낙담해 하면서 떠났다. 그는 대오(大悟)하기 전에는 돌아오지 않겠노라고 스님에게 다짐하고 떠났다. 드디어 그 승려가 다시 찾아왔다.

"스님, 이제는 진실로 깨달았습니다. 하늘이 푸르고 풀이 파랗습니다."

향봉이 말했다.

"아니다. 나의 법이 더욱 값지다."

이번에는 그 승려가 화를 냈다.

"전 이미 깨달았습니다. 당신의 법도 필요 없습니다. 그 따위는 스님 엉덩이에 던져 버리겠습니다."

향봉이 웃었다. 그러자 승려는 더 화가 나서 홱 돌아 쿵쾅대고 걸어서 방을 나갔다. 승려가 막 문을 나설 때 향봉이 말했다.

"잠깐!"

승려가 고개를 돌려서 쳐다보았다.

"나의 법을 잃어버리지 말라."

이 말에 그 승려는 대오하였다.

4. 초발심자에게 주는 충고

선사님께

저는 수요일 저녁 선사님께서 예일 대학에서 두 명의 학생 보조원과 함께 가지셨던 대담회에 참석했습니다. 그날 저는 스님의 법문을 듣고, 다른 관심 있는 이들을 지켜보는 것만으로도 매우 흥미로웠습니다. 왜냐 하면, 저는 선 공부를 지금 까지 저 혼자서 해 왔고 또 선에 관한 제 지식은 단지 책을 통해 얻은 것이 전부였기 때문입니다. 이렇게 접근한 결과 저는 선이란 이 시대와 실생활과는 전혀 맞지 않는 것으로 보게 되었습니다. 결국 선에 관한 내 관심도 내가 이해할 수 없는 이 세계로부터 도피하려는 불건전한 시도가 아닌가 하는 생각이 들게 되었습니다.

그러나 이 세상에 쉽게 적응하면서 제 역할을 다하며 살아 가는 사람들을 보면서 저도 저의 불안감을 해소하기 위해 선에 대해 더욱 깊은 관심을 가지게 되었습니다. 저는 참선에 대해 더욱 많은 의문점을 갖게 되었고, 그래서 결국 이 편지를 쓰게 되었습니다.

스님께서 초발심자를 위해 특별한 좌선법 하나만 추천해 주실 수 있을는지요? 저는 약 한 달 간을 앉아서 10까지 숫자를 세며 천천히 호흡하는 방법으로 공부해 왔습니다. 이 방법을 지속해야 할지 아니면 바꿔야 할지 가르쳐 주십시오. 최종적인 깨침에 이르기까지 매일 매일 해야 하는 일들에 대해서도 말씀해 주실 수 있는지요? 어떤 일을 하는 데 있어서 다른 잡념 없이 하는 것은 성공적인 듯 싶습니다.

그러나 저는 참선에 관한 좀더 구체적인 지침이 있어야 되겠다는 신념을 버리지 못하고 있습니다. 특히 저는 제가 읽은 16개 정도 되는 선의 계율에 대해서 항상 생각합니다. 이런 것들은 깨달음을 이미 얻은 사람들을 위한 것인가요? 즉, 깨달은 경지에서 수행하는 방법을 알려 주는 것인지, 아니면 최종적인 깨달음을 얻지 못한 이에게도 점차 깨닫게 하는 방법을 일러 주는 지침이 되는 건지 궁금합니다.

전 여러 사람들이 모여서 1주일 혹은 그 이상 절이나 선원에 머물면서 정진도 하고 선사와 대담도 한다는 '쎄신'이란 행사에 대해 읽은 적이 있습니다. 선사님의 선원에서도 그런 행사를 시도하고 있는지요? 만일 있다면 자세한 안내서를 보내 주시면 감사하겠습니다.

또 하나, 전 실제로 수행자가 하는 참선과 전해져 내려오는 선의 역사나 최종적인 깨달음의 단계까지의 과정을 말하는 실례들에 대해 혼돈하고 있습니다. 역사나 실례, 설명 같은 것은 충분히 읽어서 지식으로도 긍정하고, 이성으로도 이해할 수 있을 것 같습니다. 그러나 실제적인 경험이 수반되지 않았기 때문에 뼛속 깊이까지는 체득할 수가 없습니다. 그래서 언어로써는 깨달음에 도달할 수 없고 수행을 통해서만이 깨달을 수 있다는 옛 사람들의 말에 찬성합니다. 그런데 선사님께선 제자들의 이해를 돕기 위해 언어를 사용하시더군요. 책을 읽을 때 저는 항상 언어로는 뛰어넘을 수 없는 높은 벽에 부딪친다고 생각해 왔습니다. 그럴 때마다 그 언어가 가리키는 것을 이치로 밝히는 일을 멈추고는, 오직 앉아서 좌선을 하며 대체 누가, 아니면 그 무엇이 이 말을 쓰고, 먹고, 자는가에 대해 생각했었습니다. 그런데 제가 이러한 것들을 철저히 규명하지 않고 언어라는 것을 포기하는 게 아닌가 하는 의문이 듭니다. 이것이 혼돈된 생각에서 비롯된 혼돈의 결과가 아닌지 두렵습니다. 그러나 선사님께선 저의 잘못된 생각을 꿰뚫어 보시리라 믿습니다.

바쁘신 중에도 제 의문에 대해 관심을 가져 주신 점 감사드립니다.

1975년 2월 16일
패트리샤 올림

패트리샤 양에게

편지는 잘 받아 보았습니다. 그간 안녕하셨는지요?

귀양의 편지를 보니 선에 대한 책을 많이 읽었다고 썼더군요. 좋은 일입니다. 그렇지만 만일 당신이 생각을 낸다면 선을 이해할 수 없습니다. 당신이 생각을 내면 그 때는 선서(禪書)나 불교 경전, 기독교의 성경이 모두 마구니의 말이 되는 것입니다. 그렇지만 모든 생각이 끊어진 마음으로 그런 것들을 읽는다면 선서, 불경, 성경이 모두 진리가 됩니다. 그것이 바로 개가 짖는 소리이고 닭이 우는 소리입니다. 일체만물이

찰나찰나 당신을 가르치고 있고, 이런 소리가 오히려 선서보다도 더 훌륭한 가르침이 되는 것입니다.

선이란 생각을 내기 이전의 마음 상태를 지니는 것입니다. 과학이나 학교 공부는 생각 이후의 것입니다. 우리는 생각을 내기 이전으로 돌아가야만 합니다. 그러면 곧 진실된 자아를 얻게 됩니다.

또 편지에서 10까지 숫자를 세면서 천천히 호흡하는 훈련을 한다고 했는데, 이 방법은 좋지도 나쁘지도 않습니다. 앉아만 있다면 그런 방법도 가능할 것입니다. 그렇지만 운전중이라든가, 대화중이나, TV를 본다거나, 테니스를 칠 때에도 이렇게 호흡을 헤아릴 수가 있을까요? 좌선이란 단지 참선의 한 방법일 뿐입니다. 좌선의 참뜻은 모든 생각을 비운 그 상태에서 움직이지 않는 마음을 지킨다는 뜻입니다.

그렇다면 묻겠는데, 당신은 무엇입니까? 모르죠. 오직 '모를 뿐'입니다. 항상 그 모를 뿐인 마음을 지키세요. 이 모를 뿐인 마음이 투명하게 맑아지면, 그 때에 당신은 깨닫게 될 것입니다. 그리고 이 모르는 마음을 지닌 채 운전을 하면 그것이 운전선(運轉禪)이요, 또 그 상태에서 대화를 하면 그것은 대화선(對話禪)입니다. 또 그 상태에서 TV를 보면 TV선(TV禪)입니다. 당신은 그 모를 뿐인 마음을 항상, 어디서나 간직해야 합니다. 이것이 참된 참선(參禪)입니다.

도(道)는 어렵지 않나니
오직 간택을 꺼릴 뿐.
미움과 사랑을 여의면
환하고 뚜렷하게 알게 되리.
至道無難

惟嫌揀擇
但莫憎愛
洞然明白

　그러니 모든 편견과 좋다는 생각, 싫다는 생각을 버리고 오직 '모를 뿐'인 마음을 지니세요. 이것이 가장 중요한 일입니다. '모를 뿐'인 마음이란 모든 생각을 끊어 버린 상태의 마음입니다. 모든 생각을 끊어 냈을 때 당신은 빈 마음을 갖게 됩니다. 이것이 생각 이전의 마음입니다. 당신의 생각 이전의 마음은 똑같은 것입니다. 이것이 당신의 본체입니다. 당신의 본체, 나의 본체, 그리고 온 우주의 본체가 하나가 되기 때문에 나무, 산, 구름이 당신과 하나가 되는 것입니다.

　그러면 당신에게 묻겠는데, 산과 당신이 같습니까? 아니면 다릅니까? 만일 같다 해도 주장자로 30방을 맞을 것이요, 다르다 해도 주장자로 30방을 맞을 것입니다. 왜 그렇습니까? 우주와 하나가 된 그 마음은 생각 이전의 것이고, 생각 이전에는 말이 없습니다. '같다'나 '다르다'는 서로 반대되는 것으로, 즉 사물을 분별하여 보는 마음에서 생겨났기 때문입니다. 그렇기 때문에 당신이 어떻게 대답을 해도 맞게 되는 것입니다. 그럼 어떻게 해야 옳은 답을 할 수 있을까요? 만일 모르겠거든 '모를 뿐'인 마음을 지니기만 하세요. 그러다 보면 곧 훌륭한 해답을 찾게 될 것입니다. 그 때가 되면 그 답을 편지에 적어서 내게 보내 주세요.

　또 당신은 내가 불립문자(不立文字)인 선을 왜 가르치고 있는지에 대해 물었습니다. 말은 필요치 않습니다. 그렇지만 매우 필요하기도 합니다. 만일 당신이 말에 집착한다면 당신의 '참 자아'와 일치할 수 없지만, 만일 말에 집착하지 않는다면 곧 견성(見性)하게 될 것입니다. 만일 당신이 생각을 낸다면 말이란 아주 나쁜 것이 되지만 생각을 버린다면 모든 말은 물론 당신이 보고, 듣고, 냄새 맡고, 맛보고, 만지는 것 모두가 당신에게 도움을 줍니다. 이와 같이 생각을 내지 않고, 말에 대한 집착을 끊는 것이 당신에겐 아주 중요한 것입니다.

여기에 당신을 위해서 시를 한 수 적어 봅니다.

부처님은 일체만물(一切萬物)에 불성(佛性)이 있다 하셨다.
조주(趙州) 스님은 개는 불성이 없다 하셨다.
어느 것이 맞느냐?
개구즉착(開口卽錯: 입을 열면 곧 어긋남)
무슨 이유인가?
"할!"
구름이 하늘에 둥실 떠 있고
빗줄기가 땅 위를 적신다.

1975년 2월 23일
숭산

P.S. '쎄신'은 명상 수행 정진을 일본말로 그렇게 부릅니다. 한국 말로 하자면 '용맹 정진'입니다. 우리 각 선원에서는 매달 한 번씩 실시하고 있습니다. 프로비던스 선원에서는 매월 1일부터 7일까지 일 주일 동안, 뉴헤븐 선원(매월 둘째 금요일 시작), 케임브리지 선원(매월 셋째 금요일 시작), 뉴욕 선원(매월 넷째 목요일 시작)에서는 각각 3일 간씩 실시하고 있습니다. 이들 중, 어느 집회에 참석해도 좋습니다.

선사님께

제 편지에 답장을 주신 데 대해 감사드립니다. 저는 선사님이 일러 주신 대로 '오직 모를 뿐'인 마음으로 매사에 임하려고 애쓰고 있지만 힘이 듭니다. 힘에 겨워서 자주 주저앉기도 합니다. 그럴 때면 '그 오랜 나날을 허송세월했구나.' 하는 쓸데없는 생각을 떨쳐 버릴 수가 없게 됩니다. 또 산과 내가 하나인지 아닌지 하는 문제로 생각이 돌아오면 전 곧잘 울음을 터뜨리면서 그 문제를 잊으려고 합니다. 그건 제겐 너무 감당할 수 없는 질문같이 보입니다.

전 처음에는 아주 열성적이었고 명랑했으며, 부지런했습니다. 저의 정력은 이제 다 소모되어 더이상 쾌활하지도 부지런하지도 않게 되었고, 이 사실을 느낄 때마다 전 더욱 무기력해집니다. 저의 이런 패배감을 어떻게 극복할 수 있을까요?

전 뉴헤븐 선원이 문 열기를 고대하고 있습니다. 아마 선사님과 다른 사람들도 만나고 대화를 나누면 다시 제 수행에 활력을 되찾을 수 있을 것 같습니다.

1975년 4월 6일
패트리샤 올림

패트리샤 양에게

편지 고맙습니다. '모를 뿐'인 마음을 유지하기가 힘들다고 썼군요. 만일 당신이 '내가 생각하는가?' 하고 항상 주의를 기울인다면, 무척 힘이 들 겁니다. 당신은 거기에 신경을 써서는 안됩니다. 생각하는 것 자체는 괜찮습니다. 그것을 걱정해선 안 됩니다. 생각 때문에 당신이 초조해지지 않는다면, 모를 뿐인 마음을 유지하기란 그리 힘이 든 일은 아닙니다. 초기엔 순간적으로나마 그 마음을 지닐 수밖에 없겠지요. 그러나 성심성의껏 노력하기만 한다면 자연히 그런 상태를 더 오래 유지할 수 있게 될 겁니다.

　당신의 마음은 바다와 같습니다. 바람이 불면 큰 파도가 칩니다. 바람이 잦아들면 그 파도는 점차로 작아지다가 바람이 멎으면 바다는 깨끗한 거울 표면같이 잠잠해집니다. 그 때엔 산이나 나무, 또는 사물이 수면에 뚜렷하게 상을 나타내 보이게 됩니다. 당신의 마음 속에는 아직도 생각이라는 사나운 파도가 일고 있습니다. 그러나 당신이 '모를 뿐'인 마음을 지니려고 계속 노력한다면, 이런 생각도 점차 없어져서 드디어는 당신의 마음은 항상 맑게 될 것입니다. 마음이 거울처럼 맑아지면, 빨간 색이 비치면 빨간 거울, 노란 색이 비치면 노란 거울이 되고, 산이 비치면 거울은 산이 되는 것입니다. 당신의 마음이 산이고 산이 당신의 마음인 것입니다. 둘이 아닙니다. 즉, 생각에 집착해서도 안 되고, 생각하지 않는 데 집착해서도 안 된다는 것이 매우 중요합니다. 당신은 마음에 무엇이 비치든지 초조해 하면 안됩니다. 단지 편안하게 '모를 뿐'인 마음을 지니기만 하면 됩니다.

　또 당신은 초기엔 매우 열성적이었는데, 이젠 낙담하고 있다고 썼군요. 양극단은 좋은 것이 아닙니다. 그건 마치 기타의 줄과도 같습니다. 줄을 팽팽하게 당기면 음도 맞지 않고 곧 끊어지고 맙니다. 반면 너무 느슨하게 해 놓아도 역시 음이 안 맞아 연주를 할 수가 없습니다. 줄은 알맞게 조율해야 하는 것입니다. 선에 있어서 마음이란 평상심(平常心)을 뜻합니다. 당신은 그 마음가짐으로 매사에 임해야 되는 것입니다.

먹을 때, 말할 때, 테니스를 칠 때, 텔레비전을 볼 때에도 항상 '모를 뿐'인 마음을 지니세요. 가장 중요한 점은 바로 이 순간에 당신이 어떤 마음을 갖고 있느냐는 것입니다. 바로 지금의 마음 말입니다. 만일 당신이 한가하다면 좌선을 해도 좋습니다. 한가하지 않을 때엔 행선(行禪)을 하세요.

그러나 견성(見性)하길 바라는 것에 대해선 주의할 것이 있습니다. 바로 이것이 아주 나쁜 선병(禪病)이기 때문입니다. 깨끗한 마음을 지닐 때면 온 우주가 당신이 되고, 당신이 우주 그 자체가 됩니다. 즉, 당신은 이미 견성을 한 것이나 마찬가지입니다. 견성하겠다는 것 역시 생각일 뿐입니다. 이것은 사족(蛇足)을 그리는 것처럼 불필요한 것입니다. 뱀을 이미 그렸다면 그것으로 족한 것입니다. 이미 진리는 당신의 눈앞에 있지 않습니까?

곧 뉴헤븐 선원이 문을 엽니다. 다른 선 수련생들과 접촉하면 분명 수행에 도움을 받을 것입니다. 함께하는 것은 선 수련생들에게 매우 중요한 것입니다. 함께 절하고, 염불하고, 좌선하고, 공양하고, 그러다 보면 당신의 처지나 조건, 견해들은 아주 쉽게 없어지게 됩니다. 선 수행이란 마음을 비우는 것입니다. 마음을 비우게 되면 당신의 모든 생각이 사라질 것입니다. 그 때가 되면 당신은 진정한 공을 체험하게 됩니다. 당신이 진정한 공을 체험하게 되면, 그 때에 당신은 자기 본연의 자리와 진정한 조건 그리고 진정한 견해를 갖게 될 겁니다. 나는 당신이 자주 뉴헤븐 선원에 와서 용맹정진하고, 깨달음을 얻어 모든 중생을 고통에서 구제하기를 바랍니다.

1975년 4월 11일
숭산

선사님께

제 편지에 답장을 보내 주셔서 대단히 고맙습니다. 선사님께서 격려를 해 주셨기 때문에 전 심적으로 큰 위안을 얻고 더욱 꾸준히 정진해 나갈 수 있었습니다. 그런데도 여전히 수행에 고충이 따르고 있습니다.

약 4개월 전 제가 처음으로 선에 대해 강한 호기심을 느끼기 시작했을 때는 이미 선에 대한 몇 권의 책을 읽은 뒤였습니다. 이런 책들을 읽음으로써 제 삶을 지탱해 왔던 구조적인 믿음들이 산산이 부숴지면서 전 방황하게 되었습니다. 당시 나 자신에 대해 아무것도 모른다는 사실을 깨닫자 모든 것에 대해 의문을 가지게 되었습니다.

요즈음은 참선중에 스스로 '난 누구인가?' 묻곤 하는데 내가 누구인지 모른다는 사실만을 알게 될 뿐입니다. 그래서 그런 특별한 기분으로 초긴장해서 질문하기는 어렵습니다. 듣는 것, 보는 것은 할 수 있지만, 특별한 관점이 없어서 그런 특정한 질문을 하긴 어렵습니다. 저는 아마 앞뒤가 잘 연결 되지 않는 그런 질문의 형식에 겁을 내는가 봅니다. 아니 형식이라기보다는 어떻든 저라는 존재에 관한 그런 질문들 말입니다. 이것이 옳은 것인가요?

위에서 제게 말씀드리고자 한 것 이외에도 한 가지가 더 있습니다. 이제 저는 선을 저의 자연스런 일과의 하나로 보다 적극적으로 받아들이게 되었으며, 선사님의 편지를 통해서나 무각(無覺) 스님이나 그 밖의 다른 수련생들과 나눈 대화를 통해서, 그리고 제 자신 속에서 무한한 사랑을 느낍니다. 저는 제 가족, 친지들에 대해서 전에는 느끼지 못했던 깊은 사랑을 느끼게 되었고 또 사랑이란 제가 알고 있던 것보다 더 멋진 것이라는 걸 알게 되었습니다. 비록 견성의 경지엔 못

도달한다 하더라도 참선은 제게 도움을 줄 것이며, 전 이에 대해 매우 감사함을 느낍니다.

1975년 4월 14일
패트리샤 올림

　패트리샤 양에게

　편지 고맙습니다. 곧바로 답장을 못 보내서 미안합니다. 며칠 전까지 나는 뉴욕에서 우리 선원의 개원 행사에 참석했기 때문에 편지를 못 받아 보았습니다. 어제서야 겨우 편지를 보게 되었습니다.

　편지에 우리들이 참선 수행에 도움이 되었다고 했더군요. 아주 다행한 일입니다. 참선한다는 건 아주 중요한 일입니다. 당신은 참선을 해야겠다고 결단을 내렸으므로 그 결심을 꼭 밀고 나가야 합니다. 그런 일에는 대신심(大信心), 대분심(大奮心), 대의심(大疑心)이 뒤따라야만 합니다.

　그러면 대신심이란 무엇인가? 대신심이란 무슨 일이 있어도 꼭 참선을 해야겠다는 결심을 꼭 실천한다는 뜻입니다. 마치 달걀을 품은 암탉처럼 말입니다. 달걀을 품은 암탉은 달걀을 끊임없이 보살피고, 체온으로 따뜻하게 해 주어서 결국 병아리를 부화시킵니다. 만일 그 동안 부주의하거나 게으름을 부리면 달걀은 부화될 수도 병아리가 될 수도 없습니다. 그러므로 참선하는 마음이란 언제 어디서나 자신을 굳게 믿는 마음입니다.

　다음으로 대분심이란 무엇일까요? 그것은 당신의 온 에너지를 한 점에 응집시킨다는 뜻입니다. 쥐를 쫓는 고양이처럼, 쥐는 쥐구멍으로 도망쳤지만, 고양이는 쥐구멍 앞에서 몇 시간이라도 꼼짝하지 않고 기다립니다. 쥐구멍에 온 주의를 집중한 채 말입니다. 바로 이것이 참선하는 마음입니다. 일체의 생각을 끊어낸 채 당신의 온 에너지를 한 점으로 모으는 것입니다.

그 다음으로 대의심에 대해서 알아봅시다. 이것은 마치 젖먹이가 엄마만을 그리는 것이나 또는 갈증으로 죽어가는 사람이 애타게 물을 찾는 것과 같습니다. '오직 한마음'이라고 합시다. 당신이 그렇게 지성으로 의심을 가질 때, '오직 모를 뿐인 마음'의 상태가 됩니다.

이 세 가지(대신심, 대분심, 대의심)를 지키면 당신을 곧 깨달음을 얻게 됩니다. 당신은 '참선하기가 힘들다'고 썼더군요. 이것은 생각입니다. 선은 결코 어렵지 않습니다. 만일 선을 어렵다고 말한다면 그것은 바로 당신이 자신과 자신의 상태를 점검하고 조건이나 견해에 관심을 기울였다는 뜻입니다. 그러니까 선이 어렵다고 한 것입니다. 그러나 당신이 일체의 생각을 내지 않은 생각 이전 상태로 마음을 지킨다면 선은 어렵지 않습니다. 또 쉽지도 않습니다. 그냥 그럴 뿐입니다. 어렵게 만들지 마세요. 또 쉽게 만들지도 말고 그냥 밀고 나가세요.

또 당신이 읽었던 선에 관한 책들이 당신의 믿음을 산산이 부수어 버렸다고 했는데, 그것은 오히려 좋은 것입니다. 그리고 산산이 부숴졌다고 했지만 산산이 부숴졌다고 할 수도 없습니다. 이전의 당신 견해란 아주 그릇된 망상이었던 것입니다. 당신은 이제야 올바른 견해를 갖게 된 것입니다. 이전의 당신 믿음이란 무지개를 손에 쥐려는 것과 같았습니다. 그러나 무지개는 곧 사라집니다. 사실은 존재하지도 않는 것입니다. 일체 만물은 이와 같은 것입니다. 그런데도 당신은 세상의 모든 것이 실제로 존재한다고 믿었던 것입니다. 당신은 이제 모든 것이 공하다는 것을 알게 되었습니다.

그러나 여기서 한 발자국을 더 나아가야만 합니다. 믿음이나 불신, 부숴진 것이나 부숴지지 않은 것, 이것은 아직도 상대적인 영역에 속하는 것입니다. 당신은 이런 상대적인 것들을 다 버려야만 합니다. 그렇게 되면 진리는 여여한 것이 됩니다. 당신은 모든 것이 산산이 부숴졌다고 했는데, 이 '부숴졌다'는 말이 아직도 이름과 모양에 집착하고 있음을 뜻합니다. 원래 그 자리는 단지 공일 뿐입니다. 그러니 '부숴졌다'거나 '부숴지지 않았다'라는 것도 있을 수 없습니다. 이것이 절대 진리의 세계입니다.

이 절대 진리의 세계란 진정한 공을 말합니다. 진정한 공이란 생각 이전의 세계입니다. 생각 이전이란 다음과 같습니다. 색은 색이고 공은 공입니다. 그래서 당신의 모를 뿐인 마음이 진정한 공이고, 그것이 생각내기 이전의 마음이고, 또 절대 진리이며 그것이 바로 당신의 참다운 자성입니다. 이처럼 이름은 다양하지만 그것들은 모두 때가 없는 마음을 가리키는 것입니다. 본래 무구한 마음은 이름도 모양도 없습니다. 말로써 표현할 길이 없는 것입니다. 그래서 만일 당신이 입을 연다면 틀리게 되는 것입니다. 그러기 때문에 임제(臨濟) 선사는 질문을 받을 때마다 '할(喝)!' 했고 덕산(德山)은 묻는 이를 방망이로 때려서 대답한 것입니다. 또 구지(俱胝) 선사는 손가락 하나를 들어 보임으로써 대답했습니다.

만일 당신이 할이나 방망이, 손가락에 집착하지 않는다면, 이와 같은 행동의 숨은 뜻이 단지 무구한 마음을 뜻함을 알게 될 겁니다. 이런 여러 행동은 단지 깨끗한 마음을 가리키는 각기 다른 형식인 것입니다. 그 깨끗한 마음을 말로써는 표현할 길이 없기 때문에, 선사들은 소리치기도 하고, 때리기도 하고, 손가락을 들어 보여 설명했던 것입니다. 그런 것들은 다 무시해야 됩니다. 할은 오직 할이고, 방망이는 오직 방망이며, 손가락은 오직 손가락일 따름입니다. 바로 이 점을 이해해야 됩니다.

'난 내가 모른다는 것을 안다' 했는데, 이것은 훌륭한 답이 되질 못합니다. 모르는 마음에 신경을 쓰지 마세요. 살아가는 것이 바로 선입니다. 그런데도 어떤 사람들은 사는 게 괴로움이라고들 합니다. 이것이 어떻게 다를까요? 만일 당신이 삶을 선(禪)으로 만든다면 당신의 삶은 선이 되는 것입니다. 그러나 어떤 사람들이 그들의 삶을 괴로움으로 만든다면 그들의 삶은 고통이 되고 마는 것입니다. 이와 같이 모든 것은 당신이 바로 이 순간에 마음을 어떻게 가지느냐에 따라서 달라지는 것입니다. 지금 바로 이 순간의 마음이 계속 이어지면 그것이 바로 당신의 인생이 되는 것입니다. 그것은 마치 하나하나의 점들이 모여서 직선이 되는 것과 마찬가지입니다. 당신이 선을 좋아하니까 당신의 인생이 선이 된 것입니다. 그래서 세상이 멋지다고 생각하는 것이죠. 당신의 마음이 멋지기 때문에 온 세상이 멋진 것입니다. 만일 당신이 견성을 하게 되면, 온 세상 사람들이 몹시도 괴로워하고 있음을 알게 되고, 그래서 당신의 마음도 괴로워질 것입니다. 그것은 위대한 괴로움입니다. 그러면 당신은 스스로 보살도를 행해서 일체 중생을 그들의 고통에서부터 벗어나게 해 주어야만 합니다. 난 당신이 '모를 뿐'인 마음을 언제, 어디서든지 지니기를 바랍니다. 그러면 곧 견성을 하게 되어 일체 중생을 구제하게 될 것입니다.

　여기에 질문 하나를 하겠습니다. 옛날에 어떤 사람이 동산 (洞山) 선사께 "무엇이 부처입니까?" 하고 물었을 때, 선사께선 "마삼근(麻三斤)이니라." 하고 답하였는데, 그게 무슨 뜻입니까? 멋진 답을 기다립니다.

1975년 5월 3일
숭산

5. 안과 밖

어느 목요일 저녁, 뉴헤븐 선원*에서 법문이 끝난 후 한 제자가 숭산 선사께 질문했다.

"기독교의 하느님은 내 밖에 있는 데 반해, 선에서의 신은 내 속에 있으니 나와 신이 하나라고 한다면, 이것이 맞는 말입니까?"

선사께서 말씀하셨다.

"어디가 안이고, 어디가 밖인가?"

"안은 이 몸 속이고, 밖은 몸의 바깥입니다."

"어째서 그렇게 구분을 지을 수 있느냐? 어디에 경계선이 있는가?"

"전 제 피부 안쪽에 있고, 세상은 그 밖에 있습니다."

"그것은 네 육신의 피부이니라. 네 마음의 피부는 어디에 있는가?"

---

* New Haven Zen Center : 193 Mansfield Street, New Haven, CT 06511, USA.(203) 787~0912.

"마음에는 피부가 없습니다."

"그럼 마음은 어디에 있느냐?"

"제 머리 속에 있습니다."

"그래, 네 마음은 너무 좁구나. (대중들이 와 하고 크게 웃었다) 너는 마음을 크게 가져야 한다. 그러면 하느님이나 부처님이나 온 우주가 너의 마음에 포용된다는 것을 깨달을 것이다."

그리고 선사께서는 시계를 들어 보이시며 말씀하셨다.

"이 시계가 너의 마음 밖에 있는가, 안에 있는가?"

"밖에 있습니다."

"밖에 있다고 하면 주장자로 맞을 것이고, 또 안에 있다고 해도 주장자로 맞을 것이다."

"그런 건 상관치 않고, 밖에 있다고 답하겠습니다."

"만일 시계가 밖에 있다면, 이게 시계라는 것을 어떻게 네가 알겠느냐? 네 마음은 네가 볼 때마다 네 눈 밖으로 튀어나와서 시계를 만지고 다시 돌아간단 말이냐?"

"전 시계를 보았을 뿐입니다. 저는 안에 있고, 시계는 밖에 있습니다."

몇 분 동안 무거운 침묵이 흘렀다. 이윽고 선사께서 말씀하셨다.

"안이다, 밖이다 분별하지 말라. 알겠느냐?"

그 제자는 아직도 의심이 풀리지 않은 채 절을 하였다.

6. 한 아이가 죽음에 대해 묻는다

어느 날 저녁, 케임브리지 선원*에 살던 흰 점박이 꼬리를 가진 검은 고양이 캣지가 오랫동안 앓다가 죽었다. 숭산 선사의 한 제자의 딸인 7살 난 지타가 고양이의 죽음으로 크게 상심했다. 고양이를 묻고 나무아미타불을 염송한 뒤 소녀가 숭산 선사께 왔다. 선사께서 말씀하셨다.

"나에게 물어볼 게 있느냐?"

지타가 말했다.

"네, 캣지는 어떻게 되었습니까? 어디로 갔어요?"

"너는 어디로부터 왔지?"

"엄마 뱃속에서 나왔죠."

"그럼 엄마는 어디서 왔는데?"

지타가 가만히 있었다. 선사께서 말씀하셨다.

"이 세상 모든 것은 똑같이 하나로부터 시작되었다. 그건

* Cambridge Zen Center : 199 Auburn Street, Cambridge, MA 02139, USA. (617) 576~3229.

과자 공장과 같은 것이다. 과자 공장에서는 여러 가지 과자가 만들어지지. 사자, 호랑이, 코끼리, 집, 사람까지도. 이런 것들은 비록 모양도 다르고 이름도 다르지만 모두 같은 반죽으로 만들었기 때문에 그 맛은 똑같다. 네가 보기엔 전부 달라 보여도 그것들은 사실 모두 똑같다. 고양이, 사람, 나무, 해, 이 방바닥까지 말이다."

"그럼 그건 전부 뭐죠?"

"그냥 사람들이 그렇게 여러 가지 이름을 주었을 뿐이지. 원래부터 이름을 가진 것은 아니다. 네가 생각을 하면 모든 것들은 다른 이름과 다른 모양을 가지게 된다. 그러나 아무런 생각을 하지 않는다면 모든 것이 똑같은 것이다. 원래는 이름이 없는데 사람들이 이름을 지어 준 것이다. 고양이가 '난 고양이다' 한 적이 없는데 사람들이 그렇게 부른 거지. '이것은 고양이다' 하고. 해가 '내 이름은 해'라고 한 적이 없는데 사람들이 '이건 해'라고 한 거다. 그럼 누가 너에게 '이게 뭐지?' 하고 물으면 어떻게 대답하겠니?"

"말을 하면 안 되겠네요."

"옳지! 말을 하면 안되지. 그러면 누가 너에게 '부처님이 뭐지?' 하고 물으면 어떻게 대답을 해야 좋을까?"

지타는 잠자코 있었다. 선사께서 말씀하셨다.

"그럼 이젠 네가 나한테 물어 보렴."

"부처님이 뭔데요?"

선사께서는 방바닥을 치셨다. 지타가 깔깔대며 웃었다. 선사께서 말씀하였다.

"이번엔 내가 묻지. 부처님이 뭐지?"

지타가 방바닥을 쳤다.

"하느님은 뭐지?"

지타는 방바닥을 쳤다.

"엄마는 무엇일까?"

지타는 또 방바닥을 쳤다.

"그럼 너는 뭐지?"

지타는 방바닥을 쳤다.

"옳지! 이게 바로 이 세상 만물이 만들어진 것이다. 너, 부처님, 하느님, 엄마 그리고 온 세상 만물은 똑같은 거다."

지타가 미소지었다. 선사께서 말씀하셨다.

"아직도 궁금한 게 있니?"

"선사님, 아직도 캣지가 어디로 갔는지 말씀하시지 않으셨잖아요?"

선사께서는 고개를 숙여 지타의 눈을 들여다보시곤 말씀하셨다.

"넌 벌써 그 답을 알잖아."

지타가 "아, 알았다!" 하면서 방바닥을 세게 쳤다. 그리고 깔깔대고 웃었다. 선사께서 말씀하셨다.

"아주, 아주 훌륭하구나! 모든 질문에는 그렇게 대답해야 한다. 그게 바로 진리다."

지타는 절을 올리고 물러가려다가 숭산 선사를 향해 돌아서며 이렇게 말했다.

"그래두 저는 학교에선 그런 식으로 대답하지 않을 거예요. 보통식으로 대답할 거예요!"

선사께서 크게 웃으셨다.

7. 어떤 사람에게 선사가 필요한가?

어떤 목요일 저녁, 케임브리지 선원에서 법문이 끝난 후 한 제자가 숭산 선사께 질문했다.

"참선하는 데 스승이 필요합니까? 그렇다면 왜 그런지 알고 싶습니다."

선사께서 "너는 여길 왜 왔느냐?" 하고 묻자, 그 제자는 아무 말도 하지 못했다.

선사께서 말씀하셨다.

"만일 네가 생각을 한다면, 선사가 필요하다. 만일 생각을 끊어 낸다면 선사가 필요치 않다. 네 마음이 깨끗하면 선사도, 부처도, 그 어느 것도 다 필요치 않다."

8. 넌 집착하고 있구나!

어느 날 저녁, 예일 대학에서 법문이 끝난 후 한 학생이 숭산 선사께 질문을 했다.

"깨끗한 마음이란 무엇입니까?"

선사께선 시계를 들어 보이며 말씀하셨다.

"이것이 뭔가?"

학생이 대답했다.

"시계입니다."

선사께서 말씀하셨다.

"너는 이름과 모양에 집착하고 있다. 이것은 시계가 아니다."

"그것이 무엇입니까?"

선사께서 말씀하셨다.

"너는 이미 이해했다! 너도 이것을 볼 수 있고, 나도 이것을 보니까."(대중들의 웃음소리)

학생이 말했다.

"감사합니다."

선사께서 말씀하셨다.

"그게 다인가? (또다시 웃음소리) 네가 이해한 게 뭔가?"

"제가 모른다는 사실입니다."

선사께선 컵을 가리키며 말씀하셨다.

"이것은 컵이다. 그러나 『금강경』에서 이르기를, '범소유상 개시허망 약견제상비상 즉견여래(凡所有相 皆是虛妄 若見諸相非相 卽見如來)'라 했다. 즉, '모양이 있는 것은 다 허망한 것이다. 이렇게 모든 것을 허망한 것으로 보는 사람은 곧 그가 부처이니라.'고 했으니, 네가 이 컵의 모양에 집착한다면 그 진리를 이해하지 못할 것이다. 네가 이것을 컵이라고 한다면 바로 이름과 모양에 집착하고 있음을 뜻하는 것이고, 반면에 또 이것을 컵이 아니라고 한다면 그것은 네가 공에 집착하고 있음을 뜻하는 것이다. 이것이 컵인가, 아닌가?"

그 학생이 묵묵히 있다가 말했다.

"전 꽉 막혀 버렸습니다."

"좋다. 내가 대신 답을 하지."

선사께선 컵을 들어 그 속의 물을 마셨다.

"이것뿐이다."

그리고 잠시 후 이렇게 말씀하였다.

"일체만물은 각기 이름과 모양이 있다. 그러나 누가 그런 이름을 짓고 누가 그런 모양을 만들었는가? 태양이 '내 이름은 태양이다'라고 한 적이 없는데, 사람들은 말하길 '이것은 태양이고, 이것은 달이고, 이것은 산이고, 이것은 강이다.' 하고 이름 붙였다. 대체 누가 그런 이름과 모양을 만들었을까? 생각이 그렇게 만든 것이다."

"누가 생각을 만들었습니까?"

선사께선 웃으시며 말씀하셨다.

"바로 네가 그랬잖아! (와 하는 웃음소리) 참선하는 마음이란 본래의 마음으로 되돌아가는 것이다. 본래 마음이란 바로 생각 이전의 상태를 뜻한다. 생각하기 전에는 아무런 상대적 존재가 없다. 이것이 바로 절대적인 진리이다. 문자도 언설도 없다. 그러니 네가 입을 열면 그르치는 것이다. 그래서 생각하기 이전에는 마음이 깨끗한 상태였다. 깨끗한 마음에는 안도 없고 밖도 없다.

저 벽이 무슨 색인가? 하얗다. 이 마음도 오직 하얄 뿐. 내 마음과 그 하얀 색이 하나가 된다. 이것은 뭔가? 시계이다. 그 대답은 맞다. 그러나 내가 '너는 이름과 모양에 집착하고 있구나' 하고 말하자, 너는 생각하기 시작했다. '아, 내 대답에 뭐가 틀렸나? 이름과 모양에 집착하지 않는 답은 무엇일까?' 이것이 생각이다. 너는 내가 한 말에 집착한 거다. 단지 나는 너의 마음을 시험하려고 했던 것인데.

만일 네가 내 말에 집착하지 않았다면 이렇게도 답을 할 수 있었을 것이다. '선사님은 제 말에 집착하시는군요.' 이렇게 말하면 훌륭한 답이 된다. 내가 너에게 '너는 이름과 모양에 집착하고 있다' 했으니 너는 또 '선사님은 제 말에 집착한다'고 말할 수 있겠지. (웃음소리) 네가 나에게 '이것이 무엇입니까' 하고 물었는데, 난 '이미 네가 알고 있다'고 답했다."

선사께서 웃으시고 말씀하셨다.

"이것이 생각 이전이다. 이렇게 네가 생각을 끊어 내면 온 우주와 너는 하나가 된다. 너의 본질과 온 우주의 본질이 똑같기 때문이다. 그래서 이 컵이 너이고, 네가 이 컵인 것이다. 둘이 아닌 것이다. 그러나 네가 생각을 한다면 이 둘은 다른 것이다. 이렇게까지 자세히 설명을 했으니, 이제 다시 묻겠다. '이 컵과 너는 같은가, 다른가?'"

"이미 아시지 않습니까?"

"난 모른다. 그래서 너에게 묻는다."

"선사님은 이미 아십니다."

"그렇다면, 다시 묻겠다!"

"그 속에는 깨끗한 물이 있습니다."

"너는 깨끗한 물에 집착하고 있구나."

"선사님께서 깨끗한 물에 집착하고 계시는군요!"(웃음소리)

선사께선 웃으시며 말씀하셨다.

"아주 좋다! 이젠 이해를 했군. 이 컵엔 맑은 물이 있다. 저벽은 하얗다. 선의 마음이란 평상심이다. 그것뿐이다."

9. 『반야심경(般若心經)』에 대하여

선사님께

『반야심경』에 대하여 몇 가지 여쭙겠습니다.

1. 경에서는 "열반의 경지에는 알 것도 얻을 것도 없다" 했는가 하면, "과거·현재·미래의 삼세제불(三世諸佛)도 반야바라밀다에 의지하여 아뇩다라삼먁삼보리를 얻었다."고도 했습니다. 왜 열반에는 얻을 것이 없는데, 무상정등정각(無上正等正覺)인 아뇩다라삼먁삼보리를 얻었다고 했습니까?

2. 열반과 아뇩다라삼먁삼보리는 어떻게 다릅니까? — 180°와 여여(如如)한 경지의 차이도 — 말하자면, 180°에선 얻을게 없고 360°에선 얻는다는 뜻입니까?

3. 180°에서 마음이 없어졌을 때 '여여'한 마음이 저절로 나타나는 건 아닌가요?

4. 경의 첫째 구절에선 '색즉시공 공즉시색(色卽是空 空卽是色)'이라고 했는데, 둘째 구절에선 '공에는 모양이 없다(空中無色)'라고 했습니다. 앞에선 같다고 하고 뒤에선 다르다고 한 것입니다. 이해를 할 수도 있을 것 같지만, 선사님께서 이

것을 좀더 설명해 주셨으면 합니다.

1974년 11월 21일

에드 드림

에드 군에게

편지 고맙습니다. 요즘은 어떠십니까? 당신 질문에 답하겠습니다.

1. 왜 '무지역무득(無智亦無得)'이라고 했는가? — 난 당신을 때리겠습니다. '어떻게 아뇩다라삼먁삼보리를 얻는가?' — 하늘은 푸르고 나무는 파랗다.

내 답을 이해하시겠습니까? 그럼 당신은 무지역무득(無智亦無得)을 이해한 것입니다.

2. 열반과 아뇩다라삼먁삼보리의 차이를 물었는데, 열반이란 빈 거울과 같아서 좋지도, 나쁘지도, 색도, 모양도 없는 것입니다. 노란 빛을 받으면 노랗게, 빨간 빛을 받으면 빨간 거울이 될 뿐입니다.

열반에 오래 머물러 있으면 공에 빠지게 됩니다. 그러면 사람들을 구제할 수가 없으니 좋은 게 아닙니다. 열반의 세계에는 사람도, 부처도, 고통도, 행복도 없고 오직 침묵만 있을 뿐입니다. 이런 평정에 집착해 있다는 것은 자신만의 평화에 집착하고 있다는 뜻입니다. 그러나 180°를 지나면 360°에 도달합니다. 그러면 모든 것이 분명해집니다. 행복은 행복이고 괴로움은 괴로움인 것입니다. 그래서 고통받는 사람들을 만나면 당신은 그들을 고통으로부터 구해 주는 것입니다. 또 행복한

51

사람들을 만나면 함께 즐거워하는 것입니다. 당신은 그런 참된 길을 가르쳐야 합니다. 참된 길이란 바로 위대한 보살도입니다. 그 위대한 보살도를 발견했을 때 그것이 360°입니다.

3. 또 '180°'에서 마음이 없어졌을 때 '여여한' 마음이 저절로 나타나느냐고 했는데, 180°는 오직 완전히 공한 마음입니다. '여여한' 마음은 사라지지도 나타나지도 않는 마음입니다. 그럼 완전히 공한 마음은 뭘까? 사라지지도 나타나지도 않는 마음은 뭘까? 이름과 모양에 집착하지 말아야만 합니다. '180°'나 '여여하다'는 말은 오직 가르치기 위한 방편일 뿐입니다. 말에 집착하지 마세요.

4. '색즉시공 공즉시색(色卽是空 空卽是色)' — 90°의 경계, '무색무공(無色無空)' — 180°의 경계.

그러나 당신이 언어에 집착하지 않는다면, 이 두 개는 같습니다. 그래서 나누는 것입니다. 색즉시공 공즉시색, 무색무공, 다음 아제아제 바라아제 바라승아제 모지 사바하(gate gate paragate parasamgate bodhi swaha). 이것은 색즉시색 공즉시공을 뜻합니다. 당신은 이 세 가지를 이해해야만 합니다. 그러나 이 세 가지 중에서 어느 것이 맞습니까?

만일 당신이 어느 것이든 옳다고 한다면 난 당신을 30방 때리겠습니다. 그러나 당신이 어느 것도 안 맞는다고 한다면 그래도 30방을 때리겠습니다. 그럼 『반야심경』의 참뜻은 무엇인가? 여기에 당신을 위해 시 한 편을 적습니다.

열반의 성에서 처절한 괴로움을 겪고 나서
이 세상으로 가라앉는 기쁨이여!
아직도 연못에는 달이 떴는데
손으로 달을 떠올렸을 때,

처음으로 당신은 보게 되리.
실크 옷을 입은 중생들과,
누더기를 걸친 부처님들.
저녁에 걸어오는 나무로 된 사람과,
보네트를 쓴 돌로 된 여인까지.

1974년 11월 29일
숭산

10. 어렵지도 쉽지도 않게

1975년 5월에 한 학생이 새로 생긴 뉴욕 선원*으로 이사갈 결심을 했다. 그는 선을 배웠던 선생에게 이 결정을 어떻게 생각하느냐고 묻는 편지를 썼다. 그 선생은 답장을 보냈는데 여러 말 끝에 그는 이렇게 말했다.

"참선하는 것은 힘든 일입니다. 이 점을 간과해선 안 됩니다. 쉬운 방법이란 없습니다. 도오겐(道元) 선사는 이렇게 말했습니다. '쉬운 방법을 찾는 사람은 진정한 길을 찾지 못한다.'"

그 학생은 숭산 선사께 의견을 물었다. 선사께서는 말씀하셨다.

"네가 만일 쉬운 방법을 원한다면, 그것은 욕심이다. 그러나 만일 어려운 방법을 원한다면, 그것 역시 욕심이다. 선이란 너의 모든 욕심을 끊어 버리는 것이다. 그렇다면 너는 진정한

* Chogye International Zen Center: # 400 East 14th Street, Apartment 2E, New York, NY 10009, USA. (212) 553~0461.

길을 찾게 될 것이다. 그 선생은 선이 어렵다고 했는데, 나는 선이란 아주 쉬운 것이라고 말한다. 그러나 우리 둘은 똑같은 말을 하고 있다. 부처님께서 말씀하시길 '일체만물에는 불성이 있다'고 하셨고, 조주 스님은 개에게도 불성이 있느냐고 제자가 묻자, '무(無)!'라고 했다. 부처님이 맞고 조주가 틀렸는가? 이것은 단지 가르치는 방법이 다를 뿐이다.

왜 내가 선을 쉽다고 가르치는가? 미국에 있는 선을 배우려는 수많은 학도들이 어려움 병에 걸려 있기 때문이다. '어휴, 선은 너무 어려워! 우린 좌선과 용맹정진을 항상 해야만 해. 10년이나 20년 이렇게 해도 우리가 견성을 할 거라는 보장도 없어!' 그래서 나는 그런 이들에게 선이 쉬운 것이라고 보여 줌으로써 어려움에 집착해 있는 그들을 치료해 주려는 것이다.

조주가 지도했을 당시에는 많은 승려들이 부처나 불성에 너무 집착해 있었다. 그래서 이렇게 했던 것이다. '개에게도 불성이 있습니까?' '무(無)!' 이것이 조주의 방법이었다. 그러나 만일 네가 선이 어렵다거나 아니면 쉽다고 생각한다면, 이 말이 망상이 되어서 넌 선을 이해할 수 없게 된다.

난 항상 가르치길, 만일 네가 생각을 내지 않는다면 '그대로가 부처다' 하고 말해 왔다. '어렵다'는 것은 생각이다. '쉽다'는 것도 생각이다. 너는 말에 집착해서는 안 된다. 만일 조주의 '무(無)'에 집착한다면 너는 조주의 마음을 이해할 수 없다. 만일 나의 말에 집착한다면 나의 '쉬운 길'을 이해하지 못한다.

옛날에 부설(浮雪)이라는 유명한 거사가 살았다. 그는 크게 깨달은 사람이었고 그의 부인, 아들, 딸까지 모두 견성을 하였다. 어느 날, 한 사람이 부설 거사를 찾아와 물었다. '선이 어렵습니까, 쉽습니까?' 부설은 다음과 같이 말했다. '굉장히 어렵지요. 마치 지팡이로 달을 때리는 것만큼이나 어렵습니다.' 당황한 그 남자는 생각하기 시작했다. '선이 그렇게 어렵다면 도대체 부설 부인은 어떻게 견성을 했을까?' 그래서 그 남자는 부설 부인을 찾아가서 똑같은 질문을 했다. 그녀는 이렇게 말했다. '이 세상에서 제일 쉬운 겁니다. 아침마다 세수할 때 코를 만지는 격입니다.'

그 남자는 혼란스러울 수밖에 없었다. '도대체 모르겠구나. 선이 쉬운지 어려운지를…… 누구의 말이 옳은가?' 그래서 그는 다시 아들에게 물었다. 아들은 이렇게 말했다. '선은 어려운 것도 쉬운 것도 아닙니다. 수많은 풀잎 끝에 조사들의 뜻이 있습니다!' '어렵지도 쉽지도 않다? 그럼 대체 뭐란 말인가!' 그래서 그 남자는 이번에는 딸에게 물었다. '너의 아버지, 어머니, 오빠는 전부 다른 대답을 했다. 누구의 말이 맞는 거냐?' 딸이 말했다. '당신이 어렵게 만들면 어렵고, 쉽게 만들면 쉬운 겁니다. 그렇지만 만일 생각을 내지 않는다면 진리는 그냥 여여한 겁니다. 이번에는 제 질문에 답을 하세요. 바로 이 순간 당신은 어떤 마음을 갖고 있습니까?' 그 남자는 정말로 당황하고 말았다. 순간 부설의 딸이 그를 탁 때리고 말했다. '어렵고 쉬운 게 지금 어디 있어요?' 순간 그는 깨달았다. 그러니 선이 어렵다거나 쉽다고 생각해선 안 된다. 선은 오직 그럴 뿐이다."

11. '모를 뿐'인 마음을 지켜라
— 1975년 4월 20일 뉴욕 국제선원 개원 기념식에서의 법문

(선사께서는 주장자를 들어 법상을 천천히 3번 치시며) 이 소리가 막혔는가? 이 소리가 열렸는가? '막혔다'고 말한다면 무간지옥에 떨어질 것이요, 만일 '열렸다'고 말한다면 온갖 마구니들과 춤을 추는 꼴이다. 어째서인가?

(선사께선 주장자를 들어 허공에 원을 그린 뒤 법상 위에 수직으로 세웠다.) 하나, 둘, 셋, 넷, 다섯, 여섯, 일곱, 여덟.

(한참 동안 계시다가) 다망하신 중에도 우리 선원의 개원 행사에 참석해 주셔서 감사합니다. 우리가 오늘 이 자리를 함께했다는 사실은 그냥 우연히 일어난 일이 아닙니다. 모두 전생에서부터 비롯된 업의 결과입니다. 부처님을 모시고 불단 앞에서 우리가 이렇게 만날 수 있는 것은 아주 좋은 업입니다. 이 업이란 우리의 참된 자성을 밝혀내고 절대 진리를 얻는다는 뜻입니다. 또 욕심덩어리의 세상을 떠나 참으로 자유자재하고 평화로운 땅으로 여행하는 것입니다. 바로 이 때문에 우리가 작년에 원각사를 세웠고 또 오늘은 뉴욕 국제선원을 여는 것입니다.

그런데 경전에서는 '색즉시공이요 공즉시색(色即是空 空即是色)'이라고 했습니다. 바로 모든 이름과 모양이 다 허망한 것이다. 그러니 원각사니 뉴욕 국제선원이니 개원식이니 하는 모든 것이 다 없는 것입니다. 경전에서 또 이르시길, '일체만물은 본래 부처이다' 했으니, 염불(念佛)이나 간경(看經)·좌선(坐禪)을 한다는 게 다 무슨 소용이 있겠습니까? 그렇지만 우리들은 자신을 모릅니다. 욕구, 분노와 무지가 우리의 깨끗한 마음을 가리고 있기 때문입니다. 그러나 우리가 모든 생각을 끊어 내고 텅 빈 마음으로 돌아간다면, 여러분의 마음과 내 마음, 그리고 모든 사람들의 마음이 똑같은 것입니다. 우리는 온 우주와 더불어 하나가 될 것입니다.

그래서 한 조사께서 말씀하시길, "이 우주의 만물은 하나로 돌아간다."고 했습니다. 진실로 공한 마음이란 생각내기 이전을 뜻합니다. 생각이 생기지도 없어지지도 않는 상태인 것입니다. 또 아무것도 나타난 바가 없고, 없어지는 바가 없는 자리를 뜻합니다. 또 나타난 바도 없고, 없어진 바도 없는 자리이므로, 나고 죽음도 없고, 고통과 행복도 없고, 좋고 싫음도 없고, 너와 내가 없습니다. 바로 이것이 만법귀일(萬法歸一)입니다. 그러면 그 하나는 어디로 가는 것입니까?

옛날에 어떤 사람이 만공(萬空) 선사를 찾아와 "만법이 귀일이라면 그 하나는 어디로 돌아가는 겁니까(萬法歸一 一歸何處)?" 하고 묻자, 선사께선 이렇게 답하셨습니다.

"봄 기러기 북으로 날아간다."

여러분은 이 말 뜻이 무엇이라고 생각하십니까?

"봄 기러기 북으로 날아간다."

아무리 여러분들이 수미산을 백만조각으로 부수고 바닷물을 한숨에 들이킬 수 있다 해도 이 말 뜻은 모를 것입니다.

아무리 여러분들이 삼세제불과 조사들 그리고 온 인류를 죽였다 살렸다 하는 재주가 있어도 이것만은 모릅니다. 그렇다면 대체 여러분이 어떻게 하면 '봄 기러기 북으로 난다'란 말을 이해할 수 있겠습니까? 그냥 '모를 뿐'인 마음을 지키기만 하면 됩니다. 이 '모를 뿐'인 마음은 한자리에 박혀 움직이지 않는 마음입니다. 은산철벽(銀山鐵壁)을 기어오르려는 것처럼 말입니다.

모든 생각을 끊어 내야 합니다. 이 경지에 들어가면 여러분의 마음은 곧 뻥 뚫릴 것입니다. 여러분은 돌사자가 파도를 헤치고 달리는 것도 보고 태양도 먹어치울 수 있게 됩니다. 그러나 아직 여러분은 어리둥절할 겁니다. 거기서 한걸음 더 나아가야 합니다. 그래야만 여러분은 봄이 오면 도처에 꽃이 피고 풀이 돋는 진정한 경지에 도달하게 됩니다. 이 경지에 닿으면 불경이나 성서뿐만 아니라 물소리, 바람소리, 산의 색, 길에서 짖는 개소리까지도 다 진리가 되는 것입니다. 여러분이 보고, 느끼는 것 모두 있는 그대로가 진리 그 자체인 것입니다. 그래서 만공 선사께서 '봄 기러기 북으로 날아간다'고 말한 것입니다.

진리는 바로 이와 같은 것입니다. 만법귀일(萬法歸一)인데 일귀하처(一歸荷處)인가요? 소아(小我)인 나를 버리고 대아(大我)로 들어가세요. 여러분의 눈이 떠질 때, 여러분이 듣고 보는 것은 그대로 여여할 것입니다.

이 법문 서두에서 나는 법상을 3번 쳤습니다. 만공 선사께선 '봄 기러기 북으로 날아간다'고 했습니다. 그럼 내가 한 행동의 뜻과 만공 선사가 한 말의 뜻 — 이 둘이 같습니까 아니면 다릅니까? 만일 여러분이 '같다'라고 하면 30방을 맞을 것이요, 또 '다르다'해도 역시 30방을 맞을 것입니다. 어째서인가?

"할!"

브로드웨이 쪽의 정문을 열어라.

12. 1+2＝?

어느 날, 숭산 선사께서는 제자들에게 이렇게 말씀하셨다.

"하나 더하기 둘은 뭐냐?"

한 제자가 "셋입니다." 하고 말하자, 선사께서는 이렇게 말씀하셨다.

"틀렸다. 하나 더하기 둘은 영이다. 왜냐고? 만일 네가 사과 하나에 둘을 더하면 셋이 되지. 그러나 내가 그 사과 하나를 먹고 또 둘을 먹어 버린다면 사과는 없는 것이다."

"그건 옳지 않습니다."

"너는 하나 더하기 둘은 셋이라고 했고, 나는 하나 더하기 둘은 영이라 했다. 누가 옳으냐?"

제자는 대답을 못했다. 선사께서는 그 제자를 한 번 치시고 이렇게 게송을 읊으셨다.

"사자는 사람을 할퀴고 개는 뼈다귀를 쫓느니라."

다음날 선사께선 제자들에게 다시 물으셨다.

"하나 더하기 둘은 뭐냐?"

한 제자가 외쳤다.

"할!"

"그것이 진리이냐?"

"아닙니다."

"그럼 뭐가 진리이냐?"

"하나 더하기 둘은 셋입니다."

"난 네가 눈먼 개인 줄 알았었는데, 이제 보니 눈 밝은 사자로구나."

13. 소음도 네 마음에서 비롯된다

하루는 제자가 케임브리지 선원으로 숭산 선사를 찾아와 질문했다.

"전 좌선을 할 때 소음으로 방해를 받습니다. 어떻게 하면 좋겠습니까?"

"이 양탄자의 색이 뭐냐?"

"파란색입니다."

"이게 조용하냐, 시끄럽냐?"

"조용합니다."

"누가 그것을 조용하게 했느냐?"

제자는 이 질문에 어깨를 들썩했다. 선사께서 말씀하셨다.

"네가 그랬다. 시끄럽다거나 조용하다는 것은 네 생각이 그렇게 만든 것이다. 만일 네가 무언가를 시끄럽다고 하면, 그것은 시끄러운 것이 되고, 반면 조용하다고 생각하면 조용하게 되는 것이다. 시끄러운 게 시끄러운 것이 아니고, 조용한 게 조용한 것이 아니다. 만일 네가 깨끗한 마음으로 아무 편견 없이 자동차 소리를 듣는다면 그것은 시끄럽지가 않고 오직 그럴 뿐이다. 시끄럽다거나 조용하다는 것은 상대적인 개념인 것이다. 참 진리는 바로 이와 같다."

잠시 동안 침묵이 흘렀다. 그리고 선사께서 말씀하셨다.

"파란 색의 반대는 무엇이냐?"

"모르겠습니다."

"파란 색은 오직 파랄 뿐이고 하얀 색은 오직 하얄 뿐이다. 이것이 그 진리다."

14. 당신은 완전히 돌아야만 한다

어느 날, 한 방문객이 프로비던스 선원을 찾아와 숭산 선사께 질문을 했다.

"만일 제가 참선을 한다면 견성을 하겠습니까?"

선사께서 말씀하셨다.

"당신은 왜 견성을 하려고 합니까?"

방문객이 말했다.

"저는 매사에 마음이 뒤틀리고 있습니다. 자유라는 걸 느끼지 못하고 있습니다."

"왜 자유를 못 느끼십니까?"

"아마도 저는 너무 많은 것에 집착해 있는가 봅니다."

선사께서 말씀하셨다.

"왜 그런 집착들을 끊어 버리지 않습니까?"

"그것들이 너무 현실적으로 보이기 때문입니다."

선사께선 이렇게 말씀하셨다.

"아무도 언제 죽을는지는 모르는 일입니다. 그 때가 내년일수도 있고, 다음 주일 수도 있고 아니면 5분 후일 수도 있습니다. 그러니 지금 당장 모든 것을 놓아 버리십시오. 당신은 이미 죽고 없다는 마음을 가져 보세요. 그러면 당신의 모든 집착은 사라질 것이고 당신은 참선을 해도 좋고 하지 않아도 좋을 것입니다. 당신은 지금 '나는 살아 있고 강하다'고 생각하고 있습니다. 그래서 욕구와 집착이 많이 생겨나는 것입니다. '나는 죽고 없다'고 생각한다면 죽은 사람에겐 아무런 욕망도 있을 수 없는 것이지요."

방문객이 다시 물었다.

"제가 살아 있는데 어떻게 죽었단 말입니까?"

선사께서 말씀하셨다.

"죽었다는 것은 죽은 것이 아닙니다. 우리는 눈, 귀, 코, 혀, 몸과 마음을 가지고 있습니다. 그러나 『반야심경』에서 말하기를, 공에는 눈·귀·코·혀·몸도 마음도 없다고 했습니다. 여섯 가지의 감각이 없다면 아무런 장애도 없는 것입니다. 아주 쉬운 일입니다. 그래서 만일 내가 이미 죽었다면 보는 것이 아니고, 듣는 게 듣는 것이 아닙니다. 마치 음식점 앞을 지나가다 좋은 냄새를 맡아도 그냥 지나치는 것과 같습니다. 그것이 내 집이 아니니 손을 댈 수 없는 것입니다."

그 방문객이 말했다.

"대체 제가 어떻게 해야 죽은 듯이 지낼 수 있겠습니까?"

선사께서 말씀하셨다.

"커다란 의심을 품으면 됩니다. '내가 뭘까?' 이제 내가 묻겠습니다. 당신은 무엇입니까?"

"저는 하나입니다."

"그 하나는 어디서 온 겁니까?"

"하느님으로부터. 하느님은 하나입니다."

"하느님? 당신은 하느님을 알고 있습니까?"

"모릅니다."

"당신은 하나라고 했고 하느님이라고 했습니다. 틀렸습니다. 당신이 하나를 만들면 그것은 하나고, 하느님을 만든다면 그것이 하느님입니다. 이것은 모두 생각인 것입니다. 생각이 없는 당신은 무엇입니까?"

"아무것도 아닙니다."

"아무것도 아니라?"

선사께선 그를 때리셨다. 그리고 말씀하셨다.

"이것은 통증입니다. 아무것도 아닌데 고통을 느낍니까?"

방문객은 미소를 지었다. 선사께서 말씀하셨다.

"생각 이전의 당신의 마음은 백지와도 같은 것입니다. 그런데 당신은 거기다가 하나다, 하느님이다, 아무것도 아니다, 등의 글을 쓴 것입니다. 당신이 모든 생각을 끊어 내면 이름이나 모양 등이 지워지고 원래의 빈 마음으로 돌아가게 됩니다. '내가 뭘까? 모르겠다.' 당신이 이 커다란 의심을 품을 때 당신의 마음은 오직 모를 뿐인 것입니다. 모를 뿐인 마음은 텅 빈 마음입니다. 거기에는 문자나 말이 필요 없습니다. 하나라는 것도, 하느님이라는 것도, 아무것도 아니라는 것도, 마음도, 공도 없는 것입니다. 이 모른다는 마음이 매우 중요합니다. 모르는 게 나요, 나는 모르는 것이다. 바로 이뿐입니다. 이것이 당신의 본래성품입니다. 그러니 항상 모를 뿐인 마음을 간직하십시오."

그 방문객이 말했다.

"제 친구들은 제가 선에 관심을 갖는다고 돌았다고들 생각합니다."

선사께서 말씀하셨다.

"미쳤다는 것은 좋은 것입니다. 돈 사람은 행복하고 자유롭

고 걸리는 게 없습니다. 그러나 당신은 많은 것에 집착하고
있기 때문에 아주 조금밖에 미치지 않았습니다. 이것으로는
충분치가 않습니다. 아주 완전히 돌아야만 합니다. 그래야 이
해하게 됩니다."

그 방문객은 절을 올렸다. 누군가가 다가와 두 잔의 차를
따랐다.

15. 고봉 선사 이야기

고봉(高峰)은 중국 송나라의 유명한 선사였다. 고봉이 20세 때, 그의 스승은 고봉에게 공안(公案)을 주었다.

"그대는 태어날 때 어디에서 왔으며, 죽으면 어디로 갈 것인가(生從何來 死向何處)?"

그가 이 공안으로 참선을 하자 마치 어두운 숲 속에서 길을 잃고 방황하는 나그네 같은 기분이 들었다. 훗날 그는 당시를 다음과 같이 회고했다.

"당시 나는 망상에 빠져서 더욱 얼떨떨했었다."

3년이 지났다. 고봉은 그 동안 공안을 붙들고 밤낮으로 씨름을 했지만 얻은 것이 아무것도 없었다. 절망해서 그는 당시 유명했던 설암(雪巖) 선사를 찾아 나섰다. 고봉은 그 공안을 깨칠 수가 없다고 말하며 큰스님의 도움을 청했다. 설암 선사가 이렇게 말했다.

"우리가 듣기로는 일체만물엔 불성이 있다고 한다. 이것은 과거, 현재, 미래의 모든 부처님들의 가르침이다. 그런데도 조주 선사에게 어떤 승려가 찾아와 '개에게도 불성이 있냐'고 물으니 '무(無)!'라고 했다. 이 '무'가 무슨 뜻이냐?"

고봉은 이 말에 정신이 아찔했다. 그가 대답을 못하고 쩔쩔매자 선사는 주장자로 고봉의 어깨를 세게 후려치곤 쫓아내 버렸다.

고봉은 고통과 굴욕으로 눈물을 흘리며 그의 암자로 돌아왔지만, 선사의 질문을 생각하지 않을 수 없었다. 대체 그게 무슨 뜻일까? 무슨 뜻이란 말인가? 갑자기 어두운 방에 불이 밝혀지듯 그의 마음 속에 불이 켜지더니 점점 그의 존재 전체로 번져갔다. 첫째 공안, 즉 '생종하래이며 사향하처(生從何來 死向何處)인가?'가 확실해졌다.

다음날 그가 경내의 밭에서 일하고 있는데 설암 선사가 그를 찾아왔다. 설암이 말했다.

"사람이 찾고자 하는 욕심을 버린다면 무얼 찾으려는지를 깨닫게 될 것입니다."

이 말을 듣자 선사는 갑자기 그의 멱살을 잡곤 소리쳤다.

"이 송장을 끌고 다니는 놈은 누구냐?"

고봉은 분명 공안을 깨쳤으면서도 다시 겁에 질려 아무 말도 못하고 쳐다보기만 했다. 선사는 그를 냅다 밀쳐 버리고 가버렸다. 고봉은 다시 실패한 뒤라 잠을 잘 수가 없었다. 그러던 중 어느 날 밤 꿈에 그의 첫번째 스승이 나타나 그에게 또 다른 공안을 주었다.

"만법귀일인데 일귀하처인가(萬法歸一 一歸何處)?"

그가 꿈에서 깨어나자 온갖 의심과 혼돈이 서로 얽혀 그의 마음을 커다란 바위처럼 무겁게 짓눌렀다. 5일 간을 그는 몽유병자같이 살았다. 6일째 되는 날 그가 커다란 방으로 걸어가고 있는데, 그 방에서는 마침 임제종의 5조 법연(法演) 선사 추모식이 열릴 예정이었다. 이때 영정을 벽에 걸어 놓는데 거기엔 오조 법연 자신이 쓴 찬(讚)이 적혀 있었다.

백 년, 삼만 육천 일을
온갖 조화 부린 것이 바로 이놈이로다.
百年三萬六千朝
返覆元來是這漢

이 마지막 구절을 읽자, 고봉은 확 깨달았다. 훗날 그가 기술하기를, "바로 그 순간에 온 우주가 부서져 산산조각이 나고, 땅 전체가 푹 꺼지는 걸 느꼈다. 나도 없고 세상도 없다. 마치 거울과 거울끼리 서로 반사하며 비치는 것 같았다. 몇 가지 공안을 스스로 묻자 모든 답이 분명하게 떠올랐다.'고 한다. 다음날 그는 설암 선사를 찾아갔다. 선사가 그에게 물었다.

"어느 놈이 이 송장을 이리 끌고 왔는고?"

고봉이 소리쳤다.

"할!"

선사가 주장자를 쳐들자 고봉이 손으로 낚아채며 말했다.

"어허! 오늘은 맞지 않습니다."

선사께선 말씀하셨다.

"어째서이냐?"

고봉이 벌떡 일어나 밖으로 나갔다. 얼마 후, 다른 선사가 고봉을 찾아와 말했다.

"축하하네. 자네가 견성했다고 들었네."

고봉이 웃고 말했다.

"감사합니다."

그 선사께서 말씀하셨다.

"자넨 언제나 그 경지를 주재하고 있는가?"

"그렇고말고요."

"일할 때도, 잘 때도, 꿈꿀 때까지 말인가?"

"네, 꿈속에서도 그렇습니다."

"꿈 안 꾸고 잘 때도 말인가? 빛도 소리도 의식도 없는데, 그럴 땐 자네의 깨달음은 어디에 있는가?"

고봉이 대답하지 못하자 선사께서 말씀하셨다.

"자네에게 충고하겠네. 배고프면 먹고, 졸리우면 잠자게. 아침에 깨어날 때마다 이렇게 물어보게. '이 몸뚱이의 주인은 누구이고 그놈은 어디에 사는가?' 그러다 보면 자넨 마지막 깨달음을 얻을 수 있을 것이네."

고봉은 미치는 한이 있더라도, 이 공안을 잡고 참선하기로 작정 했다. 5년이 흘렀다. 고봉은 친구와 중국의 북쪽으로 여행길에 올랐다. 도중에 그들은 여인숙에 묵었다. 친구는 지쳐서 눕자마자 잠에 곯아 떨어졌지만 고봉은 자지 않고 구석에 앉아 참선을 했다. 친구가 뒤척이다가 갑자기 나무베개를 떨어뜨렸다. 이 소리에 고봉의 마음은 확 열리고 온 우주가 환해지는 걸 느꼈다.

순간 고봉은 자기의 공안뿐만 아니라 부처님으로부터 조사를 거쳐 내려오는 모든 공안을 이해하게 되었다. 그는 자신이 오랜 여행길 끝에 고향에 돌아온 나그네의 심정과 같음을 느꼈다. 확철대오한 경지에서 그는 다음과 같이 오도의 법열을 노래하였다.

멀리에서 고향에 돌아 온 그 사람은
처음부터 예 있던 바로 그 사람이다.
옛 그대로일 뿐 변한 것이 없도다.

遠客還故鄉
元來只是舊時人
不改舊時行履處

16. 부처님이 어떻게 웃을 수 있나?

선사님께

오늘 밤의 선 모임은 정말 대단했습니다. 아무도 자지 않았어요. 모임이 끝나자 알반이 죽비를 들고 다니면서 우리 전부를 세게 때렸습니다. 그는 훌륭한 선사였습니다. 간혹 내방객이 전혀 없을 때도 있는데 오늘은 다섯 사람이나 있었습니다. 저의 아버지는 김치를 더 먹고 싶어하십니다. 그래서 오늘 제가 가게로 가서 김치를 아주 많이 사다 놓았습니다.

선사님이 안 계시니 좋지 않습니다. 선사님께서 도와 주셨으면 합니다. 또 건강하시길 빕니다. 여기 동료들도 모두 잘 지냅니다. 잘 먹고 참선도 많이 하고 염불도 잘하고 생각도 많이 합니다. 봄이 오면 꽃이 피고 부처님이 웃는다.

1973년 5월 5일
보비 올림

보비 군에게

당신이 보낸 편지, 책과 사진을 잘 받았습니다. 덕분에 난 잘 지내요. 부처님 오신 날에 우린 법회를 멋지게 치렀습니다. 200명이 넘는 신도들이 참석했습니다.

프로비던스 선원의 여러분이 좌선을 열심히 하고 알반이 선사로서의 직무를 잘 수행하고 있다고 하니 기쁘군요. 보비 군이 선원에서 여러 사람들을 보살피는 힘든 일을 하기 때문에, 나는 항상 당신을 생각하고 걱정하고 있습니다. 그러나 훌륭히 해 내고 있음을 잘 압니다. 나도 곧 돌아가서 여러분들을 돕겠습니다.

편지에 보니 "잘 먹고 참선도 많이 하고 염불도 잘하고 생각도 많이 한다"고 썼군요. 이것은 훌륭한 말입니다. 그러나 난 이런 의문이 듭니다. 이런 행동들은 당신의 마음 속에서 하고 있는 것인가 아니면 밖에서 하는 것인가?

그 다음의 글귀도 아주 좋아요. 그러나, 1) 본래 만물이 공이라면 봄은 어디로부터 오는가? 2) 진짜 부처님이라면 이름과 모양이 없을 텐데, 어떻게 웃을 수 있나?

당신이 대답을 하면 30방을 맞을 것이요, 또 대답을 하지 않는다 해도 역시 30방을 맞을 것입니다. 어째서인가?

나무닭이 연못에서 헤엄을 친다.
돌고기가 하늘에서 놀고 있다.
화신(化身)과 보신(報身)은 생각에서 온다.
법신(法身)은 어디서나 순수하고 맑고 무한하다.
천 강의 물결 위에
천 개의 달이 비춘다.
만리도 넘는 하늘에 구름 한 점 없으니,

오직 파랗고 파란 하늘이 만리로다.

1973년 5월 14일
곧 만나길 고대하며
숭산

17. 사과와 오렌지

어느 날, 숭산 선사께선 제자들과 함께 프로비던스 선원 부엌에 앉아 계셨다. 식탁의 중앙에는 사과와 오렌지가 담긴 바구니가 하나 놓여 있었다. 선사께서는 사과 하나를 집으며 말씀하셨다.

"이것이 무엇이냐?"

한 제자가 대답했다.

"선사님께선 모르십니까?"

"너에게 묻는 거다."

"사과이지요."

이번에 선사께선 오렌지를 집으며 말씀하셨다.

"이 사과와 이 오렌지 — 이 둘이 같으냐, 다르냐?"

그 제자는 사과를 집어 한 입 베어 먹었다. 선사께서 말씀하셨다.

"이 사과에도 불성이 있느냐?"

"없습니다."

"왜 없지? 부처님께서 말씀하시길, 만물에는 불성이 있다고

했는데, 넌 이 사과에 불성이 없다고 하는구나. 누구의 말이
옳으냐?"

그 제자가 선사께 사과를 건네 드렸다.

"난 이 사과가 싫다. 다른 답을 보여다오."

"사과가 빨갛습니다."

선사께서 말씀하셨다.

"나는 사과의 색에 대해선 미처 생각지 못했었는데, 네 말
을 듣고 보니 정말 빨갛구나."

18. 공안이 주는 괴로움

선사님께

썼다가 부치지 못했던 편지를 한꺼번에 부칩니다. 제가 지닌 공안은 '오직 모를 뿐'입니다. 제 짐작으론 좋지도 나쁘지도 않고 아직도 '모를 뿐'인 상태입니다.

저는 아무것도 모르는 것처럼 느끼는데, 바로 이 점은 제가 정확하게 어떤 것을 모르겠다는 것과는 다른 것 같습니다. 제게 사쿠하치 부는 법에 관해 가르쳐 주세요. 전 피리를 잘 불고 싶습니다. 어떻게 하면 그렇게 될까요? 제가 오늘 연주를 하며 살펴보니까 모든 일은 악보에 적힌 음악과 같다는 생각이 들었습니다. 말하자면, 셋째 손가락을 움직여라. 악보가 지시하는 대로 움직이며 부는 법을 배우고, 최선을 다해 그 요구를 수행하려면 어떻게 해야 될까요? 전 사실 무슨 말을 해야 되는지도 제대로 알지 못합니다. 그러면서도 편지를 드려야만 될 것 같기에 이런 글을 씁니다.

1975년 3월 4일
씨 호이 드림

선사님께

전 도대체 뒤죽박죽입니다. 선사님이 여기 계시지 않기 때문에 헤른 법사에게 가기도 하고, 티엔 안 박사에게도 가끔 찾아갑니다. 헤른 법사는 일주일에 한번씩 독참에 맞춰 이곳에 오는데, 이달 말에는 아시아를 순방하러 떠납니다.

선사님께서 프로비던스 선원으로 떠나신 직후, 저는 코산 기무라 노사를 찾아가 본 적이 있습니다. 여기에 적힌 공안들은 제가 여러 선사님들로부터 받은 것입니다.

선사님께서는 제게 이 공안을 주셨습니다.

"나는 누구인가? 왜 달마 대사는 수염이 없나?"

헤른 법사가 준 공안은 "구멍 없는 피리소리는 무엇인가?"입니다. 하루는 그가 저에게 "자 이제 네가 이것을 깨달았음을 증명해 보여라."고 하면서 또 이 공안을 주었습니다.

"넌 망치 없이 못을 박을 수 있느냐?"

티엔 안 박사로부터는 "너는 불성을 어디서 보았느냐?"라는 공안을 받았는데 이에 대한 제 답변은 "부지런히 정진할 뿐. 거의 한 바퀴 돌았습니다. 어떻게 하면 흔적을 남길 수 있을까요?"였습니다. 그러나 그는 "그렇게 좀더 공부하라."고 하였습니다.

기무라 노사는 제가 스승을 한 사람으로 정해야만 된다고 합니다. 그에게 선사님이 여기에 안 계신다고 했더니, 그는 선사님을 따라 프로비던스 선원으로 가라고 했습니다. 그러면서 제가 선원에 가서 그들과 함께 참선하는 것은 상관치 않겠지만, 제가 받은 공안에 방해가 될까봐 독참은 허락치 않겠다고 했습니다.

간밤에 그의 선원에 갔지만 독참은 못했습니다. 오늘은 참선도 하고 독참도 했습니다. 그의 말은 전 공안을 한 가지만 가져야 한다며 "어디서 태어났는가?"로 참선하라고 합니다. 모두 독참을 끝낸 뒤, 제 차례가 되어서 전 "아무 흔적도 없으니, 어떻게 제가 압니까?" 하고 대답했습니다. 우리는 다시 이야기를 하고, 그는 제가 어떤 공안을 받았으며, 그 중 어떤 공부를 하느냐고 물었습니다. 그 중에서 "난 누구인가?"를 가장 열심히 한다고 하니, 그는 초보자에겐 너무 어려운 공안이라면서 "난 어디서 태어났나?"로 참선하라고 했습니다.

좌선을 할 때 (이렇게만 하는 걸 더 좋아하지만) "난 누구인가?"라고만 해야 될지. 어떻게 해야 될지 모르겠습니다. 그런데도 독참 없이 코산 노사에게 가서 참선을 해야 될까요? 프로비던스 선원으로 가야 할까요? 그러나 전 여기에 집착하는 게 많이 있습니다. 선사님께도 집착을 하니까요.

가끔 전 선사님께서 이렇게 물으시던 생각이 납니다.

"너는 누구냐?"

그럴 때 이렇게 힘든 일을 제게 주신 선사님이 원망스럽기까지 합니다. 그러면서도 전 지금까지 "난 누구인가?"에 집착되어 있어서, "내가 어디서 태어났나?"란 생각을 하면 구역질이 납니다. 왜냐 하면 이 모든 일이 머리속을 어지럽히기 때문입니다. 오늘 밤도 전 좌선을 하며 "난 누구인가?"만을 생각했습니다. 아무래도 선사님만이 "난 누구인가?"란 의문을 다시 가져가실 수 있는 것 같기에 부탁드립니다. 제발 답장을 속히 주세요. 그렇지만 선사님께선 안 그러실 테죠. 어휴…… 선사님, 가서 썹이나 파세요. 빨리 뵙기를 학수고대하며…….

1975년 3월 5일
씨 호이 올림

씨 호이 군에게

두 장의 편지를 잘 받았어요. 이 달 초순부터 난 뉴욕에 있었기 때문에 이틀 전에야 이 편지를 겨우 볼 수 있었습니다. 그래서 답장이 늦어졌어요. 미안합니다.

당신의 편지를 보니 당신은 어떤 수행을 해야 할지도 모르고 아무것도 모른다고 했군요. 또한 당신은 당황하고 있다고 했어요. 만일 모를 뿐인 마음을 지키고 있다면, 어떻게 혼돈이 있을 수 있을까요? 완전히 모를 뿐인 마음이란, 모든 생각을 끊어 내는 것을 뜻합니다. 모든 생각을 끊어 낸다는 것은 진정한 공을 뜻합니다.

진정한 공이란 혼돈도 없고 혼돈할 것도 없는 경계입니다. 진정한 공이란 생각 이전의 것입니다. 진리는 바로 이와 같은 것입니다. 빨간 색이 비치면 빨갛게 되고, 하얀 색이 비치면 하얗게 됩니다.

피리의 구멍을 다 막으면 소리가 안 나고 구멍이 열려 있으면 크게 소리가 납니다. 다만 이와 같은 것입니다. 피리는 당신에게 아주 훌륭한 스승입니다. 만일 모르는 게 있으면 피리에게 물어 보세요. 피리소리 속으로 들어가세요. 그러면 피리가 어떤 것이 견성인가를 알려 줄 겁니다.

티엔 안 박사, 헤른 승룡 씨, 기무라 노사 같은 분들은 모두 훌륭한 선사들입니다. 그러니 무슨 의문점이나 문제가 생길 때 찾아가서 의논을 하면, 어떤 일이든 그분들이 도와 줄 것입니다.

당신에겐 공안이 참으로 많군요. 그러나 공안이란 마치 달을 가리키는 손가락과 같은 것일 뿐입니다. 만일 당신이 손가락에 신경을 쓴다면 방향을 알 수 없어서 달을 못 보고 맙니다. 공안에 집착하지 않으면 방향을 알게 됩니다. 그 방향이란 완전히 모르는 마음입니다. '여여하다'고 하는 것은 바로 '모른다'라는 것입니다. 만일 당신이 '모른다'는 것을 이해한 다면, 당신은 모든 공안을 이해할 것이고 곧 '여여하다'란 말도 이해하게 됩니다.

당신은 공안을 갖고 참선하는 데도 어려움이 많다고 했습니다. '난 누구인가?' — 이것을 알 수 있습니까? 당신의 대답은 '난 모른다'입니다. '난 어디서 태어났나?' — 이것을 압니까? 이에 대한 대답도 마찬가지로 '난 모른다'입니다.

만일 당신이 말 자체에 집착하지 않는다면 모르는 마음은 똑같은 것입니다. 모든 공안은 똑같이 모르는 마음이 되는 것입니다. 당신의 모르는 마음, 나의 모르는 마음, 모든 사람들의 모르는 마음, '나는 누구인지'를 모르는 마음, '내가 어디서 태어났는지'를 모르는 마음, 이 모든 것은 똑같이 모르는 마음입니다.

이렇게 쉬운 것입니다. 단지 모르는 마음을 지니기만 하세요. 말에는 신경을 쓰지 마세요. 이 모르는 것이 당신의 진짜 모습입니다. 그것뿐입니다. 이렇듯 쉬운 것이지 결코 어려운 게 아닙니다. 그러니 당신은 오직 모를 뿐인 마음을 언제, 어디서나 지켜야만 합니다. 그러다 보면 당신은 곧 견성하게 될 것입니다.

그러나 견성을 바라서는 안 됩니다. 오직 모를 뿐인 마음을 지녀야 합니다. 당신의 상황이나 조건, 의견 등은 모두 내던져야 합니다.

내 생각으론 당신은 기무라 노사와 참선하는 게 좋을 듯 싶습니다. 또 난 당신이 당신의 피리가 무엇을 가르치고 있는지 귀기울이기를 바라며 또 견성하길 빕니다.

편지 끝에다 내게, '씹이나 팔라'고 썼는데, 이 멋진 말을

들려준 데 대해 고맙게 생각해요. 당신이 견성을 하면 그 땐
내가 이 말을 당신에게 돌려줄 겁니다.

1975년 3월 22일
친애하는 숭산으로부터

19. 견성의 팔만 사천 단계

어느 목요일에 케임브리지 선원에서 법문이 끝난 다음, 한 제자가 숭산 선사께 질문을 했다.

"견성에 대해 질문하겠습니다. 이제는 견성이 아주 좋다는 것을…."

얼른 선사께서 말씀하셨다.

"아주 나쁜 것이지!"(대중들의 웃음소리)

그 제자가 말했다.

"견성의 완전한 덕목들은 부처님이 손수 정하셨습니다. 부처님께선 견성에는 일곱 가지 단계가 있다고 하셨습니다."

"일곱이라고?"

"일곱이요."

"아닌데, 그보단 훨씬 더 많은데!"(웃음소리)

"제 질문은 만일 누군가 견성을 한다면, 그것으로 족한 것입니까? 아뇩다라삼먁삼보리, 즉 무상정등정각(無上正等正覺)이면 끝인가요? 그건 열반과 같은 것입니까? 아니면 열반의 임시적인 상태입니까? 간혹 선사님들은 견성엔 두 가지 단계가 있다고도 하고, 세 가지 단계가 있다고도 합니다. 견성에 대해서 말씀해 주세요. 그 단계가 하나입니까, 둘입니까, 셋, 아니면 더 있습니까?"

선사께서 말씀하였다.

"견성에는 수많은 단계가 있다. 약 팔만 사천 단계 정도. 이 정도면 되었느냐?"(웃음소리)

"아주 재미있군요."

"내가 그걸 다 가르쳐 주지."(웃음소리)

"전에도 그 소리를 들은 적이 있습니다. 천태사상(天台思想)에서 나온 것입니다."

"어떤 것을 원하느냐? 하나, 둘, 셋, 아니면 팔만 사천?"

"그걸 다 배울 수 있을까 겁이 납니다. 그러나 두 단계에 대해선 대충 설명을 해 주시겠…."

선사께선 물컵을 제자에게 건네 주며 말씀하셨다.

"이 물을 마셔라."

제자는 물을 마셨다.

"물맛이 어떻든가?"

"물맛입니다."

"네가 바로 지금 그 팔만 사천 단계를 다 증득한 것이다." (웃음소리)

그 제자가 말했다.

"제가 바라던 것 이상입니다. (웃음소리) 감사합니다."

선사께서 말씀하셨다.

"좋다. 이제 설명하지. 참선을 할 때, 우리는 견성에는 세 가지 종류가 있다고 말한다."

그리고 목탁을 집어들며 말씀하셨다.

"이것이 목탁이다. 그러나 만일 네가 목탁이라고 말하면, 넌 이름과 모양에 집착하는 것이다. 그러면 이것이 목탁이냐, 아니냐? 이것이 우리가 쓰는 첫째 단계의 공안이다. 만일 네가 마루를 치거나, '할!'이라고 외치거나, 아니면 날 때리는 방식으로 대답한다면 이것은 첫째 단계의 견성이다. 즉, 시각(始覺)이다. 모든 것은 하나가 된다. 부처님도, 너도, 나도, 목탁도, 할이나 때리는 것, 이 모두가 하나가 된다. 만법이 하나로 돌아간다(萬法歸一)."

그 제자가 손가락을 튕겨 소리를 냈다.

"맞다. 이것이 시각(始覺)이다. 두번째가 본각(本覺)이다. 이것이 목탁이냐, 아니냐? 이번에 네가 '벽은 희고 목탁은 갈색이다'라든가 '하늘은 파랗고 나무는 푸르다' 혹은 '3×3=9'라고 답하는 것이다. 모든 것이 이와 같다. 이것이 본각이다. 됐느냐?"

"좋습니다."

"그 다음이 구경각(究竟覺)이다. 이것은 아주 중요하다. 무엇이 구경각이냐?"

선사께선 목탁을 치셨다.

"오직 이뿐이다. 오직 이뿐. 진리는 바로 이와 같은 것이다. 그래서 우리는 세 단계가 있다고 가르친다. 시각·본각·구경각. 처음에는 서로 비슷하게 보인다. 그러나 같은 것은 아니다. 이젠 확실히 알았느냐?"

"전보다 훨씬 더 분명합니다."

선사께서 말씀하셨다.

"오직 이뿐이다. 만일 네가 참선을 열심히 하면 넌 곧 이해하게 된다."

"감사합니다."

"좋다. 그럼 내가 묻겠다. 동산(洞山) 선사가 삼을 삼고 있었다. 누군가가 그에게 와서 묻기를 '무엇이 부처입니까?' 하고 묻자 그가 답하기를 '마삼근(麻三斤)'이라고 했는데, 이게 무슨 뜻인가?"

그 제자는 잠시 생각하더니 말했다.

"마삼근이란 말은 바로 마가 세 근이란 뜻입니다!"

선사께서 말씀하셨다.

"오직 그뿐이냐?"

"오늘 밤에 제가 생각할 수 있는 것은 그게 전부입니다."

"아, 좋다. 나쁘지도 좋지도 않다."

제자는 아무 말도 하지 않았다. 선사께서 말씀하셨다.

"좋다, 다음 질문. 운문(雲門) 선사께 한 사람이 묻기를, '부처가 무엇입니까?' 하자 운문이 대답했다. '마른 똥막대기(乾屎橛)이니라.' 두 선사가 '부처가 무엇인가?'란 질문을 받았는데 동산 선사는 '마삼근'이라고 했고 운문 선사는 '마른 똥막대기'라고 했다. 이 두 대답이 같은가, 다른가?"

제자가 대답했다.

"한 가지 마음을 이해한다면 뜻은 같습니다."

선사께서 말씀하셨다.

"오직 이뿐이냐?"

"제가 할 수 있는 것은 그렇습니다."

"난 네가 눈 밝은 사자인 줄로 알았었는데, 이제 보니 눈먼 개로구나."

제자가 말했다.

"언젠가 전 볼 수 있을 겁니다."

선사께서 말씀하셨다.

"지금은 눈먼 개이지만 다시 눈 밝은 사자가 되어야만 한다."

그 제자는 눈을 감고, 큰절을 올렸다.

20. 자유란 무엇인가?

어느 날 오후, 한 학생이 케임브리지 선원에서 차를 드시는 숭산 선사께 찾아와 물었다.

"자유란 무엇입니까?"

선사께서 말씀하셨다.

"자유란 막힘이 없음을 뜻한다. 만일 부모님께서 심부름을 시킬 때, 넌 자유로운 사람이라고 생각해서 그 말을 듣지 않는다면 그것은 진정한 자유가 아니다. 진정한 자유란 생각으로부터의 자유, 모든 집착으로부터의 자유, 생과 사로부터의 자유를 뜻한다. 만일 내가 살고자 한다면 살고, 죽고자 한다면 죽는 것이다."

그 학생이 말했다.

"만일 선사님께서는 지금 당장 죽고 싶으시다면 죽을 수 있습니까?"

선사께서 말씀하셨다.

"죽음이 무엇인가?"

"모르겠습니다."

"네가 죽음을 만든다면 죽음이 있다. 만일 삶을 만든다면 삶이 있다. 알아듣겠느냐? 이것이 자유다. 자유로운 생각이 자유다. 집착하는 생각이란 걸림이다. 부모님께서 이렇게 말씀하셨다고 가정하자. '네 옷이 더럽구나. 옷을 바꿔 입어야겠다!' 만일 네가 '싫어요. 바꿔 입지 않겠어요. 난 자유로우니까!' 하고 말한다면, 그것은 네가 너의 더러운 옷과 자유, 그 자체에 집착하는 것이다. 그러니까 넌 자유롭지가 않은 거다. 만일 네가 진정 자유로우면, 그 때는 더러운 것도 좋고 깨끗한 것도 좋다. 그게 문제가 되진 않는다. 셔츠를 안 갈아 입어도 좋고, 갈아 입어도 좋은 것이다. 만일 내 부모님이 나에게 갈아 입으라고 하신다면 난 갈아 입겠다. 그 일을 하는 것은 날 위해서가 아니라 부모님을 위해서다. 이것이 자유다. 나의 이익을 원하지 않고, 다른 모든 사람들의 이익을 원하는 것."

학생이 물었다.

"만일 원하지 않으신다면, 왜 식사를 하시죠?"

선사께서 말씀하셨다.

"배가 고프면 먹는 것이다."

"그러나 아무런 욕구도 없다고 말씀하시면서 왜 먹느냐구요?"

"너를 위해서 먹지."

"그건 무슨 말씀이십니까?"

"배가 고플 때 먹는다란 그 말은 바로 여여하다는 뜻이다. 이 말은 음식에 집착이 전혀 없다는 말이다. 말하자면 '난 이것을 원한다. 저것은 원하지 않는다'는 게 없다. 만일 내가 먹지 않았다면 널 가르칠 수가 없었을 게다. 그러니 난 너를 위해 먹는 거다."

"전 완전히 이해할 수가 없습니다."

선사께서 그에게 한 방 내리치신 후 말씀하셨다.

"이제 알아듣겠느냐?"

"모르겠습니다."

"넌 이 모른다는 것을 알아야만 한다. 그래야만 다른 것에 집착을 하지 않게 된다. 항상 모르는 마음을 지녀라. 이것이 진정한 자유이다."

21. 귀중한 보물

대주(大珠) 스님이 마조(馬祖) 선사를 처음 찾아갔을 때 선사는 이렇게 물었다.

"나에게서 무엇을 원하느냐?"

대주가 말했다.

"제게 법을 가르쳐 주십시오."

마조 선사가 말했다.

"이 바보야! 넌 네 속에다 세상에서 제일 귀중한 보물을 갖고 있으면서도 다른 사람들에게 도와달라고 떠들고 다니다니, 한심하지도 않느냐? 난 너에게 줄 것이 없다."

대주는 큰절을 하고 말했다.

"부탁입니다. 선사님! 제게 그 보물이 무엇인지를 알려 주십시오."

마조 선사가 말했다.

"너의 질문은 무엇으로부터 나왔느냐? 이것이 너의 보물이다. 지금 이 순간 너에게 물어 보게 만드는 바로 그놈이다. 모든 것은 바로 너의 귀중한 보물 창고에 저장되어 있다. 이 보물은 너의 처분에 따라 원하는 대로 쓸 수 있고, 모자람이 없는 것이다. 너야말로 그 모든 것의 주인이다. 그런데 왜 너 자신으로부터 도망나와 밖에서 찾으려 하느냐?"

이 말을 듣자 대주는 대오하였다.

22. 깨끗한 마음의 달

어느 일요일 저녁에 프로비던스 선원에서 법문이 끝난 후, 한 제자가 숭산 선사께 질문했다.

"저는 어떻게 해야 '나는 누구인가?'라는 질문을 초월할 수 있습니까?"

"너는 의심을 키워 가려고 하는구나. 이것은 안 좋은 일이다. 이게 바로 집착하는 생각이다. 의심을 키우는 것은 중요한 게 아니다. 중요한 것은 바로 깨끗한 마음의 한순간이다. 깨끗한 마음이란 생각 이전의 상태다. 만일 네가 이 마음을 경험한다면 바로 대오한 상태가 되는 것이다. 비록 그 경험이 짧아서 단 1초라고 하더라도 그것은 견성임에 틀림없다. 그리고 나머지 모든 시간을 생각한다 해도 그 생각을 걱정해선 안 된다. 이건 단지 너의 업이다. 너는 이 망상에 집착해서는 안 된다. 일부러 끊으려고 애쓸 필요도 없고, 깨끗한 마음을 더 오래 가지려고 애쓸 필요도 없다. 너의 업이 점차 사라짐에 따라서 그 마음도 절로 자라나는 것이다.

깨끗한 마음이란 하늘에 있는 보름달과도 같은 것이다. 간혹 구름에 덮여 안 보일 때도 있지만, 언제나 달은 그 속에 있는 것이다. 구름이 사라지면 다시 달은 밝게 빛난다. 그러니 깨끗한 마음을 가지려고 애태울 필요가 없다. 본래부터 거기에 있는 것이니까. 망상이 몰려와도 그 뒤엔 깨끗한 마음이 있어서 망상이 사라지면 오직 깨끗한 마음만 남게 된다. 망상이란 오고 가며, 가고 오는 것. 넌 오고 가는 것에 집착해서는 안 된다."

23. 무엇이 너를 여기로 데려왔느냐?

어느 일요일 아침, 제자 한 사람이 프로비던스 선원 독참실로 들어와 숭산 선사께 큰절을 올렸다. 선사께서 말씀하셨다.

"무엇이 너를 여기로 데려왔느냐?"

그 제자가 바닥을 쳤다. 선사께서 말씀하셨다.

"그것이 진리냐?"

그 제자는 다시 바닥을 쳤다. 선사께서 말씀하셨다.

"넌 하나만 알고 둘은 모르는구나."

그 제자가 다시 바닥을 쳤다. 선사께서 말씀하셨다.

"두번째 공격은 용납되지 않는다."

그 제자는 큰절을 올리고 나갔다. 다음 제자가 방으로 들어왔다. 선사께서 말씀하셨다.

"무엇이 너를 여기로 데려왔느냐?"

그 제자가 말했다.

"전 모르겠습니다."

선사께서 말씀하셨다.

"좌선은 얼마 동안 했느냐?"

"3달 간입니다."

"너는 왜 좌선을 하느냐?"

"전 아주 잡념이 많습니다. 그래서 고요히 있는 것을 좋아합니다."

"너의 생각은 어디로부터 왔느냐?"

"모르겠습니다."

선사께서 말씀하셨다.

"이 모르는 마음이란 모든 생각을 끊어 내는 것이고, 너의 고요한 본래 마음이다. 그러니 네 자신에게 '나는 누구인가?'를 항상 물어 보고 그 모르는 마음을 간직하여라."

그 제자가 말했다.

"대단히 감사합니다."

"다음에는 너의 모르는 그 마음을 여기로 가져오너라."

그 제자가 큰절을 하고 나갔다. 많은 제자들이 들어왔다가 나간 뒤, 한 제자가 들어왔을 때 선사께서 질문하셨다.

"무엇이 너를 여기로 데리고 왔느냐?"

그 제자가 외쳤다.

"할!"

선사께서는 손으로 귀를 막고 말씀하셨다.

"네가 악을 써서 내 고막이 터져 버렸구나."

그 제자가 다시 소리쳤다.

"할!"

선사께서 말씀하셨다.

"할이 널 여기로 데리고 왔느냐?"

그 제자가 말했다.

"아닙니다."

"그럼 다른 것을 나에게 내 보여라."

그 제자가 일어나 큰절을 올리고 말했다.

"밤새 안녕히 주무셨습니까?"

선사께서 말씀하셨다.

"괜찮구나. 고맙다. 그럼 가서 차나 마셔라."

그 제자가 나갔다. 다음 제자가 들어왔다. 선사께서 말씀하셨다.

"무엇이 널 여기로 데리고 왔느냐?"

그 제자가 바닥을 쳤다. 선사께서 말씀하셨다.

"그것이 그 진리이냐?"

"아닙니다."

"그럼, 무엇이 진리이냐?"

그 제자가 말했다.

"오늘은 1973년 7월 22일 일요일입니다."

선사께선 『공안집(公案集)』을 펴시고 말씀하셨다.

"옛날에 한 조사께서 말씀하시기를, '나무닭이 우는 소리를 들을 때 네 마음을 깨닫는다'라고 했는데, 이 말은 무슨 뜻이냐?"

그 제자가 대답했다.

"돌로 만든 소녀가 구멍 없는 피리소리에 맞춰 춤을 춥니다!"

선사께서 말씀하셨다.

"나쁘지 않다. 그럼 또 하나 물어 보겠다. 한 사람이 프로비던스 선원에 담배를 피우며 들어와 연기를 부처님 얼굴에 내뿜고 부처님 손에 담뱃재를 떤다. 만일 네가 선사라면 어떻게 할 텐가?"

그 제자가 대답했다.

"그 사람을 때리겠습니다."

"그 남자는 힘이 매우 세다. 그는 오로지 자기가 부처이고 법이라는 것만 알고 있을 뿐이다. 그가 너를 더 세게 때릴 것이다."

그 제자가 대답했다.

"그냥 앉아 있겠습니다."

선사께서 말씀하셨다.

"너는 선사이다. 그리고 너는 그 사람이 공(空)에 빠져 있음을 알고 있다. 그냥 앉아 있기만 하면 너는 그를 가르칠 수가 없다."

그 제자가 말했다.

"저는 선사가 아닙니다. 그런데, 제가 어떻게 압니까?"

그 제자도 선사께서도 함께 큰소리로 웃었다. 선사께서 말씀하셨다.

"너는 아주 열심히 정진을 해야겠다. 난 네가 곧 견성하길 바란다."

"감사합니다."

그 제자는 큰절을 올리고 나갔다.

24. 견성도 견성 못했음도 빈 이름뿐이다

어느 목요일 저녁, 케임브리지 선원에서 법문을 마친 후에
한 제자가 숭산 선사께 질문을 했다.

"견성을 한 사람의 행동은 견성을 못한 사람의 행동과 다
릅니까?"

선사께서 말씀하셨다.

"하나, 둘, 셋, 넷, 다섯, 여섯, 이것은 하나부터 시작했다. 그
하나는 어디서 시작되었느냐?"

"마음입니다."

"마음? 마음은 어디서 왔느냐?"

그 제자는 아무 대답도 못했다. 선사께서 말씀하셨다.

"지금 너의 마음은 모를 뿐인 마음이다. 너는 오직 모를 뿐
이다. 마음은 어디로부터 왔는가? 마음이 뭐냐? '나는 모른
다' 이 모르는 마음이 너의 진짜 마음이다. 이 진짜 마음은
모든 생각이 끊어진 상태이다. 그래서 마음은 마음이 없는 것
이다. 왜냐? 진짜 마음이란 빈 마음이다. 빈 마음이란 생각하
기 이전의 마음이다. 생각을 하기 이전에는 문자도 없고 언설

도 없다. 그래서 마음은 마음이 없는 것이다. 마음이라는 것은 오직 이름뿐이어서 생각으로 만들어지는 것이다. 네가 너의 생각을 모두 끊어 낸다면 거기에는 마음이 없다. 만일 네가 생각을 한다면 넌 상대적인 것을 갖는다. 선과 악, 견성과 견성 못했음을.

그러나 만일 생각을 끊어 낸다면 상대적인 것은 없고 절대적인 것만 남는다. 절대적인 말이야말로 살아 있는 말이다. 부처님께선 이렇게 말씀하셨다. '만물에는 불성이 있다.' 그러나 조주 선사는 제자가 개에게도 불성이 있느냐고 묻자 '무(無)!'라고 대답했다. 누구의 말이 맞느냐, 부처님이냐 조주냐?"

"알 것 같습니다. 그건 오직 말뿐입니다."

"아, 말뿐이라고? 그럼 둘이 똑같다는 뜻이냐?"

"그런 건 상관하지 않습니다. 그러나 제가 알고 싶은 것은 마음을 비운 사람과 생각하는 마음을 가진 사람은 행동을 어떻게 다르게 하느냐는 것입니다."

"그래서 내가 물었다. 부처님의 대답과 조주 선사의 대답이 같은지, 다른지를?"

"그건, 만물은 불성을 가졌습니다. 어떤 사람은 자신이 불성을 가졌다고 생각하고 또 어떤 사람들은 자신이 불성을 가진 것을 모르고 있습니다. 아마도 개는 모르겠죠."

선사께서 말씀하셨다.

"아주 훌륭한 대답이다. 개는 불성을 모르니까 개에게는 불성이 없다라는 말이지. 그러나 만일 네가 독참중에 그런 대답을 했다면 난 너를 30방 때렸을 것이다. 어째서이냐?"

"저…… 전 지금 농담으로 대답한 게 아닙니다."

선사께서 말씀하셨다.

"그리고 만일 네가 독참중에 견성한 사람의 행동에 대해 물어 보았다면 30방을 맞았을 것이다. 알겠느냐?"

"전 이 질문에 대답이 없다는 것을 압니다."

"오히려 답이 많은데…. (대중들 웃음소리) 그러나 만일 네가 견성을 하지 못하면 모든 것이 다르다. 만일 네가 견성을 하면 모든 것은 하나가 된다. 넌 이것을 알아야 한다."

그 제자는 큰절을 올리고 말했다.

"감사합니다!"

25. 염불은 왜 하는가?

어느 일요일 저녁, 뉴욕 국제선원에서 법문이 있은 후에 한 제자가 숭산 선사께 질문했다.

"염불은 왜 하는 겁니까? 좌선하는 것만으로는 충분하지 않습니까?"

선사께서 말씀하셨다.

"이것은 아주 중요한 문제다. 우리는 함께 절하고, 함께 염불하고, 함께 공양하고, 함께 좌선하고 그 밖에도 선원에서 모든 일을 함께 한다. 우리는 왜 함께 수행을 해야 하느냐?

모든 사람은 저마다 각기 다른 업을 지녔다. 그래서 모든 사람들은 상황이 각기 다르고 조건이 다르고 견해가 다르다. 어떤 사람은 스님이고, 어떤 사람은 학생이고, 어떤 사람은 공원이듯 말이다. 항상 깨끗한 마음을 지니는 사람도 있고, 가끔가다 불안하고 불만을 느끼는 사람도 있으며, 여권운동을 좋아하는 사람도 있고 싫어하는 사람도 있다. 그러나 모든 사람들은 '내 생각이 옳다!'고 생각한다. 심지어는 선사들까지도 그러하다. 열 사람의 선사마다 제각기 다른 지도 방법을 갖고 있으며, 그들은 자기 방법이 가장 좋다고 생각한다.

미국인은 미국식 사고 방식을 가졌고, 동양인은 동양식 사고 방식을 가졌다. 다른 견해에서 다른 행동이 나오고 다른 업을 만드는 것이다. 그래서 네가 너의 생각을 고집하면 너의 업을 다스리기가 매우 힘이 들게 되고 너의 삶이 고통으로 남는 것이다. 너의 틀린 견해가 계속되는 한 너의 나쁜 업은 계속되는 것이다.

그러나 우리 선원에서는 모두가 함께 살고 함께 수행하며, 모두가 선원 청규대로 따라 한다. 남달리 좋아하는 것과 싫어하는 것을 구별하는 사람들도 우리에게로 오면 점차 그런 것을 떨쳐 버린다. 새벽 5시 30분에 전원 모두가 백팔배를 '함께' 하고 '함께' 공양하고 '함께' 일을 한다. 어떤 때 너는 절을 하기가 싫을 때도 있겠지만, 이것이 선원 청규이기 때문에 따라 하는 것이다. 또 어떤 때는 염불하기가 싫을 때도 있지만 그래도 한다. 어떤 때 너는 피곤해서 자고 싶지만, 좌선하러 가지 않는다면 사람들이 이상하게 생각할 거라는 것을 알기 때문에 좌선을 하는 것이다.

우리가 공양을 할 때는 절 방식대로 네 개의 발우에다 먹고, 공양이 끝난 뒤에는 차를 부어 검지손가락으로 씻게 되어 있다. 처음 몇번은 이런 방식대로 차를 마시는 것을 모두 싫어했었다.

케임브리지 선원에서 온 젊은이 하나가 내게 와서 화를 냈다. '이런 식으로 먹는 게 싫습니다! 그 차 속에는 찌꺼기가 많이 있습니다. 그건 도저히 마실 수 없어요!' 내가 그에게 말했다. 『반야심경』을 아느냐?' '네.' '경에서 이르기를, 불구부정(不垢不淨)이라고 하지 않더냐?' '네.' '그런데 왜 그 차를 못 마시겠다는 거지?' '왜냐 하면 더럽기 때문입니다.'

(대중들의 웃음소리) '왜 그게 불결하다는 거냐? 그 찌꺼기들은 이미 네가 먹은 음식물에서 나온 것이다. 만일 네가 그 차를 더럽다고 생각하면 더러운 것이고, 깨끗하다고 생각하면 깨끗한 것이다.' 그 젊은이가 말했다. '선사님 말씀이 옳습니다. 그 차를 마시겠습니다.' (웃음소리)

그래서 우린 함께 살고 함께 행동하는 거다. 함께 행동한다는 것은 바로 각자의 사견과 개언적인 조건 그리고 개인적인 상황을 모두 끊어 내는 것을 뜻한다. 그럼으로써 우린 빈 마음이 되는 것이다. 본래의 백지 상태로 돌아가는 것이다. 그럴 때 우리의 진정한 생각과 진정한 조건, 진정한 상황이 나타나게 된다. 우리가 함께 절하고, 함께 염불하고, 함께 공양할 때, 우리의 마음은 한마음이 되는 것이다. 바다의 수면과 똑같다. 바람이 일면 수많은 파도가 일어난다. 바람이 잦아들면 그 파도는 작아진다. 이윽고 바람이 멈출 때 그 물은 거울과 같이 되어 모든 사물을 반사한다. 산, 나무, 구름 등을.

우리의 마음도 이와 똑같다. 우리가 욕심을 많이 내고, 사견을 많이 가지면 거기에는 거센 파도가 일게 된다. 그러나 가끔씩 좌선을 하며 함께 행동을 하면 우리의 사견과 욕심이 사라지는 것이다. 그 물결은 점점 작아져서 우리의 마음이 깨끗한 거울같이 될 때 우리가 보는 것, 듣는 것, 냄새 맡는 것, 맛보는 것, 만지는 것, 생각하는 것 모두가 진리가 된다. 그때에는 다른 사람의 마음을 이해하기가 너무 쉽다. 다른 사람의 마음이 그대로 내마음에 비치기 때문이다.

그래서 염불한다는 것은 매우 중요하다. 처음에 너는 이해하기가 힘들겠지만, 규칙적으로 염불을 하다 보면 이해하게 될 것이다. '아, 염불은 아주 좋은 느낌을 주는 것이다!' 라고. 이것은 백팔배와도 같은 것이다. 처음에 사람들은 이것을 싫어했다. 왜 절을 해야 되는가? 우리는 부처님에게 절을 하는 게 아니고 우리 자신들에게 절을 하는 것이다. 작은 나(小我)가 큰 나(大我)에게 절을 하는 것이다. 그러면 작은 나는 없어지고 큰 나가 된다. 이것이 진짜 절이다. 그러니 와서 함께 실행해 보자. 너도 곧 깨닫게 될 것이다."

그 제자는 큰절을 올리며 말했다.

"감사합니다."

26. 왜 부처님 오신 날을 축하하는가?

1973년 부처님 오신 날에 숭산 선사께선 프로비던스 선원에 서 다음과 같은 설법을 하셨다.

"옛날 한 큰스님께서 말씀하시길, '부처님께선 카필라 왕국 에 태어나시기 이전에, 아니 그의 어머니에게 잉태되기 이전 에 이미 수많은 중생들을 고통으로부터 구하셨다'고 했습니 다. 이는 천 개의 입을 가졌으면서도 필요한 적이 없었던 것 과 같습니다. 만일 여러분들이 이것을 깨닫는다면, 여러분 손 바닥으로 과거·현재의 모든 조사들의 코를 쥐는 것과 같다 는 것을 알게 될 것입니다. 그리고 여러분은 첫번째로 깨달을 것입니다. 그러나 만일 깨닫지 못한다면 아무 말도 하지 말아 야 합니다. 말을 해 봤자 틀린 답일 테니까. 대신 이 봄이 다 가도록 입을 다물고 있는 게 나을 겁니다.

부처님께선 어머니의 오른쪽 허리에서 태어나 사방으로 일 곱 발자국씩 걸으셨다고 합니다. 그런 다음 사방을 쳐다본 뒤 한 손으로 땅을 가리키고 다른 한 손으로 하늘을 가리키며 이렇게 말씀하셨습니다. '천상천하 유아독존(天上天下有我獨

存)' 여러분들은 이 말의 뜻을 이해하고 '내'가 무엇인지를 잘 알아야만 합니다. 공은 모든 것을 포용하고 있습니다. 이름도 모양도 없고, 나지도 없어지지도 않는 것입니다. 세상의 모든 사람과 만물은 이것을 갖고 있습니다. 그럼 어디로부터 부처님이 왔습니까?

옛날 운문 선사가 말씀하셨습니다. '부처님 오신 날에 부처님께서 어머니 허리에서 탄생하셨다고 하니, 만일 내가 그 자리에 있었다면 부처님을 한 방망이에 쳐 죽여 개밥으로 던져 주어 천하의 태평을 도모하였을 것이다!' 부처님이 탄생하시며 한 말이 틀렸기 때문에 부처님은 30방을 맞아야 합니다. 운문 선사가 말한 것도 틀렸기 때문에 운문도 30방을 맞아야 합니다. 내가 한 말도 틀렸기 때문에 나도 30방을 맞아야 합니다. 그런데 어디가 틀렸단 말입니까?

'할!'

오늘은 부처님께서 탄생하신 날이고, 밖에는 하얀 눈이 내리고 있습니다."

법문이 끝난 뒤에 선사께선 질문이 있느냐고 물으셨다. 한 학생이 일어서서 말했다.

"어떤 사람들은 부처님을 거룩하신 분이라고 하고, 또 어떤 사람들은 초인이었다고 하기도 하고, 다른 사람들은 부처님은 단지 보통 사람들보다 조금 더 많이 알았던 현명한 노인이었을 뿐이라고 합니다. 부처님은 어떤 분이십니까?"

"너는 여길 어떻게 왔느냐?"

"걸어서 왔습니다."

"왜 걸어서 왔느냐?"

"차가 없기 때문입니다."

"사람들은 차를 운전한다. 네 몸뚱이를 몰고 여기로 온 그게 뭐냐?"

"모르겠습니다."

"모르는 그 마음이 부처니라."

"그런데 왜 선사님께선 부처님의 탄신일을 축하하십니까?"

"운문 선사가 말씀하셨다. '부처님의 생일날에 어머니의 허리에서 태어났다고 하니 부처님을 한 방망이에 쳐 죽여서 개밥으로 던져 주어 천하의 태평을 도모하겠다.' 이 말의 뜻이 무엇인지를 알겠느냐?"

"모릅니다."

"이것이 부처님의 가르침이다. 네가 이 말을 이해한다면 왜 내가 부처님 오신 날을 축하하는지 알게 된다."

27. 원효 대사

1300년 전 신라시대 때 원효(元曉)란 대선사가 계셨다. 원
효는 젊은 나이에 싸움터에 나가 싸우다가 동료들이 떼죽음
을 당하고 마을이 파괴되는 장면을 수없이 보았다. 그는 삶의
무상함을 느껴 머리를 삭발하고 승려가 되기 위해 입산했다.
그는 경전도 읽고 계율도 잘 지켰지만, 여전히 불법의 진리를
깨달을 수가 없었다. 생각 끝에 중국에 가면 자기를 깨우치게
해 줄 선사를 만날 수 있으리란 생각을 하고, 걸망을 메고 중
국을 향해 길을 떠났다.

그는 종일 걷다가 밤에만 쉬는 도보 여행을 했다. 저녁 때
쯤 황야를 지나다가 나무도 자라고 물도 있는 곳을 발견하고
그곳에서 쉬기로 했다. 한밤중에 그는 몹시 갈증을 느껴 눈을
떴다. 사방은 칠흑 같은 어둠 속이었다. 그는 손으로 더듬어
서 물을 찾아보았다. 손 끝에 바가지 같은 것이 닿았다. 그는
그것을 끌어당겨 입으로 가져갔다. 어찌나 물맛이 좋던지! 그
는 이런 선물을 주신 데 대해 부처님께 감사의 절을 몇 번이
고 올렸다.

다음날 아침 원효는 깨어나서 간밤에 물을 마셨던 바가지를 보았다. 그 바가지는 썩어 문드러진 살점이 붙어 있는 사람의 깨진 해골이었으며 그 속에는 핏물이 고여 있었다.

무덤 속에는 징그러운 벌레들이 기어다니고 땅에 고인 더러운 빗물 위에도 벌레들이 둥둥 떠다녔다. 원효는 그 벌레를 보는 순간 구역질이 나와 입을 벌렸다. 입을 벌리고 토하는 순간 마음이 확 열려 깨달음을 얻게 되었다. 간밤에는 볼 수 없었기 때문에 아무 생각 없이 그 물을 맛있게 마셨는데 아침에 보고 나서 구역질을 한 것이다.

순간 그는 생각이 선과 악을 만들고 삶과 죽음을 만든다는 것을 알았다. 생각이란 것이야말로 온 우주를 만든 조물주인 것이다. 생각이 없으면 우주도, 부처님도, 법도 없다. 모든 것은 하나고 이 하나는 공이다.

선사를 따로 찾을 필요가 없었다. 원효는 이미 생과 사를 깨달았다. 더 이상 배울 게 뭐가 있나? 그래서 그는 오던 길을 돌아 다시 신라로 갔다.

20년이 흘렀다. 그 동안 원효는 나라 안에서 가장 유명한 큰스님이 되었다. 그는 임금의 신임받는 고문이었고 왕족과 명문 귀족의 지도법사였다. 그가 설법을 하면 법회 장소는 항상 초만원이었다.

당시 신라에는 아주 훌륭한 선사가 한 분 있었는데, 그는 수염이 덥수룩하고 쪼글쪼글한 얼굴에 보잘것없는 행색을 하고다니는 작은 노승이었다. 그 선사는 맨발에 누더기를 걸치고 종을 울리며 마을을 다니면서 이렇게 외쳤다고 한다.

"대안(大安), 대안, 대안은 생각하지 않는다. 대안은 이것을 좋아해. 대안은 맘을 편하게 한다. 대안, 대안이라."

원효는 그의 소문을 듣고 하루는 선사가 사는 토굴로 찾아

나섰다. 멀리서도 선사의 소리가 계곡에 은은하게 메아리쳐 들렸다. 토굴에 도착한 원효는 어린 사슴의 시체 앞에서 울고 앉아 있는 선사를 볼 수 있었다. 이 광경을 보고는 깜짝 놀랐다. 열반의 세계는 행복한 것도 슬픈 것도 아니고 즐거워해야 할 것도 슬퍼해야 할 것도 없는데, 어떻게 해탈한 사람이 행복해하거나 슬퍼할 수 있는가? 그는 잠자코 한참 서 있다가 왜 우느냐고 물었다.

선사는 어미 사슴이 사냥꾼에게 잡혀 혼자 남은 애기 사슴 한 마리를 발견했다고 말했다. 애기 사슴이 몹시 굶주렸기 때문에 그는 마을로 내려가 젖을 구해 보려고 했다. 그러나 동물에게 젖을 주겠다고 할 사람이 없을 것 같아 그는 자기 아들에게 줄 젖을 달라고 구걸해 보았다.

"중에게 아들이 있다니? 더러운 늙은이!"

사람들은 대부분 이렇게 생각했다. 그래도 조금씩 젖을 주는 사람이 간혹 있었다. 그는 어린 생명에게 식량이 될 만큼의 양을 구걸하며 한 달을 보냈다. 그런 추문이 점차 널리 퍼지자, 이젠 도우려는 사람조차 없게 되었다. 지금도 노승은 3일 동안 젖을 구걸하며 돌아 다니다가 오늘에야 조금 얻을 수 있었기 때문에 지금 막 돌아왔으나 그 애기 사슴은 이미 굶어 죽은 후였다.

"자네는 몰라. 내 마음과 어린 사슴의 마음은 똑같아. 그 어린 것이 굶주렸어. 난 젖을 먹고 싶었단 말이야. 젖을 말야. 그런데 이제 그 어린 것이 죽었어. 내 마음도 죽었어. 그래서 내가 우는 거야. 난 젖을 먹고 싶어."

원효는 그제서야 이 선사가 얼마나 위대한 보살인가를 알아차렸다. 모든 중생이 행복해야 그도 행복하고 모든 중생이 슬프면 그도 슬프다. 원효는 그에게 말했다.

"저를 가르쳐 주십시오."

그 선사가 말했다.

"좋다. 나를 따라 오너라."

두 사람은 홍등가(紅燈街)로 걸어 갔다. 선사는 원효의 팔을 잡고 기생집 문 앞으로 데리고 갔다. '대안, 대안'이라고 외치며 종을 흔들었다. 한 아름다운 여인이 문을 열었다.

"아, 원효 대사님!"

그 여인은 비명을 질렀다. 원효는 얼굴이 빨개졌다. 그 여인도 얼굴이 빨개지고 두 눈은 동그랗게 커졌다. 그녀는 나라 안에서 가장 유명하고 훌륭한 큰스님이 자기를 찾아온 데 대해 흐뭇하기도 하고, 겁도 났으며, 환희에 들떠서 두 사람을 이층으로 안내했다. 그 여인이 고기와 술을 손님에게 내오자 선사가 원효에게 말했다.

"20년 동안 자네는 왕과 왕족, 승려하고만 지내왔네. 중이 언제나 극락에서만 사는 건 좋은 일이 못 되지. 지옥에도 가 보고 그곳에서 욕심으로 고통을 당하는 중생들을 구해 주어야만 되는 거라네. 지옥도 이곳과 같아. 그러니 오늘 밤은 이 술을 마시고 지옥으로 가 보게."

"전 한 번도 계율을 어겨 본 적이 없습니다."

"멋진 여행이 될 거야."

그러면서도 선사는 여인을 보고 준엄하게 꾸짖었다.

"중에게 술을 주는 건 죄가 된다는 걸 모르느냐? 넌 지옥 가는 것이 두렵지도 않느냐?"

여인이 말했다.

"아닙니다. 원효 대사님이 오셔서 절 구해 주실 거예요."

선사가 말했다.

"멋진 대답이군!"

원효는 그날 밤에 계율을 범하고야 말았다. 다음 날 아침 그는 호사스런 옷을 벗어 던지고 누더기를 걸친 채 맨발로 거리를 쏘다니며 덩실덩실 춤을 추며 이렇게 소리쳤다.

"대안, 대안, 대안! 온 천지가 이렇구나! 너는 대체 무엇이냐?"

28. 쥐구멍 속의 고슴도치

선사님께

가장 최근에 제게 내리셨던 '방(棒)'에 대하여 감사드립니다. 이 깨끗한 순백의 종이를 생각과, 생각을 생각하는 것으로 더럽히는 제 잘못을 용서해 주십시오.

전반적으로 제 상황은 아주 양호합니다. 보울더에서 지도하는 일은 이제껏 해 오던 일 중에서 가장 훌륭한 것 같습니다. 아주 열성적이고 배우려는 열의가 대단하며, 진지한 제자들의 도움으로 제 능력보다도 더 낫게 해내고 있습니다.

저의 수행 정진(전 아침마다 케임브리지 선원을 향해 108배를 올리고 있습니다)으로 인해서 저의 건강도 몰라보게 좋아졌습니다. 진짜 산이 제게 처음으로 나타난 것을 무슨 말로 표현할까요. 그 봉우리는 빙하호 근처에 있는 일만 피트 높이의 봉우리입니다. 저는 제가 좋아하는 그 고지에 닿기 위해 노력합니다. "일만 피트 높이의 나는 누구인가?" 하는 문제! 그 때마다 무지무지하게 선사님을 그리워할 뿐입니다.

린포체는 탄트라 승려입니다. 탄트라 밀교에서는 음주도 많이 하고, 성과 마약도 합니다. 10년 전이라면 이런 것들이 제게 흥분을 유발시켰을 테지만 지금은 그냥 바라볼 뿐입니다.

몇 가지 질문이 있습니다.

'나는 누구인가?' 하고 계속 의문을 갖는 것과 생각과 인식을 계속하는 것 등과는 어떤 차이가 있는 것입니까? 예를 들면, 앉아 있다가 무릎이 저려도 그 의심을 계속 가져야 되는 건가요? 어떤 생각이 떠오르면 그 생각이 떠오르게 하는 대상에 대해 의심을 품나요? 아니면 매번 생각이 날 때마다 의심을 하는지, 혹은 가장 중요한 생각에만 의심을 해야 하는지요? 아니면 의심덩어리를 굳게 지키고 다른 모든 것은 그냥 생겼다 사라지게 놓아둬야 합니까?

바꿔 말하면 마음 속에 생각을 가득 담고 있으면서 마음 속에서 어떤 일이 일어날 때마다 그 질문을 하는 건지, 아니면 그 질문만을 계속해서 마음에 생기는 일들에 대해선 관심을 안 기울이는 것입니까?

이런 것들이 평범한 제자들에겐 문제가 됩니다. 많은 제자들이 공포, 분노, 환희 같은 문제를 어떻게 처리해야 되느냐고 묻습니다. 그들은 공포나 분노의 소용돌이 속에 들어가야 합니까? 아니면 공포를 깨달으면 공포를 느끼게 하는 대상에게 물어야 합니까? 그런 일이 있건 말건 놓아둔 채 그 커다란 의심만을 품고 있어야 합니까?

이런 문제들은 사람들이 일상적인 생각들 속에선 그 의심을 품을 수 있다가도, 심각한 위기에 처해서 개인적으로 문제가 생겼을 때는 실생활과 거리가 먼 문제에는 주의를 집중시킬 수 없기 때문에 생기는 문제들입니다.

선사님을 곧 뵐 수 있기를 고대합니다. 캘리포니아에는 언제 여행하실 예정이십니까? 8월의 용맹정진까진 선사님께서 돌아오시기를 기대합니다. 선원의 많은 변화에 대해 전 아는 바가 없습니다. 그 때까지 선사님의 영어 실력과 건강이 좋아지시길 바랍니다.

1974년 8월 10일
변조 드림

P.S. 아마 제가 여기서 가장 중요하게 여기는 교육 방법은 부정관인 듯 싶습니다. 여러 다른 선사들과 그들의 지도 방법을 접하고 보니 오로지 선사님의 지도 방법만이 보다 뚜렷하게 두드러져 보입니다. 여기에 있는 사람들은 저보다 더 많이 읽고, 말하고, 생각한다니까요. 그걸 믿으실 수 있으세요?

변조 씨 잘 있었습니까?

긴 편지는 잘 받았습니다. 나는 당신의 가르치는 방법이 아주 훌륭하다는 걸 벌써 알고 있었지요. 전에는 당신이 모든 것을 이해하고만 있더니 이제는 방(棒)을 쓸 줄도 아는군요.

음주, 성, 마약, 이런 것들은 좋은 것도 나쁜 것도 아니지요. 그런데 사람들은 이런 것에 아주 쉽게 탐닉하게 됩니다. 미국의 젊은이들은 특히 성에 집착하고 있어요. 원효 대사께선 성에 탐닉한다는 것은 쥐구멍으로 기어들어간 고슴도치라고 했어요. 들어가기는 쉽지만 나오기는 불가능한 것이지요.

사람들은 자기들이 집착하고 있는 행동을 통해서 새로운 업을 만들고 있습니다. 업은 장애라는 뜻입니다. 장애는 괴로움입니다. 만일 누군가가 음주나 성에 집착하지 않는다면 그에게는 아무런 장애가 없는 것입니다. 장애가 없다는 것은 자유를 뜻합니다. 자유롭다는 것은 바로 큰 나(大我)를 뜻합니다. 당신은 그 사람들이 음주나 성에 빠져 있지 않나 하고 관찰해야만 합니다. 많은 사람들은 '나는 그 따위에는 집착하지 않는다'고 생각합니다. 그러나 '나는 집착하지 않는다' 하는 것 자체가 집착하는 생각입니다. '나는 집착하지 않는다'는 것이 바로 '나는 집착한다'와 똑같은 것입니다.

'나는 누구인가?'에 관하여 — '나는 누구인가?'란 사실 그 자체가 완벽한 질문입니다. 오직 모를 뿐인 마음입니다. 만일 당신이 '나는 누구인가'라는 의심을 품고 있다면 당신은 '나는 누구인가?'를 모를 것입니다. 모든 생각이 다 끊어졌는데, 어떻게 그 질문이 나타날 수 있을까요? 누가 생각하는가를 물어보는 것은 옳은 방법이 아닙니다. 이것은 상대적인 생각입니다. 단지 상대적인 질문일 뿐이지 완벽한 질문도, 정확한 질문도 못 됩니다. 통증은 통증이고 질문은 질문일 뿐입니다.

그런데 왜 통증에 대해 질문을 하는 거죠? 만일 당신이 그 완벽한 의심을 항상 품고 있다면 통증을 느낄 수 없습니다. 분노, 공포와 같은 이러한 행위들은 모두 지난날의 업으로 인해서 생겨나는 것이고, 그렇기 때문에 그 결과도 분노에 찬 행위로 나타납니다.

그러나 만일 어떤 사람이 좌선을 하고 있다면, 그는 자기의 업을 녹일 것이고 더 이상 그런 행위들에 사로잡혀 있지 않게 됩니다. 그러니 당신은 화가 나거나 두려움을 느낄 때는 그냥 선을 하도록 하세요. 비록 화가 나게 되더라도 그냥 그뿐이니 걱정하진 말아요.

'분노를 끊어 버리고 싶다!' — 이것이 생각입니다. 분노는 나쁘지도 좋지도 않습니다. 그것에 집착하지만 마세요. 오직

'나는 누구인가?' 하고 묻고만 있으면 그런 행위들은 곧 사라지게 됩니다.

부처님이 살아계셨을 당시, 바수밀다(婆須密多)라는 매춘부가 살고 있었습니다. 하루에도 수없이 그녀는 자신의 몸을 팔았습니다. 매일 수많은 사내가 그녀를 찾아왔습니다. 그러나 그녀와 정을 나눈 사내는 모두 견성을 하는 것이었습니다. 말하자면, 그 여인은 성을 도구로 불교를 가르쳤던 것입니다.

모든 사내들이 그녀를 찾아올 땐 성욕으로 꽉 차 있었지만, 일단 그녀와 함께 정을 나눈 후에는 욕심도 없게 되고, 자성을 이해해서 깨끗한 마음으로 돌아가게 되는 것입니다. 이성은 만인을 구제하는 성인 것입니다.

그러나 만일 내가 좋아서 내 욕망 때문에 성행위를 했다면, 그것의 결과는 고통이 될 것입니다. 즉, 행위 그 자체는 선도 악도 아닙니다. 단지 그 의도가 중요한 것입니다. 만일 당신이 어떤 것을 좋다고 생각하면 그것은 좋은 것입니다. 또 어떤 것을 나쁘다고 생각한다면 그것은 나쁜 것입니다. 만일 모든 생각과 업을 끊어 내고 싶다면 당신은 참선을 해야만 됩니다.

나도 역시 변조 군이 보고 싶습니다. 케임브리지 선원으로는 언제 돌아올 예정입니까? 나는 캘리포니아로 9월 17일이나 18일쯤에 떠날 계획이고 8월의 용맹정진 때는 당신과 함께 케임브리지에 있으려고 합니다.

여기에 질문을 하나 하겠습니다. 누구든지 임제 선사에게 질문을 하면 그는 '할!'을 외쳤다고 하고, 덕산 선사는 묻는 이를 방방이로 때렸으며, 구지 선사는 손가락 한 개를 들어 보였다고 합니다. 이 세 가지의 답이 같습니까, 다릅니까? 이 물음에 답을 하면, 30방을 맞을 것이요, 대답을 하지 않아도

30방을 맞을 것입니다. 어떻게 할 것인가요?

1974년 8월 15일

곧 만나길 기대하며

숭산

29. 참선

　어느 날, 워싱턴 D.C.의 바이하라에서 법문이 끝난 뒤에 한 제자가 숭선 선사께 질문을 했다.

　"왜 저는 참선을 해야 합니까?"

　선사께서 말씀하셨다.

　"너는 모르고 있느냐?"

　그 제자가 말했다.

　"저는 모든 사물의 이름과 모양이 다르다고 믿고 있지만, 사실 그들의 본질은 똑같은 것입니다. 그래서 참선을 함으로써 이 우주와 하나가 되어야 하는 겁니다."

　선사께서 말씀하셨다.

　"무엇이 그 '하나'인가?"

　"모든 것입니다."

　"옛날, 동산 선사께서 '무엇이 부처입니까?' 라는 질문을 받고 '마삼근이니라' 하고 말했다. 이게 무슨 뜻이냐?"

　"마가 세 근이라는 뜻입니다."

　"아주 훌륭하구나! 그런데 넌 지팡이로 달을 때리려는구나."

"그것은 불성입니다."

선사께서 말씀하셨다.

"네 머리는 용이지만 꼬리가 뱀이로구나."

그 제자가 당황해서 아무 대답도 하지 못했다. 선사께서 말씀하셨다.

"나는 죽은 소에겐 침을 놓지 않는다."

"음메에……."

선사께서 말씀하셨다.

"이미 화살은 멀리 날아갔다."

그 제자는 다시 침묵했다. 선사께서 말씀하셨다.

"동산 선사는 부처란 '마삼근'이라고 했다. 똑같은 질문에 운문 선사는 '마른 똥막대기'라고 했다. 이 두 대답이 같으냐, 다르냐?"

"선사께서 말씀해 주세요."

"난 모른다. 내 제자에게 물어봐라."

그가 한 제자에게 묻자 그 제자가 "할!"로써 대답했다. 선사께서 말씀하였다.

"넌 이해하겠느냐?"

먼젓번 제자가 외쳤다.

"할!"

선사께서 말씀하셨다.

"아주 훌륭하다. 그러나 네가 이해한 것은 아직도 개념일 뿐이다. 가끔 너의 대답은 '여여한' 것일 때도 있지만, 어떤 때는 공에 집착해 있음을 보여 주기도 한다.

다시 한번 더 선원(禪圓)에 대해 설명하겠다. 90°에선 책이 연필이고 연필이 책이다. 180°에서는 단지 방이나 할로써 답

할 뿐이다. 270°에서는 연필이 화가 났고 책이 웃는다. 360°에
선 책은 파랗고 연필은 노랗다. 자, 이 네 가지 대답 중 어느
것이 가장 맞는 답이냐?"

그 제자가 말했다.

"모두 좋습니다."

선사께서는 그에게 한 방을 내리치고 말씀하셨다.

"오늘은 토요일이다."

30. 움직이는 것은 바로 네 마음이다

선사님께

저를 기억하실 수 있으십니까? 여기에 제 사진을 함께 보냅니다. 저는 선사님께 몇 가지 질문하고 싶은 것이 있습니다. 가을이라서 땅에는 낙엽이 쌓여 있습니다. 만일 어떤 집의 잔디밭에 낙엽이 흩어져 있다면 주인이 밖으로 나와 쓸어모아 작은 휴지통에 모아 놓겠죠. 오후가 되어 바람이 불면 다시 낙엽이 사방으로 흩어집니다. 거의 모든 사람들은 바람을 몹시 싫어합니다. 그럼 사람들은 다시 밖으로 나와 낙엽을 쓸어서 새 통에 모아 놓겠죠. 그러나 다시 바람이 불고 낙엽이 또 떨어집니다. 그런 때는 어떤 일을 해야만 되는 겁니까? 바람이 불어서 낙엽이 떨어질 것을 뻔히 알면서도 낙엽을 쓸어모아야 하는 것인가요? 만일 나무에 뿌리가 없다면 어떻게 서 있을 수 있겠어요? 저는 내년에 선사님을 뵙고 싶습니다. 그 때가 무척 기다려집니다. 그 때 만나뵙겠습니다.

1974년 11월 24일
피터 올림

피터 군에게

편지 잘 받았습니다. 만일 한 사람이 밖으로 나와 낙엽과 바람 그리고 군중들과 함께 머무른다면 그는 집을 다시 찾아 갈 수 없게 됩니다. 왜 당신은 낙엽과 바람과 사람들의 울화에 그토록 집착하고 있는 것입니까? 누가 그 낙엽을 보고 있습니까? 누가?

옛날 중국 땅에서 육조 대사가 바람에 나부끼는 깃발을 두고 언쟁을 하는 승려들 옆을 지난 적이 있었습니다.

한 승려가 "움직이는 건 깃발이다." 하고 말하자, 또 한 승려가 "움직이는 건 바람이다." 하고 말했습니다. 육조는 이렇게 말했습니다.

"두 분이 다 틀렸습니다. 깃발도 바람도 아닙니다. 움직이는 건 바로 당신들 마음입니다."

이와 마찬가지로 낙엽, 바람, 성냄도 당신의 마음이 움직일 때 그런 행동이 나타나는 것입니다. 그러나 마음이 움직이지 않는다면 진리는 있는 그대로입니다. 낙엽이 떨어지는 것도 진리이고, 쓸어모으는 것도 진리입니다. 바람이 불면 다시 떨어지는 것도 진리이고, 사람들이 화를 내는 것도 진리입니다. 만일 당신의 마음이 움직이면 그 진리를 이해할 수가 없습니다. 당신은 제일 먼저 색즉시공 공즉시색(色卽是空 空卽是色)을 이해해야만 합니다. 그런 다음에는 무색무공(無色無空)을 이해해야만 합니다. 그러면 색은 색이고 공은 공인 도리를 알게 됩니다. 그러면 이 모든 행위가 다 진리임을 아는 것입니다. 그리고 그 때에 자신의 진짜 집을 발견하게 될 것입니다. 만일 진짜 집을 보게 되면, 언제든지 내게로 와서 말하세요. 정말 찾았는지 아닌지를 내가 점검하겠습니다.

당신은 "만일 나무에 뿌리가 없다면 어떻게 서 있을 수 있

을까?" 하고 말했지만, 나는 "개가 뼈다귀를 쫓고 있다."고 하
겠습니다. 말에 집착하면 안 됩니다. 우선 진정한 공을 깨달
으세요. 그리고 당신이 공에 집착하지 않는다면 당신은 자유
롭고 무애하게 됩니다. 그 때 당신은 나무에 뿌리가 없다는
것을 이해할 것입니다. 생각하는 것은 좋은 일이 아닙니다.

모든 생각을 다 놓아 버리세요. 그냥 '나는 누구인가?' 만을
생각하세요. 이 모를 뿐인 마음이 아주 중요합니다. 오랫동안
그 마음을 지키고 있으면 당신은 뿌리가 없는 그 나무를 깨
닫게 됩니다. 당신에게 신문도 보내도록 하겠습니다. 곧 만나
기를 기대합니다.

1974년 11월 29일
숭산

31. 보살의 집착

어느 날 저녁, 보스톤에 있는 달마다투에서 법문이 끝난 후에 한 제자가 숭산 선사께 질문을 했다.

"보살은 자비심에 집착하고 있는 것입니까?"

선사께서 말씀하였다.

"이 우주는 무한하고 인간도 무한하다. 그러므로 보살의 집착은 무한하다. 보살의 집착은 무집착이다. 무집착이 보살의 집착이다."

그 제자가 말했다.

"보살은 모든 사람을 구제하려는 마음에 집착을 가졌습니까, 아니면 보살이 어디에 있건 그냥 그렇게 한다는 것입니까?"

선사께서 말씀하셨다.

"너는 보살이 무엇인가를 아느냐?"

"모릅니다."

선사께서 말씀하셨다.

"첫째로, 보살이 무엇인지를 이해하여라. 그럼 보살의 집착을 이해할 것이다. 그 보살은 바로 네 자신이다. 너의 자성은 대아(大我)이다. 대아는 모든 사람이다. 모든 사람들과 나는 한마음이 된다. 그래서 보살행은 모든 중생을 위하는 것이다. 사람들이 행복하면 보살은 행복하다. 사람들이 슬프면 보살도 슬프다. 보살은 모든 중생들과 함께 행동한다."

그 제자는 절을 올리고 말했다.

"감사합니다."

32. 선의 다섯 가지 종류

어느 일요일 저녁, 프로비던스 선원에서 법문이 끝난 후 한 제자가 숭산 선사께 질문을 했다.

"선에는 몇 가지 종류가 있습니까?"

선사께서 말씀하셨다.

"다섯 가지니라."

"어떤 것들이 있습니까?"

"말하자면, 외도선(外道禪), 범부선(凡夫禪), 소승선(小乘禪), 대승선(大乘禪), 최상승선(最上乘禪)이다."

"그 각각에 대해 설명을 해 주시겠습니까?"

선사께서 말씀하셨다.

"선이란 명상이다. 외도선이란 다른 종류의 명상을 포함한다. 예를 들자면, 기독교적 명상, 힌두 명상, 초월 명상 등이 있고, 범부선이란 집중 명상, 최면 명상, 육체적 운동, 다도, 제사 등이 있으며, 소승선은 무상관, 무아관, 부정관을 하는 선이다. 대승선은 (1) 법체유공(法體有空)을 관(觀)하고, (2) 무상개공(無相皆空)을 관하고, (3) 유·공·중도(有空中道)를 관(觀)하고, (4) 제법실상(諸法實相)을 관하고, (5) 사사무애(事事無碍)를 관하고, (6) 즉사이진(卽事而眞)을 관하는 선이다.

이 여섯 가지는 『화엄경』에 씌어진 '약인욕료지 삼세일체불 응관법계성 일체유심조(若人慾了知 三世一切佛 應觀法界性 一切唯心造)'와 같은 것이다.

마지막으로 최상승선이 있는데 이것은 세 가지로 분류된다. 하나는 의리선(義理禪)이고, 둘째는 여래선(如來禪)이고, 셋째는 조사선(祖師禪)이다."

그 때 그 제자가 다시 물었다.

"다섯 가지 선 가운데 가장 좋은 것은 어떤 것입니까?"

선사께서 말씀하셨다.

"너는 네 마음을 알고 있느냐?"

"모릅니다."

"네가 네 자신의 마음을 모를 때는 그 어떤 선도 좋지 않다. 네가 네 마음을 안다면 모든 선이 다 좋다."

"전 저의 마음을 알고 싶습니다. 어떤 종류의 선이 가장 좋은 수행 방법이 되겠습니까?"

선사께서 말씀하셨다.

"자기의 마음을 알고자 하는 것은 최상승선의 목적이다."

"선사님께서 좀 전에 이 선도 세 가지로 더 분류된다고 하셨는데, 이 셋 중 어느 것이 가장 좋은 수행 방법입니까?"

선사께서 말씀하셨다.

"그 세 가지는 하나이지 셋이 아니다. 선에 대한 지적인 이해가 의리선이다. 공을 이해하고, 마음과 온 우주를 일치시키는 것이 여래선이다. '여여한' 것이 조사선이다. 이것은 무애한 마음을 뜻하고 대아(大我)를 얻는 것이다. 대아는 시간과 공간을 초월한다."

그 제자가 말했다.

"모두 굉장히 어렵군요. 전 이해하지 못하겠습니다."

선사께서 말씀하셨다.

"내가 설명하마. 『반야심경』에 이르기를, '색즉시공 공즉시색'이라 했다. 즉, 너의 본질과 모든 것의 본질은 같은 것이다. 너의 본래 마음이 부처요, 부처는 너의 본래 마음이다."

그러면서 연필을 손에 들고 말씀하셨다.

"이것은 연필이다. 너와 연필이 똑같으냐, 다르냐?"

"같습니다."

"맞다. 이것이 의리선이다."

"여래선은 무엇입니까?"

"『대반열반경(大般涅槃經)』에 보면, '모든 행은 무상하니, 그것은 생멸의 법이다. 생멸이 멸하면, 적멸은 즐거움이 된다(諸行無常 是生滅法 生滅滅已 寂滅爲樂)'고 하였다. 이 뜻은 너의 마음 속에서 생하고 멸하는 것이 없어졌을 때, 그 마음이 평화라는 말이다. 이것은 모든 생각을 비운 마음이다. 그러면 내가 또 한 번 묻겠다. 이 연필과 네가 같으냐, 다르냐?"

그 제자가 말했다.

"같습니다."

선사께서 말씀하셨다.

"네가 같다고 말하면 30방을 맞을 것이고, 만일 다르다고 하더라도 역시 30방을 맞을 것이다. 어떻게 하겠느냐?"

그 제자는 대답을 못하고 우물쭈물했다. 선사께서 바닥을 치시며 말씀하셨다.

"네가 바로 지금과 같은 마음을 지닌다면 이것이 여래선이니라. 알겠느냐?"

"모르겠습니다."

"이 모를 뿐인 마음에는 부처, 법, 선, 악, 광명, 어둠, 하늘, 땅, 같다, 다르다, 공, 색, 아무것도 없다. 이것이 참으로 공한 마음이다. 공한 마음이란 생하지도 멸하지도 않는 마음이다. 이 마음을 항상 지키는 것이 여래선이다. 좀 전에 연필하고 네가 같다고 대답했는데, 이 '같다'는 것도 생각이다. 그래서 내가 널 30방 때리겠다고 했다. 알겠느냐?"

그 제자가 대답했다.

"조금 알겠습니다."

"조금 안다는 것은 좋지 못하다. 그러나 네가 나에게 '이 연필과 내가 같은가, 다른가'를 묻는다면 난 바닥을 칠 것이다. 내가 왜 바닥을 치는가 그 이유를 알게 될 때 여래선을 이해할 것이다."

"감사합니다. 그럼 조사선에 대해서도 설명을 좀 해 주십시오."

선사께서 말씀하셨다.

"만공 선사께 어떤 스님이 '불교란 무엇입니까?' 하고 물었을 때, 선사는 '하늘은 높고 땅은 넓다' 하고 답했는데, 이 말이 무슨 뜻인지 알겠느냐?"

"모르겠습니다."

"바로 그것이다. '여여한 것'이 견성이다. 조사선이란 깨달음의 선이다.

어떤 조사께서 다음과 같이 말씀하셨다.

1. 하늘이 땅이요, 땅이 하늘이다.
   하늘과 땅이 함께 구른다.
   天地地天 天地轉

물이 산이요, 산이 물이다.
물과 산이 다 비었다.
水山山水 水山空

2. 하늘은 하늘이요, 땅은 땅이다.
언제 일찍이 구른 바 있었던가?
天天地地 何曾戰

산은 산이요, 물은 물이다.
각기 완연하여 그대로가 진리로다.
山山水水 各宛然

첫째 구절은 여래선이고 다음 것은 조사선이다. 한 승려가
동산 선사를 찾아와 물었다. '무엇이 부처입니까?' 선사는
'마삼근'이라고 말했다. 그 승려는 그 말의 뜻을 알 수 없어
서 다른 선사를 찾아가 동산 선사와 한 이야기를 해 주고
'마삼근'이 무슨 뜻이냐고 물었다. 그 선사는 이렇게 말했다.
'북쪽엔 소나무, 남쪽엔 대나무다.' 그 승려는 아직도 이해할
수 없었다. 그래서 이번에는 참선을 열심히 수행한 동료를 찾
아갔다. 동료는 이렇게 말했다.
'자네가 입을 여니 이빨이 누렇구나. 알아듣겠나?' '모르겠
어······.' '우선 자네의 마음을 이해하게. 그러면 모든 것이 확
실해질 터이니.'"
그리고 선사께선 그 제자에게 물으셨다.
"너는 알겠느냐?"
그 제자가 대답했다.
"네, 감사합니다."

"무엇을 알았느냐?"

"여여한 것이 조사선입니다."

선사께서 물으셨다.

"무엇이 '여여한' 것이냐?"

그 제자는 아무 대답도 하지 못했다. 선사께선 그의 팔을 세게 꼬집었다. 제자가 소리쳤다.

"아얏!"

"이것이 '여여한' 것이다. 고통 속에 무엇이 있었느냐?"

"모르겠습니다."

"넌 고통 속에 무엇이 있는가를 알아야만 한다. 그러면 넌 최상승선을 이해할 것이고, 이 우주만물이 모두 진리라는 것을 깨달을 것이다."

33. 눈〔雪〕의 색깔

프로비던스 선원에서 용맹정진중인 어느 겨울날 오후, 숭산 선사께서 제자 몇 사람과 함께 산책을 나가셨는데 전날 내린 눈이 쌓여 있었다. 선사께서 한 제자에게 물으셨다.

"눈은 무슨 색이냐?"

"하얀 색입니다."

"너는 색에 집착하고 있구나."

그 제자가 손뼉을 쳤다. 선사께서 말씀하셨다.

"넌 용두사미로구나."

그리고 다른 제자에게 물으셨다.

"눈은 무슨 색이냐?"

"선사님께선 이미 아십니다."

"그러니 내게 말을 해 봐라."

"하얀 색입니다."

"이것이 진리냐?"

"시장하십니까?"

"곧 점심공양 시간이 된다."

다른 제자가 말했다.

"들어가셔서 차나 드시지요."

"난 이미 마셨다."

그 제자가 선사께 한 방을 내리치려 하자 선사께서는 "아이구! 아이구!" 하고 소리쳤다.

34. 모르는 마음으로 계속 나아가라

케임브리지 선원에서 법문을 마친 어느 목요일 저녁에 한 제자가 숭산 선사께 질문을 했다.

"만일 선사님께서 운전을 할 때는 오직 운전할 뿐이라고 하신다면, 만일 좌선중에 '내가 누구인가?' 하는 공안을 지니면 이는 오직 의심할 뿐입니까?"

선사께서 말씀하셨다.

"오직 의심할 뿐이다. 깨끗한 마음을 가리켜 우리는 모를 뿐인 마음이라고 부른다. 그러니 너는 그 모른다는 것을 알아야 한다. 모르는 것은 모르는 것이다. 이것이 아주 중요하다."

"그런데 만일 제가 이해하게 되면, 그 때는 전 모르는 마음을 안 가지는 것이죠?"

"누가 모르느냐?(대중들 웃음소리) 네가 모르는 마음을 지니고 있을 때, 그것이 모르는 것이다. 너는 모를 뿐이다. 모든 사람들에겐 이름이 주어진다. 조지, 로저, 스티븐······. 그러나 네가 처음 태어났을 땐 이름이 없었다. 그러므로 마음도 이름이 없다. 무엇이 마음인가? 모른다. 너의 마음의 이름은 모를 뿐이다."

"선사님께선 운전하실 때, 그 마음은 모를 뿐입니까, 아니면 운전할 뿐입니까?"

"오직 운전할 뿐은 바로 모르는 마음을 지니는 것이다. (웃음소리) 그냥 모를 뿐인 마음을 지니기만 하라. 모를 뿐. 알겠느냐?"(웃음소리)

"무엇을 모르는 겁니까?(웃음소리) 즉, 오직 운전만을 한다면 모르는 것이 없지 않습니까?"

"넌 운전을 할 때 마음이 있느냐?"

그 제자가 잠자코 있었다. 선사께서 말씀하셨다.

"지금의 네 마음이 모르는 마음이다. 네가 만일 모른다는 것에 집착하지만 않는다면, 그냥 모를 뿐이 되는 거다."

"뭘 모르는 것입니까?"

"이 문은 무슨 색이냐."

"갈색입니다."

"네가 갈색이라고 했다. 이것이 모를 뿐이다. 알겠느냐?"

"모르겠습니다."(웃음소리)

"그래, 넌 모르는 것을 아는 것이다."(웃음소리)

"선사님께선 모른다는 것에 집착하시는 겁니까?"

"바로 네가 모르는 것에 집착하고 있는 거다! 문자에 집착하는 것은 좋지 못하다. 그냥 모를 뿐이다. 물을 마실 땐 그냥 마시는 것이고, 모를 뿐이다. 됐느냐? 그러니 모르는 것이 물을 마시는 거다. 알겠느냐?"

"왜 내가 물을 마신다고는 하지 않는 겁니까?"

"지금 네가 말하고 있다. 말하는 놈이 누구냐?"

그 제자가 잠자코 있었다.

"모르지! 이 모르는 것이 말하는 거다."

"그러나 제가 말하고 있으니, 모르는 것이라고 할 수도 없겠지요."

"본래 그것은 무명무색(無名無色)이다. 그 이름이 모를 뿐이다."

"어떤 선사들은 대의심을 가져야 한다고들 하는데, 그것이 모르는 마음인 것 같습니다. 그런데 그분들 말씀을 따르자면 그 큰 의심이 깨지고 대오(大悟)에 이르면 어떤 단계가 있다고들 하던데요."

"큰 의심이란 모를 뿐이다. 그 이름은 다를 수 있다. 큰 의심, 대의심, 모를 뿐 외에도 더 많은 이름을 붙일 수 있다. 내 속명(俗名)은 덕인(德仁)이고, 법명(法名)은 행원(行願)이며, 당호(堂號)는 숭산(崇山)이다. 이렇게 내 이름은 많다. 그러나 처음 태어났을 때 난 이름이 없었다. 진짜 내 이름은 무명씨이다. 그러니 큰 의심덩이, 큰 의심, 모를 뿐, 이 모두가 똑같은 것이다."

"그래도 선사님이 애기였다면 엄마가 '네가 누구냐?' 하고 물으면 '몰라요' 하고 대답하시진 않았을 테죠."

"애기한테 물어보렴."(웃음소리)

"애기는 '안다'거나 '모른다'는 생각도 없이 그냥 가만히 있겠죠."

"그렇지. 바로 그거야. 오직 모를 뿐이야. 애기는 질문에 집착하지 않는다. 바로 네가 그 질문에 집착하고 있을 뿐이지. 모를 뿐인 마음은 깨끗한 마음이다. 모를 뿐은 생각하기 이전의 상태이고, 모를 뿐은 여여한 것이다. 이제 내게 물어 봐라. '무엇이 모를 뿐'이냐고."

"무엇이 모를 뿐입니까."

선사께선 물컵을 들어 그 물을 마셨다.

"이젠 알겠느냐? 이것이 모를 뿐이다."

"그런데 왜 모를 뿐이라고 하는 거죠? 목이 마르니 물을 마시는 건데, 왜 선사들은 '난 모른다' 하고 생각을 돌려 합니까?"(웃음소리)

"만일 네가 생각을 하고 있으면, 그건 모를 뿐이 아니다.(웃음소리) 모른다는 것은 생각하는 게 아니다. 거기엔 오직 모를 뿐일 따름이다. 소크라테스는 아테네 시를 돌아다니며 이런 말을 했었다. '너 자신을 알라.' 한번은 제자가 그에게 물었다. '스승님께선 자신을 아십니까?' 소크라테스는 이렇게 말했다. '난 모른다. 그러나 내가 모른다는 것을 안다.' 난 모른다. 그러나 목이 마르면 물을 마시고, 졸리면 잔다. 그것뿐이다.

본래의 질문은 '난 무엇인가?'였는데 너의 답은 '저는 모릅니다'였다. 누가 모르는 거냐? 너는 아직도 질문에 집착하고 있는 것이다. 어느 한쪽으로 치우쳐 있는 것이다. 내가 아는지 혹은 모르는지 하는 것은 서로 상반되는 것이다. 이런 것들을 모두 놓아 두고서 그냥 살 수는 없겠니?"(웃음소리)

선사께선 크게 웃으시고 말씀하셨다.

"넌 생각하고 또 생각하고, 생각하는구나. 그래서 너에게 30방을 주겠노라."(웃음소리)

"너는 누구냐?"

그 제자는 조용히 있었다. 선사께서 말씀하셨다.

"너는 모르는 것이다. 이 마음뿐이다. 만일 네가 이 마음을 지닌다면 '모를 뿐'인 그 문자에 집착하지 않게 되고 곧 견성을 하게 되리라."

35. 선과 탄트라

어느 날 저녁, 보스톤 달마다투에서 법문이 끝난 후에 한 제자가 숭산 선사께 질문을 드렸다.

"최근에 열린 선과 탄트라에 관한 한 세미나에서, 청암 트룽파 린포체(티베트 승려)는 선은 흑백으로, 또 탄트라는 천연색으로 비교했습니다. 선사님께선 어떻게 생각하시는지요?"

선사께선 미소를 머금고 이렇게 말씀하셨다.

"넌 어느 것이 더 마음에 드느냐?"(대중들의 웃음소리)

그 제자는 어깨를 한 번 으쓱해 보였다. 선사께서 말씀하셨다.

"네 셔츠는 무슨 색이냐?"

"빨간 색입니다."

"넌 색에 집착하고 있다."

그 제자는 잠시 망설이다 이렇게 말했다.

"아마 선사님께선 흑백에 집착하시는가 보군요."

선사께선 말씀하셨다.

"이미 화살은 멀리 날아가 버렸다."

그리고 한참 동안을 그냥 계셨다.

"알아듣겠느냐? (몇 사람의 대중들이 킥킥대고 웃었다.) 좋다. 설명하마. 개는 뼈다귀를 쫓는다."

다시 또 초조한 침묵이 이어졌다.

"좋다. 좀더 많이 설명하마. (폭소) 네가 생각을 하면 네 마음과 내 마음은 다르게 된다. 네가 생각을 안 할 땐, 네 마음과 내 마음이 같다. 이젠 내게 말해 봐라. 네가 생각을 하지 않는데 천연색이 있느냐? 흑백이 있느냐? 생각하지 않으면 너의 마음은 텅 비게 된다. 텅 빈 마음이란 언어와 문자가 없음을 뜻한다. 거기에 색이 있겠느냐?"

"모르겠습니다."

"모른다구? 방을 맞아 봐라! 이젠 알겠느냐? (웃음소리) 본래 마음에는 천연색, 흑백, 문자, 부처, 선, 티베트 불교 등 일체가 없다."

그 제자가 큰절을 올리고 말했다.

"감사합니다."

"감사하다니? 뭐가 고맙다는 거냐?"

"그냥 감사할 뿐입니다."

선사께선 껄껄 웃으시며 말씀하셨다.

"오직 '고마울 뿐'이면 됐다. 난 네가 너의 본래 자성을 곧 깨닫게 되길 바란다."

그 제자가 말했다.

"전 이미 그러고 있습니다."

36. 만법귀일(萬法歸一)

선사님께

여기에 의문나는 것 몇 가지를 적습니다. 법에 대해 어떻게
가르치십니까? 만일 제 말뜻을 이해하지 못하신다면 이렇게
다시 묻겠습니다. 선이 무엇인가에 대해 가르친다는 것이 가
능할까요? 사람들이 배울 수 있는 것입니까? 배운다고 더 많
이 깨달을 수 있는 것일까요? 선사님께서 캘리포니아의 밝은
태양을 마음껏 즐기시길 바랍니다. 그런데 프로비던스에는 차
가운 비만 내리고 있어요. 그래도 돈이 있어 새 집을 장만했
으니 다행입니다.

1974년 4월 12일
곧 뵙게 되길……
루시 올림

루시 양에게

안녕하세요? 멋진 그림엽서는 고맙게 받아 보았습니다. 알반, 로저, 보비, 스티븐, 조지, 수지와, 닉 모두들 잘 있는지요?

당신의 편지에는 아주 많은 질문이 있더군요. 의심하기 시작하면 모든 것이 의심의 대상이 됩니다. 왜 사나요? 왜 죽는가요? 어떻게 보고, 냄새 맡고, 맛을 봅니까? 왜 해는 동쪽에서 뜨나요? 달은 왜 밤에만 빛나지요? 왜 지구가 태양을 돕니까? 그리고…….

그러나 만 가지 질문은 모두 하나로 시작됩니다. 그것은 바로 '이 뭣고(是甚麼)?' 입니다. 당신이 보낸 사진에는 어떤 사람이 칼을 쥐고 있는 그림이 있는데, 이것은 왕의 다이아몬드 검입니다. 만일 그 칼로 당신이 모든 생각을 끊어 내면, 만 가지 질문은 다 사라집니다. 그리고 나서 내게 말하세요. 이 다이아몬드 검이 무엇인지? 만일 답을 찾게 되면 당신의 삶은 아주 자유롭고, 행동엔 아무런 제약이 없게 됩니다. 만일 그 답을 알아 내지 못하면, 의심의 악마가 당신을 죽여서 지옥으로 떨어뜨릴 것입니다. 그러니 지금 놓아 버리세요! 봄이 다 지나가도록 입을 다물고 아무 말도 하지 마세요.

여기 공안이 있습니다.

"종이 울리면 너의 가사를 입어라."

이게 무슨 뜻입니까? 당신의 눈, 귀, 코, 혀, 몸, 마음은 모두 당신을 속이고 있습니다. 당신의 본래 자성은 이 여섯 가지의 감각에는 없습니다. 대신 이 여섯 가지 감각은 당신을 도구로 삼아 씁니다. 그래서 만 가지 질문을 하게 되는 것입니다. 당신은 본래의 자기로 돌아가야만 합니다. 그러면 깨닫게 됩니다.

"나비가 꽃에 내려 앉아 꿀을 빨아먹는다."

여기 시를 하나 적습니다.

무엇이 부처냐?
마삼근이니라.
마른 똥막대기이니라.
난 이런 말들을 알지 못한다.
애기가 발가락을 빨고 있다.

1974년 4월 20일
곧 만나길 바라며……
숭산

37. 짚신이 부처이다

어느 날 아침에, 4명의 제자와 숭산 선사께서는 참선을 마친 뒤 뉴욕시 동쪽 21번가의 한 카페에서 아침 식사를 하고 있었다. 한 제자가 일련종(日蓮宗)을 믿는 사람들과 겪은 일을 말했다.

"그 사람들의 주문인 '남묘호랑겐교'는 아주 강력한 힘이 있는 것 같아요. 그래서 그 뜻이 뭐냐고 물어 봤지만, 그들은 자기들도 뜻은 모른다고 했어요. 또 그 뜻을 알 필요가 없다고 했습니다. 과연 그럴까요?"

선사께서 말씀하셨다.

"그런 종류의 진언 수행에선, 정확히 뜻을 안다는 것은 필요하지 않다. 네가 그 진언이 『법화경』의 이름임을 알거나 아니면 관세음보살이 보디사트바 아발로키테스바라(Bodhisattva Avalokiteshvara)의 이름이라는 것을 안다는 게 그리 중요한 일은 아니다."

다른 제자가 말했다.

"제가 듣기로는 어떤 진언은 그 속에 본래부터 힘을 지니

고 있다고 합니다. 예를 들자면, 산스크리트 음은 이 우주의
에너지와 어떤 연관을 짓고 있다고 합니다. 이 진언과 스님이
사용하시는 진언과는 차이점이 있습니까?"

선사께서 말씀하셨다.

"진언에는 세 가지가 중요하다. 그 첫째는 네가 진언을 하
는 이유, 그 둘째는 그 진언의 힘을 강하게 믿을 것, 그 셋째
는 꾸준히 수행하는 것이다."

"그렇다면 코카콜라, 코카콜라 하고 종일 외운다면 그것도
무슨 힘을 발휘하겠군요?"

"만일 누군가가 너에게 코카콜라, 코카콜라 라는 그 말이
특별한 힘이 있다고 말했으므로 네가 실제로 그 말을 믿는다
면, 그 때는 코카콜라도 너에게 힘을 발휘하게 된다. 이것에
관한 아주 좋은 일화가 있다.

300년 전 한국에 석두라는 이름을 가진 중이 살았는데, 그
이름의 뜻은 '돌대가리'이다. 그는 아주 바보였다. 경은 그에
게 너무 어렵기 때문에 석두는 선을 배우기로 결심했다. 그러
나 참선 역시 그에게는 너무 어려웠다. 그는 다만 부엌에서건
경내 밭에서건 행선만 했다. 한 달이면 두 번씩 선사가 설법
을 하는데 그 때마다 석두는 더 어리둥절해질 뿐이었다.

하루는 설법이 끝난 뒤에 석두가 선사에게로 가서 이렇게
질문했다.

'스승님, 전 너무 바보라 도저히 배울 수가 없습니다. 제가
알 수 있는 방법은 없습니까?'

선사는 이렇게 말했다.

'나에게 물을 때는 예를 갖추어야 한다.'

석두는 자기 머리를 벅벅 긁으면서 한참을 생각했다. 그런

다음 이렇게 물었다.

'좋습니다. 스승님께선 항상 부처 이야기를 하시는데, 무엇이 부처입니까?'

선사가 대답했다.

'즉심시불(卽心是佛)이니라.'

즉, 마음이 부처라고 했다. 그러나 석두는 오해를 해서 자기 스승이 짚신이 부처라는 뜻의 '짚신시불'이라고 했다고 생각했다.

'세상에 이렇게 어려운 공안이 있다니!' 석두는 이렇게만 생각하고 스승에게 절을 하고 나왔다.

'짚신이 부처라니? 대체 내가 어떻게 해야 그걸 알 수 있겠는가!'

3년 간 석두는 행선을 하면서 이 큰 의문에 대해 궁리를 했다. 그는 결코 선사에게 설명을 구하지 않고 그 의심을 항상 마음 속에 지니고만 있었다. 드디어 3년이 지난 어느 날, 나무 땔감 한 짐을 지고 경내로 옮기려고 언덕을 내려오고 있었다. 그 때 그가 그만 돌부리에 발이 걸려서 중심을 잃자, 나뭇짐이 쓰러지고 짚신 두 짝이 공중으로 튀어올랐다. 짚신은 땅바닥에 떨어지는 순간 망가졌고, 그 때 석두는 견성을 했다. 석두는 너무 기쁘고 흥분해서 선사에게로 달려갔다.

'스승님, 스승님, 이젠 부처가 무엇인지를 알았어요!'

선사가 그를 바라보며 말했다.

'그래? 그럼 무엇이 부처이냐?'

석두는 짚신 한 짝을 벗어서 선사의 머리를 한 대 갈겼다. 그 선사가 말했다.

'이것이 그 진리더냐?'

석두는 이렇게 말했다.

'내 짚신 망가졌어요!'
그 선사가 웃음을 터뜨리자 석두는 뛸 듯이 기뻤다."

여기까지 말씀하시자, 숭산 선사와 제자들은 모두 한바탕 웃음을 터뜨렸다. 그리고 나서 그들은 다시 토스트를 먹기 시작했다.

38. 세 번의 독참

어느 일요일 아침, 한 제자가 프로비던스 선원 독참실로 들어와 숭산 선사께 절을 올렸다. 선사께서 말씀하셨다.

"누가 널 이리로 끌고 왔느냐?"

그 제자가 소리쳤다.

"할!"

선사께서 말씀하셨다.

"아니다. 내게 다른 걸 보여다오."

그 제자가 다시 소리쳤다.

"할!"

선사께서 말씀하셨다.

"너는 할밖에 할 줄 모르는구나. 너의 할은 무게가 얼마나 나가냐?"

그 제자가 대답했다.

"없습니다."

선사께서 30방을 내리자 그 제자가 나갔다. 다른 제자가 들어와 절을 했다. 선사께서 말씀하셨다.

"옛날에 한 승려가 운문 선사에게 '무엇이 부처입니까?' 하고 물으니 '마른 똥막대기' 하고 대답했다. 이 대답이 맞느냐, 틀리느냐?"

그 제자가 말했다.

"틀립니다."

선사께서 말씀하셨다.

"왜 틀리느냐? 만일 누가 너에게 '무엇이 부처냐?' 하고 묻는다면 너는 뭐라고 대답하겠느냐?"

그 제자가 말했다.

"마른 똥막대기."

선사께서 말씀하셨다.

"그래, 아주 훌륭하다. 하나 더 묻자. 동산 선사가 '마삼근이 부처'라고 대답했는데, 이 답과 먼저 답은 같으냐, 다르냐?"

그 제자가 바닥을 쳤다. 선사께서 말씀하셨다.

"나는 널 믿지 않는다."

그 제자가 말했다.

"하늘에는 새가 날고, 물에는 고기가 헤엄칩니다."

선사께서 말씀하셨다.

"가려운 건 오른발인데 왼발을 긁는구나."

그 제자가 절을 올리고 나갔다. 다른 제자가 들어왔다. 선사께서 종을 치고 물었다.

"이 소리를 네가 들을 때, 그 소리가 너의 마음 안에 있느냐, 밖에 있느냐?"

그 제자가 종을 들어서 쳤다. 선사께서 말씀하셨다.

"옛날 운문 선사는 '무엇이 부처입니까?' 라는 질문을 받고 '마른 똥막대기' 라고 했다. 동산 선사는 똑같은 질문에 '마삼근'이라고 했다. 둘 중 어느 것이 더 좋은 답이냐?"

그 제자가 말했다.

"둘 다 좋은 게 못 됩니다."

선사께서 말씀하셨다.

"어째서이지?"

그 제자가 대답했다.

"마른 똥막대기는 마른 똥막대기일 뿐이고, 마삼근은 마삼근일 뿐입니다."

"나쁘지 않군. 그럼 하나 더 물어보자. 어느 사람이 프로비던스 선원에 와서 담배를 피우며 부처님 손에 재를 털고 부처님 얼굴에 연기를 훅 불 때, 네가 만일 선사라면 어떻게 하겠느냐?"

그 제자가 대답했다.

"부처님을 깨끗이 닦겠습니다."

"좋다. 그런데 이 사람은 공에 집착하고 있다. 그 사람 생각으론 자기가 세상에서 제일 귀한 존재다. 넌 그의 행동이 옳지 않다는 걸 잘 알고 있다. 어떻게 그를 구제하겠느냐?"

그 제자가 우물쭈물하며 대답했다.

"모르겠어요. 전 선사가 아닙니다."

선사께서 말씀하셨다.

"만일 조금 더 열심히 정진하면 너는 곧 견성해서 선사가 될 수 있을 것이다."

그 제자가 절을 올리고 나갔다.

39. 불이 꺼지면 무엇인가?

어느 날 저녁, 예일 대학에서 법문이 끝난 후 한 제자가 숭산 선사께 질문했다.

"만일 '색즉무색 무색즉색(色卽無色 無色卽色)'이라면 부처님 마음은 부처님을 생각하는 마음이 됩니까?"

선사께서 말씀하셨다.

"그렇다."

그리고 한참 동안 그냥 계셨다. (청법 대중들 가운데 조금씩 웃기 시작하는 사람들이 있었다.) 그 때 선사님께서 말씀하셨다.

"너는 이미 불교를 다 이해한 것이다. 그러면 내가 묻겠다. 생각은 누가 만드는 것이냐? 부처는 누가 만들었느냐?"

그 제자가 한참 동안 묵묵히 있다가 대답했다.

"전 이미 생각하고 있습니다."

선사께서 말씀하셨다.

"생각은 어디로부터 오느냐?"

"의심에서부터입니다."

"의심이라구? 그 의심은 어디로부터 왔느냐?"

"부처님 마음으로부터지요."

선사께서 껄껄 웃으시고 말씀하셨다.

"부처를 만들지 마라. 알겠느냐? (대중들 웃음소리) 너는 부처라고 대답했는데, 무엇이 부처이냐?"

그 제자가 전등 스위치로 다가가 불을 모두 껐다. 조금 후 다시 불을 켰다. 선사께서 말씀하셨다.

"아주 훌륭하다! 그럼 하나를 더 묻겠다. 네가 불을 끄면 뭐가 되고, 불을 켜면 뭐가 되느냐?"

"불을 끄는 것은 생각 이전의 자성입니다."

선사께서 웃으시며 말씀하셨다.

"널 30방 치겠다. (웃음소리) 불이 꺼지면 무엇이고 불이 켜지면 무엇이냐?"

"불이 꺼지면 불성이고 불이 켜지면 생각입니다."

선사께서 말씀하셨다.

"좋다. 하나만 더 묻자. 부처님께서 말씀하시길 '만물에는 불성이 있다'고 했고, 조주 선사에게 '개에게도 불성이 있습니까?' 하고 묻자 조주는 '무'라고 했다. 누가 맞느냐?"

"모르겠습니다."

선사께서 말슴하셨다.

"너는 이걸 알아야 한다. 그럼 불성을 이해할 것이다. 네가 부처님, 부처님 마음, 불성이라고 말했는데, 이건 모두 이름뿐이다. 무엇이 진짜 불성이냐? 조주의 대답을 이해해야만 한다. 왜 '무'라고 했느냐? 먼저 내가 너에게 '불이 꺼지면 뭐냐?' '불이 켜지면 뭐냐?' 하고 물었다. 불이 꺼지면 어둠이고 불이 켜지면 밝은 것이다. 아주 단순한 것이다."(웃음소리)

40. 마음 감별하기

케임브리지 선원에서 법문이 끝난 후 한 제자가 숭산 선사께 질문했다.

"선사들은 어떻게 제자들의 마음을 감별합니까?"

선사께서 말씀하셨다.

"마음은 무엇이냐?"

그 제자가 잠시 잠자코 있다가 대답했다.

"모르겠습니다."

"좋다. 내가 묻겠다. 어느 날 마조 선사에게 어떤 승려가 물었다. '무엇이 부처입니까?' 마조는 이렇게 대답했다. '마음이 부처고 부처가 마음이다.' 나중에 다른 승려가 똑같은 질문을 마조 선사에게 했더니 '마음도 아니고 부처도 아니다' 하고 대답했다. 어느 것이 맞느냐?"

그 제자가 바닥을 쳤다. 선사께서 말씀하셨다.

"나는 널 믿지 않는다."

그 제자가 잠자코 있었다. 선사께서 말씀하셨다.

"너의 첫째 답은 훌륭했다. 그런데 넌 생각하기 시작했다.

이것이 나쁜 것이다. 바닥을 친 건 훌륭한 대답이다. 맞고, 틀린다는 생각이 없었기 때문에 그냥 바닥을 친 것이다. 그런데 바닥을 친 그것이 '마음도 아니고 부처도 아님'을 뜻하느냐, 아니면 '마음이 부처고 부처가 마음'임을 뜻하느냐?"

"말할 수 없습니다."

"왜 못하느냐? 마조의 '마음이 부처고 부처가 마음'이나 '마음도 아니고 부처도 아님'은 다 틀린 답이다. 그건 훌륭한 답이 못 된다. 네가 '마음'이라고 말하자마자 너는 '마음이 아님'을 만들고, '부처'라고 말하는 순간 또 '부처 아님'을 만들었다. 그래서 마조 선사는 '부처라고 말해도 머리에 똥칠을 하는 것과 같다'고 했다. '마음'과 '부처'는 상대되는 단어다. 그런 것들은 절대적인 것이 아니다. 그래서 마조 선사의 답은 다 아주 나쁜 가르침이다."

"아닙니다."

"아니라구? 왜 그렇느냐?"

"왜냐 하면, 그 질문을 한 사람에게는 옳은 답이었기 때문입니다."

"진짜 부처님은 말로 표현될 수가 없다. 만일 네가 선사라면, 누군가가 너에게 '무엇이 부처인가?' 하고 물을 때 뭐라고 답하겠느냐?"

그 제자는 잠자코 있었다. 선사께서 말씀하셨다.

"침묵만을 지킨다? 그러면 그 사람은 이해하지 못한다. 게다가 그는 아주 사나워서 널 때린다면, 그 때 너는 어떻게 하겠느냐? 그래도 앉아서 잠자코 있기만 하겠느냐?"

"저도 때리겠습니다."

"그럼 그가 이렇게 말할 게다. '너의 머리는 용이고 꼬리는 뱀이다.' 네가 잠자코 앉아 있는 것은 아주 훌륭한 답이지만 그에게 맞장구쳐서 때린다는 것은 그다지 좋지 못하다. 그가 널 때린 것은 너의 마음을 감별하려는 것뿐이었다. 그래서 그가 말한 것이다. '너의 머리 (첫째 답)는 용인데, 꼬리(둘째 답)가 뱀이라고.'"

"용은 용이고 뱀은 뱀입니다."

"그럼 그가 말한다. '개는 뼈다귀를 쫓는다.'"

"그러면 제가 절을 합니다."

"그럼 그가 말한다. '너는 아주 열심히 수행해야겠다.' (웃음소리) 이것이 바로 선사가 그의 제자들 마음을 감별하는 방법이다."(폭소)

그 제자는 크게 웃고 선사께 큰절을 올렸다.

41. 죽음이란 무엇인가?

프로비던스 선원에서 용맹정진중인 어느 날 아침에 한 제자가 독참실로 들어와 숭산 선사께 큰절을 올렸다. 선사께서 말씀하셨다.

"물어볼 말이 있어서 왔느냐?"

그 제자가 말했다.

"네, 죽음이 무엇입니까?"

선사께서 말씀하셨다.

"너는 이미 죽어 있다."

"저는 죽어가고 있을 뿐입니다. 저는 아직껏 죽음에 대한 직접적인 경험이 없습니다. 저는 대체 그것이 무얼 뜻하는지조차 모릅니다."

선사께서 그를 쳤다. 그 제자는 당황해서 아무 대답도 하지 못했다. 잠시 동안 계시다가 선사께서 말씀하셨다.

"네가 죽음을 생각하면 넌 죽음을 만들고, 삶을 생각하면 삶을 만드느니라. 네가 아무 생각도 하지 않는다면 거기엔 삶도 죽음도 없다. 그 공한 마음에 네가 있느냐, 내가 있느냐?"

"없습니다."

"넌 없다고 했다. 너는 없다는 걸 알아야만 한다. 없다는 것은 자신도, 남도, 사람도, 마음도, 세상도 없다는 것이다. 그래서 불생불멸이다. 이것이 진정한 공이다. 진정한 공은 생각 이전의 세계다. 생각 이전이란 여여함을 뜻한다. 그러므로 생은 오직 생이고 죽음은 오직 죽음이다. 너는 이름과 모양에 집착해서는 안 된다. 이것은 깨끗한 거울 같은 것이다. 깨끗한 거울에는 아무것도 없이 오직 깨끗한 거울만 있을 뿐이다. 빨간 색이 비치면 빨갛게 되고 노란 색이 비치면 노랗게 된다. 여자가 비치면 여자가 되고 남자가 비치면 남자가 된다. 죽음이 오면 죽음이고 삶이 오면 삶이다.

그러나 그 모든 것은 실재하는 것이 아니다. 그 거울은 어느 것에도 매여 있지 않다. 오직 왔다갔다할 뿐이다. 이것이 생각 이전의 마음이고 모든 것은 있는 그대로이다. 이 마음의 이름이 본래 무구한 마음이다. 너는 너의 본래면목을 찾아야만 한다. 그러면 너는 생과 사를 만들지 않을 것이다."

그 제자는 큰절을 올리고 계속 면담을 했다. 다음 날 아침 그 제자가 독참실로 다시 들어와 절을 올렸다. 선사께서 말씀하셨다.

"또 질문이 있느냐?"

"네, 죽음이 무엇입니까?"

"넌 이미 죽었다."

"감사합니다. 이젠 알았습니다."

"알았다구? 그럼 죽음이 무엇이냐?"

그 제자가 말했다.

"스님께선 이미 돌아가셨습니다."

선사께선 미소를 지으며 합장을 했다.

42. 견성을 원한다는 것

프로비던스 선원에서 일요일 밤의 법문이 끝난 후 숭산 선사께선 제자들에게 이런 말씀을 하셨다.

"만일 여러분이 달성하려는 모든 생각을 버리면, 그 때 여러분이 원하는 실제 목적을 보게 된다. 여러분 중 어떤 사람들은 견성을 해서 빨리 선사가 되고자 한다. 그러나 그런 생각을 하고 있는 한 여러분은 아무것도 얻을 수가 없다. 모든 생각과 관념을 딱 잘라내야 한다. 그리고 나서 여러분이 공안으로 열심히 수행하게 되면 모든 질문과 의심이 하나의 큰 덩어리로 합치게 된다. 이 덩어리가 커지고 커지면 여러분은 결국 먹을 수도, 잘 수도 없게 되고 오직 그 큰 의심에 대한 답을 찾으려고만 하게 된다. 자신이 이런 상태로 되었을 때 머지 않아 견성할 것이라고 알면 된다."

그 때 한 제자가 질문했다.

"만일 우리가 견성하길 원하지 않는다면 무엇 때문에 여기까지 와서 고생을 하겠습니까?"

선사께서 말씀하셨다.

"욕구와 원(願)은 다른 것이다. 참선을 하며 뭔가를 얻으려는 생각은 근본적으로 이기적인 것이다. '견성하겠다'는 것은 자기가 견성하고 싶다는 것이다. 그러나 원은 자신을 위한 것이 아니다. 단지 개인적 욕구뿐만 아니라, 자기라는 생각을 초월한 것이다. 이것은 집착이 없는 것이다. 견성을 하게 되면 좋고, 만일 견성을 못해도 좋다. 사실은 이것이 견성이다."

"왜 그런지 설명해 주시겠습니까?"

"근본적으로 견성이라는 것이 바로 없기 때문이다. 만일 내가 견성을 했다고 하면 그것은 견성이 아니다. 『반야심경』에 이르기를, '알 것도 없고, 얻을 바도 없다'고 했다. 견성이란 견성이 아니다. 단지 가르치는 말이다."

"무엇을 가르칩니까?"

"배고프면 먹고 피곤하면 자거라."

"가끔씩 명상한다는 자체가 아주 이기적이란 생각이 듭니다. 사실 좌선해서 남을 도우려는 것은 아니니까요."

"넌 누구냐? 이기적이라는 생각을 하는 그놈은 누구냐? 만일 네가 그것을 이해하면 너는 네 자신과 우주만물과 아무런 차이가 없다는 그것을 이해하면 너는 네 자신과 우주만물과 아무런 차이가 없는 것을 알게 된다. 궁극적으로 모든 것은 하나이고 같은 것이다. 너는 모든 것을 포용하고 있다. 그러므로 여기에 네가 온 것이 너 자신을 위해서라 하더라도, 그것은 모든 중생을 위해 온 것이 된다."

다른 제자가 말했다.

"저는 욕구와 원의 차이를 깨닫지 못합니다. 만일 선사님께서 '내가 모든 중생을 구제하겠다'란 생각을 한다면, 나와 중생이란 이중성이 여전히 있는 것이 아닙니까?"

선사께서 말씀하셨다.

"네가 이 어휘들을 사용하기 전에 먼저 '나' 라는 것이 무엇인지를 알아야만 한다."

"좋아요. 그럼 그게 뭔지를 말씀해 주십시오."

"저녁 식사는 했느냐?"

"네."

"식사 맛은 어떻더냐?"

"밥맛이었습니다."

"30방을 맞아라."

"욱!"

첫번째 질문을 했던 제자가 말했다.

"먼저 선사님께서 가르쳐 주신 것은 낮과 같이 분명한 것이었습니다. 그러나 전 아직도 제 아이들이 집에 함께 있기를 원하는 데도 떼어 놓고 온 자신에 대해 이기적이란 생각을 떨쳐버릴 수가 없습니다."

"내가 이렇게 묻겠다. '만일 원하는 것을 뭐든 할 수 있다면 무엇이 가장 하고 싶은가?'"

"견성입니다."

"견성을 한 다음에는 무엇을 할 텐가?"

그 제자는 잠시 아무 말 않고 있다가 입을 열었다.

"모르겠습니다."

선사께서 말씀하셨다.

"너는 무엇보다도 가장 먼저 견성하길 원한다. 그리고 견성으로 무엇을 하겠다는 생각은 없다. 그 모를 뿐인 게 너의 자성이다. 견성하겠다는 욕구에 집착하고 있는 한, 결코 너는 견성하지 못한다. 그러나 그 욕구는 널 이리로 데려와서 좌선을 하게 만든다. 그러니 와서 좌선을 하라. 이것이 그 첫째 단계이다."

43. 여성의 참다운 길

목요일 저녁, 케임브리지 선원에서 법문이 끝난 후 한 젊은
여성이 질문을 했다.

"여성의 참다운 길이 무엇입니까?"

선사께서 말씀하셨다.

"모르겠는데. 난 여성이 아니니까."(대중들의 웃음소리가 들
렸다.)

그리고 잠시 있다가 말했다.

"좋나. 내가 묻지. 여성이 무엇인가?"

그 제자가 대답했다.

"모르겠습니다."

선사께서 말씀하셨다.

"이것이 참다운 길이다. 오직 모를 뿐인 마음이다. 모르는
마음에는 여성도, 남성도, 노인도, 젊은이도, 사람도, 부처도,
자신도, 세상도, 아무것도 없다. 만일 네가 이 모르는 마음을
안다면 그 참다운 길을 아는 것이다. 그러나 만일 네가 모르
는 마음을 모른다면, 참다운 길을 모르는 것이다. 됐는가?"

"모르겠습니다."

"그러면 그 모르는 마음을 굳게 지켜야 한다."

"그러나 만일 만물이 있는 그대로 여여하다면 남자는 남자이고 여자는 여자이지 않습니까?"

"그렇다."

"그렇다면 남자의 참다운 길과 여자의 참다운 길이 같은 것입니까, 아니면 다른 것입니까?"(웃음소리)

선사께서 말씀하셨다.

"아, 그건 아주 굉장히 큰 문제가 되는데. (웃음소리) 그럼 내가 묻지. 남자와 여자는 같은가, 다른가?"

"제가 먼저 질문을 했습니다."

"그럼 넌 이미 여성의 참다운 길을 알고 있는 것이로구나." (웃음소리)

"모릅니다."

선사께서 말씀하셨다.

"그럼 내가 널 때리마. (웃음소리) 이제 알겠는가?"

그 제자가 절을 올렸다.

44. 너의 눈을 볼 수 있느냐?

보스톤 달마다투에서 법문이 끝난 저녁, 한 제자가 숭산 선사께 질문을 했다.

"오로지 앉아서 좌선만 하는 '지관타좌(只管打坐)'와 공안 수행(公案修行)과는 어떤 차이가 있습니까?"

선사께서 말씀하셨다.

"지난 달 내가 로스앤젤레스에서 머물 때, 많은 사람들이 조동선(曹洞禪)과 임제선(臨濟禪)의 차이에 대해 물었다. 나는 이렇게 대답했다. '그 둘은 같은 것이다.' 오직 외관만 다를 뿐이다. 조동선은 생각을 끊어 내기 위해서 호흡에 주의를 기울인다. 공안 수행은 생각을 끊어 내기 위해서 공안을 두는 것이다. 방법만 다를 뿐이다. 생각을 끊어 내고 깨끗한 마음이 되는 것은 똑같다. 그 둘은 같은 방으로 들어가는 두 개의 문인 셈이다. 그렇지만 만일 네가 지관타좌나 공안에 집착한다면 그 두 가지는 다른 게 된다. 그러나 집착하지 않을 때는 그 둘은 같은 것이다."

그 제자가 다시 말했다.

"간혹 선사님께서는 공안을 두고 몇 년씩이나 씨름을 한다는 사람들의 하소연을 들으실 수 있겠죠. 저는 그 때문에 괴롭습니다. 이것은 그들이 길을 잘못 가고 있는 것이든지 아니면 씨름을 해서는 안 된다는 것을 스스로 깨닫기 위해서 그토록 오랜 시간이 필요하다는 것을 암시하는 듯합니다. 선사님께서는 씨름을 하면 안 된다고 하시는 것이죠?"

선사께서 말씀하셨다.

"견성한다는 욕구를 마음에 지닌다는 그 자체가 공안을 그릇되게 사용하는 방법이다. 오로지 큰 의문만 지니면 된다. 큰 의문이란 모든 생각을 끊어 내고 마음을 비우는 것을 뜻한다. 그래서 큰 의심을 품고 있는 마음, 그것이 견성이다. 이미 자신이 견성을 했는데도 그것을 못 깨닫는 것이다. 그래서 한참 더 고된 수행을 한 뒤에야 아, 이것이 견성이로구나 하고 알게 되는 것이다. 이처럼 쉬운 길이다. 넌 너의 눈을 볼 수 있느냐?"

"없습니다."

"눈이 없는 거냐? 눈은 있다. 너는 마음을 잡을 수 있느냐?"

"없습니다."

"마음이 없는 거냐? 똑같은 것이다. 너는 이 컵을 볼 수 있지? 내 소리도 들리지?"

"네."

"이것이 마음이다. 내 눈으로는 내 눈을 볼 수도 없다. 눈을 보려고 하는 것 자체가 틀린 길이다. 내 마음으로는 내 마음을 알 수 없다. 그래서 내 마음을 알려고 하는 것은 틀린 길이다. 만일 이 마음을 끊어 내면 너는 곧 견성을 하게 된다. 나는 이 컵을 볼 수 있다. 그래서 나는 눈이 있다. 이 소리도

들을 수 있다. 이와 같이 나는 마음도 있다. 내가 누구일까? 내가 나에게 묻는 것이다. 그리고 거기에는 다른 대상이 없다. 대상이 없다는 것은 절대적이라는 뜻이다. 그러므로 모든 생각을 끊어 내야만 한다. 오직 모를 뿐인 마음으로 마음을 비워라. 이것이야말로 참다운 자성이다. 그것은 아주 쉬운 것이다."

45. 특별한 약과 대사업

어느 봄날 오후에, 제자 세 사람과 숭산 선사께선 프로비던스 선원의 선사님 방에서 차를 마시며 한담하고 있었다. 한 제자가 선사께 질문을 올렸다.

"사람들은 선사님께서 특별한 약이라고 부르는 마약이나 환각제를 복용하다가 결과적으로 참선을 하는 경우가 많습니다. 마약을 복용하는 것은 좋습니까, 나쁩니까?"

선사께서 말씀하셨다.

"좋다, 나쁘다 하는 문제는 중요한 것이 아니다. 좋은 것도 나쁜 것도 아니니까. 보다 중요한 것은 왜 그들이 마약을 복용하느냐 하는 이유이다. 알겠느냐?"

다른 제자가 말했다.

"좋지도 나쁘지도 않다는 것은 무슨 뜻입니까?"

선사께서 말씀하셨다.

"깨닫기 위해서 약을 복용하는 것은 좋다. 황홀한 기분을 느끼기 위해서 약을 복용하는 것은 그다지 좋은 것이 아니다."

"그렇다면 약을 먹음으로써 깨달음을 얻을 수 있다는 뜻인
가요?"

"가능하지. 많은 사람들은 이름과 모양에 집착하고 있다. 그
런 사람들이 이 약을 5시간 혹은 10시간 복용하게 되면 꼭
죽음을 경험하는 것과 같이 된다. 그들은 자신의 육체와 또
육체가 바라는 것으로부터 아무런 장애를 받지 않게 된다. 꼭
꿈과 같은 것이다. 의식의 자유로운 활동과 업아(業我)의 자
유로운 작용만을 느낄 뿐이다. 그래서 그들은 인생이 모두 공
한 것임을 깨닫게 된다. 사는 것이 죽은 것이고 죽은 것이 사
는 것이다. 그래서 그들은 사람들끼리 싸운다거나 다르다는
것이 소용이 없는 짓이고 틀린 생각에서 비롯되는 결과라는
것을 똑똑히 깨닫는다.

그들은 더 이상 부자가 되겠다거나 성공하겠다는 욕심을
내지 않는다. 부자이거나, 가난하거나, 성공했거나, 실패했거
나 이 모두는 똑같은 것이다. 죽고 난 뒤에는 결과가 똑같기
때문이다."

맨처음 질문을 한 제자가 말했다.

"선사님께선 제게 하루에 두 번씩만 그 약을 먹으라고 하
셨습니다."

선사께서 말씀하셨다.

"한 번 혹은 두 번만 복용하면 큰 도움이 될 수 있다. 그러
나 자주 복용하면 위험하다. 그 약에 집착하게 되기가 쉽기
때문이다. 너는 이미 참선을 하는 수행자이다. 그러므로 이미
인생이 공하다는 것과, 어떤 것이 참다운 길인지를 잘 안다.

네가 몸에 병이 있을 때에는 간혹 독약이라도 복용해야 될
경우가 있다. 그렇지만 다시 몸이 건강해졌을 때에는 약은 필
요치 않다. 게다가 이 특별한 약은 어떤 종류의 병을 치료할

수는 있지만, 그러나 다른 종류의 질병을 유발시킨다. 이것을 복용하게 되면 많은 집착을 일으키기 때문이다. 일하기 싫어하게 되고, 돈 벌기를 싫어한다. 너는 마냥 쉬기만 하는 것을 좋아 하느냐 아니면 정원에서 일도 하고, 음악도 듣고, 예술을 감상하는 것이 좋으냐?"

"돈을 안 벌어요? 원 세상에 그럴 수 있나요?"

"이것이 자연주의 생활이나 히피 생활에 집착하는 것이다. 참선인에게는 적합하지 못한 것이다. 많은 사람들은 특별한 약을 먹고 스스로 깨닫는다. 그러나 그런 깨달음은 단지 생각에 불과한 것이다. 그것은 견성이 아니다. 진정한 공을 증득했다는 것은 모든 생각이 끊어졌음을 뜻한다. 좋아하는 것도 싫어하는 것도 없어야 한다. 자연주의 방식대로 사는 것도 좋고, 플라스틱 방식대로 사는 것도 좋다. 그러나 그 무엇에도 집착함이 없어야 한다."

세번째 제자가 말했다.

"선사님, 여러 종류의 사람들이 참선을 합니다. 저도 하지만 사업가, 법률가들도 참선을 합니다. 저는 자연주의 생활에 집착하지만, 그들은 대사업에 집착합니다. 그런데도 선사님께서는 그들에게 사업을 포기하고 참선만 하라고는 안 하시면서, 제게는 자연주의 생활을 내던지고 참선만 하라고 말씀하십니다. 이런 것은 업이 다른 때문이 아닐까요?"

선사께서 말씀하셨다.

"너의 생활이 자연주의 방식인 것 자체는 좋다. 사업가 방식의 삶 또한 좋은 것이다. 중요한 것은 바로 왜 그렇게 살아야 하는가 그 이유이다. 만일 자기 스스로를 위해서 돈을 벌거나 자연주의 생활을 원한다면 이것은 좋지 못하다. 만일 네가 너의 욕구를 끊어 버리면 그 때는 사업은 사업이 아니다.

보살행이 되고 자연주의 생활도 자연주의 생활이 아니라 보살행이 되는 것이다. 그 때에 너는 사업도 자연주의 생활도 모두 다른 사람들에게 참다운 길을 가르쳐 주는 도구로 사용하게 되는 것이다."

"선사님께선 자연주의 방식의 삶을 가르칠 수 있으십니까?"

"물론이다. 그것에 집착하지 않는다면 그것을 가르친다는 것은 아주 훌륭한 일이다. 자연주의 생활이란 고차원적인 보살행이다."

"어떻게요?"

"진정한 히피들은 아무것에도 장애를 받지 않는다. 내가 돈이 없어도 되고, 집도 없고 갈 곳이 없어도 그만이다. 아무 데서나 자고 아무것이나 먹는다. 이렇게 인생 전체가 자유롭다. 나는 무엇을 해도 된다. 아무런 장애를 받지 않는다는 것은 아무것에도 집착하지 않는다는 뜻이다. 그러므로 이런 히피 정신은 아주 좋은 것이다. 이는 아주 고상한 정신이다.

그러나 많은 젊은이들은 히피나 자연주의 생활 자체에 집착한다. 이것은 좋지 못하다. 만일 네가 집착을 한다면 히피 생활 자체가 장애물이 된다. 너는 일체의 생각과 자신을 위하여는 모든 욕구를 끊어 버려야만 한다. 그러면 너는 곧 견성한다. 히피 정신은 견성과 머리카락 한 개 정도밖에 차이가 나지 않는다. 만일 히피가 스스로 히피라는 집착을 끊어 낼 수만 있다면 이렇게 느낄 것이다. '아, 이것이 견성이로구나!'

미국에 와서 내가 처음으로 만난 제자 중 한 명은 노란 머리를 길게 묶고 다니는 히피였다. 하루는 내가 그에게 '그 머리를 자르면 좋겠는데.' 하고 말하자 그가 '안 돼요. 저는 이 머리 모양을 좋아합니다.' 하고 말했다. 그래서 나는 이런 말을 해 주었다. '네가 머리카락에 집착을 하면 견성을 할 수 없다.' '정말입니까?' '그럼, 견성을 한다는 것은 완전한 자유를 의미한다. 네가 머리카락에 집착하면, 그 때는 머리카락이 장애가 된다. 네가 장애를 갖고 있는 한 견성은 이룰 수 없다.' '좋습니다. 그럼 머리카락을 자르지요.' '좋다. 이제 너는 머리카락을 자를 필요도 없다.' 그래서 그는 진정한 히피가 되는 것은 아무런 집착도 안 갖는 것임을 배웠다. 그 후 그는 열심히 수행정진해서 곧 깨닫게 되었다."

첫번째로 질문을 한 제자가 다시 말했다.

"사업가도 장애를 안 가질 수 있을까요?"

선사께서 말씀하셨다.

"그가 아무런 욕심을 내지만 않는다면 가능하다. 만일 그가 다른 사람을 돕기 위해 돈을 번다면, 그 때는 선이 사업이고 사업이 선이다. 둘이 아니다. 모든 직업이 똑같다. 대부분의 사람들은 이것을 알지 못한다. 단지 돈을 많이 벌고 성공하는 것에만 관심을 갖는다. 이는 소아(小我)이다. 그러나 만일 모든 사람들을 돕기 위해 돈을 벌면 그 사업은 훌륭한 사업이고 대사업이 된다."

46. 기적

선사님께

뉴헤븐 선원에서 어떤 사람이 제게 이런 질문을 했습니다.

"만일 선사께서 기적을 행할 수 있다면 왜 그것을 실제 행하지 않나요? 그분이 대보살이라고들 하던데, 이것은 육체적·심리적인 병을 다 함께 치료할 수 있다는 뜻이 아닐까요? 왜 선사님께서는 장님을 눈뜨게 한다거나 미친 이를 만져서 온전한 사람으로 고치는 일 같은, 예수가 했던 일을 하지 않으시나요? 단지 물 위로 걷는 기적만이라도 보여 준다면 많은 사람들이 선을 믿을 것이고, 그로 인해 참선도 하고 결국 깨달음까지 얻게 될 텐데, 그런데도 선사님은 왜 모든 사람들을 위해 기적을 행하지 않으십니까?"

이와 같은 질문에는 어떤 답을 해야 될까요?

1975년 7월 26일
무각 올림

무각 스님에게

편지 잘 받아 보았습니다. 사람들은 흔히 기적을 바랍니다. 또 만일 기적을 보면 거기에 너무 집착하게 됩니다. 그러나 기적이란 단지 기술일 뿐입니다. 참다운 방법이 못 됩니다. 만일 선사가 기적을 자주 사용한다면 이것을 본 사람들은 그의 어떤 기교에 너무 집착하게 되어 참다운 도리를 배우려 들지 않게 됩니다. 만일 의사가 병자에게 그의 병을 고쳐 주면서 다른 병을 얻게 해 준다면, 그 의사를 훌륭한 의사라고 할 수 있겠습니까? 만일 선사가 물 위를 걷는다면, 사람들이 선에 대해 관심을 갖게 된다는 것은 사실입니다. 그러나 만일 사람들이 그런 이유로 찾아왔다면, 실제로 참선을 한다는 게 너무나 힘이 들고, 지루하고, 너무 평이하기 때문에 싫증을 느끼고 곧 전부 떠나고 말겠지요.

당신은 황벽(黃檗) 선사 아야기를 알고 있을 겁니다. 그 선사는 다른 승려와 함께 여행을 하다가 강에 다달았습니다. 그 승려는 조금도 머뭇거리지 않고 물 위를 걸어 강을 건넌 뒤에 황벽 선사에게도 꼭같이 하라고 시켰습니다. 황벽 선사는 이렇게 말했습니다.

"만일 내가 저놈이 나한(羅漢)인 줄 알았다면, 강에 닿기 전에 다리를 분질러 놓았을 거다."

눈 밝은 선사는 사람들의 업을 알고 있습니다. 부처님께서는 이런 말씀을 하셨습니다.

"네가 스스로 지은 업은 네 스스로 원할 때만 소멸시킬 수 있다. 아무도 네가 네 업을 없애도록 만들 수는 없다."

또 부처님께선 이런 말씀도 하셨습니다.

"내게는 좋은 약이 많다. 그러나 너 대신 내가 먹을 수는 없다."

부처님께선 눈이 먼 사람들이나 신체가 불구인 사람들을 위하여 이미 가르침을 베푸셨습니다. 그러나 대부분의 사람들이 쉬운 해결책을 원하기 때문에 자기들을 위해 일해 줄 또 다른 사람들을 찾아다니는 겁니다.

어머니가 애기를 길들이는 방법을 보면 이를 알 수 있습니다. 만일 어머니가 애기를 위해 모든 것을 다한다면 그 아이는 자라서 엄마에게 의지합니다. 훌륭한 어머니는 아이 스스로 자기 일을 하게끔 시킵니다. 그러면 그 아이는 자라서 강하고 자립적인 사람이 됩니다.

한국에는 자기 스스로를 예수라고 칭하는 사람이 살고 있습니다. 많은 사람들이 그를 믿지요. 그가 세수하면 사람들은 그 물을 가져가서 약처럼 마십니다. 또 사실 그렇게 하면 그들의 병이 신기하게도 고쳐진답니다.

그러나 이는 그들의 마음이 몸의 병을 고친 것입니다. 그들은 이 사람이 기적을 행한다고 굳게 믿고 있기 때문입니다. 만일 그들이 그를 믿지 않는다면 그는 전혀 기적을 행할 수 없습니다. 마찬가지로, 사랑에 빠진 총각, 처녀는 첫번째 입맞춤을 할 때 그들의 입술에서 신기한 느낌이 생기는 것을 경험합니다. 총각의 손이 애인의 몸에 닿게 되면 손가락 끝에 전기가 일어나는 것을 느낍니다. 인도에는 이러한 종교지도자들이 많습니다.

그러나 이는 좋은 가르침이 못 됩니다. 제자들로 하여금 지도자에게 매달리도록 만드는 것입니다. 제자들로서는 어떻게 해야 자기 스스로도 기적을 행하게 되는지를 결코 알 수 없습니다. 그래서 그들은 자신을 위해 행동하기가 어렵습니다. 기적만으로는 악업을 소멸시킬 수는 없습니다. 그것은 단지 기교일 뿐입니다. 예수가 라자로를 무덤에서 일으킨 것으로 무슨 문제가 해결된 바가 있습니까? 라자로는 예전과 똑같이 업을 지닌 채 결국 죽어야 했습니다.

부처님의 십대 제자 중 한 사람이었던 목련 존자는 큰 기적을 행하는 사람이었습니다. 하루는 목련 존자가 명상하는 도중에 카필라 왕국이 곧 전쟁으로 인해 멸망하리라는 것을 보았습니다. 그래서 그는 이런 생각을 했습니다.

"내가 무슨 수를 쓰지 않으면 오늘부터 1주일 뒤 오전 11시에 온 나라가 잿더미로 되고 말 것이다."

그는 부처님께로 나아가 말씀드렸습니다.

"세존이시여, 다음 주에 나라 안의 많은 백성이 죽음을 당할 것을 알고 계십니까?"

"그러하다."

"그럼 왜 그들을 구해 주시지 않으십니까?"

"나는 할 수 없다."

"그러나 세존께선 전능한 힘이 있어 기적을 행하실 수 있습니다. 그런데도 왜 그들을 구해 주시지 않는 것입니까?"

그 때 부처님께선 이런 말씀을 하셨습니다.

"받아야 할 업은 없앨 수가 없다."

그러나 목련 존자는 그 말을 믿지 않았습니다. 반면 그는 부처님께서 자비심이 없다고 믿어 매우 화가 났습니다. 그래서 그는 온 나라를 조그맣게 만들어 바리때에 집어 넣고, 그 바리때를 평화롭고 고요한 도솔천에다 일 주일 동안 두었습니다. 예정된 시간이 지난 뒤 목련 존자는 깊은 안도의 숨을 쉬고 혼잣말을 했습니다.

"아, 이제는 됐구나."

목련 존자는 그 바리때를 다시 땅에 내려놓았습니다. 그러나 그가 뚜껑을 열고 안을 들여다보니, 조그만 나라는 이미 전쟁을 일으켜 망한 뒤였습니다. 마술이란 단지 기교일 뿐입니다. 어떤 사람들은 카드로 어떻게 재주를 부리는지 알고 있습니다. 겉으로 보기에는 무슨 마술 같지만 알고 보면 단지 눈속임에 불과한 것입니다. 우리는 단지 실제로 무슨 일이 벌어지고 있는지를 모르고 있는 것뿐입니다. 우리가 기적이라고 부르는 것 역시 같은 것입니다. 다른 사람의 의식을 뺏어가서 마음대로 조종하는 것입니다. 이것이 아주 강력한 힘을 발휘할 때도 있습니다.

옛날 중국에 도술을 아주 잘 부리는 장수가 한 사람 있었습니다. 전쟁 때면 그는 엄청난 수의 천군을 만들어서 하늘로 날아가게 했습니다. 반대편 군대는 겁에 질려서 천군에게 항상 떼죽음을 당했습니다. 그런데 우연하게 반대편 군대에 현명한 장수가 한 사람 있었습니다. 그 장수는 무슨 일이 벌어지는지를 알고 있었습니다. 그래서 장수는 자기편 병사를 불러 모으고 그 앞에 커다란 수정공을 높이 올려 두었습니다. 그리고 이렇게 말했습니다.

"병사들은 이 수정을 뚫어지게 쳐다봐서 잡념이 없도록 마음을 맑게 해야 한다. 그러면 안전하리라. 그러나 만일 주위를 살펴본다거나 잡념을 갖기 시작하면 천군에 의해 반드시 목숨을 잃으리라."

그래서 모든 병사들은 마음을 맑게 해서 마술에 걸려들지 않을 수 있었습니다. 곧 천군들이 나타났습니다. 잠시 동안은 허공에 떠 있을 수 있었지만 곧 전부 가랑잎으로 변해 땅으로 떨어지고 말았습니다. 만일 그 누구라도 기적을 행하고자 하면 그 방법을 배울 수는 있습니다. 그러나 이는 올바른 길이 아닙니다. 눈 밝은 선사는 사람들이 바른 길을 찾는 데에 기적이나 마술이 결코 도움이 되지 못한다는 것을 알기 때문에 이를 행하지 않습니다. 자기 업을 없애는 유일한 방법은 의식을 공하게 만드는 길밖에 없습니다. 거기엔 기적이라는 것이 없습니다. 대신 거기엔 올바른 견해와 수행만이 있을 따름입니다. 이것이야말로 참다운 기적인 것입니다.

1975년 8월 3일
숭산

47. 참다운 공의 경계

— 1975년 2월 9일, 샌프란시스코 선원에서의 법문.

(주장자로 법상을 치시며) 이 소리가 들리는가? 여러분이 들었으면, 여러분은 하나를 이해한 것입니다. 만일 듣지 못했으면 여러분은 하나를 만 종류로 나누고 천 단계로 가르는 것입니다.

(법상을 치시며) 이 소리를 이해하는가? 이해한다면 그 만 종류 천 단계를 다 이해한 것이요, 못했다면 하나에 집착하는 것입니다.

(법상을 치시며) 이것을 이해하는가? 만일 입을 열어 안다고 말하면 30방을 맞을 것이요, 또 만일 모른다고 해도 30방을 맞을 것입니다. 어째서인가?

할!

우주에 봄기운이 차니, 도처에 꽃이 피누나.

만일 여러분이 이것을 분명히 나타내 보인다면, 모든 부처님과 모든 조사 스님들의 입을 닫게 할 것입니다. 그럼 여러분은 어떻게 그분들이 말하는 것을 듣겠는가? 그분들의 말을 들으려면, 여러분은 좌선이 무엇인가를 알아야만 합니다.

여러분이 모든 생각을 끊어 냄으로써 완전히 맑은 상태를 유지하면서도 혼침(昏沈)에 빠지지 않는다면 그것이 좌선인 것입니다. 안과 밖이 하나가 되었을 때, 주변의 여건은 아무런 장애를 주지 않습니다. 바로 이것이 참선입니다. 여러분이 참선을 이해한다면 여러분은 자신을 이해하는 것입니다.

여러분 마음 속에는 다이아몬드로 만들어진 칼이 있습니다. 만일 자신을 알고자 하면 이 칼로 선악(善惡), 장단(長短), 가고 옴, 고저(高低), 부처님과 하느님을 모두 잘라 버리십시오. 온갖 것을 잘라 내십시오. 마치 여러분은 얇은 얼음 위를 걷고 있는 기분으로 온 신경을 발 끝에다 모으고 나아가야만 합니다. 만일 한 발자국이라도 잘못 디디면 죽어 화살같이 지옥으로 날아갑니다.

생각하지 않는 이 경계를 지나면 참다운 공의 땅에 도달합니다. 참다운 공이란 생각내기 이전을 뜻합니다. 이곳은 불립문자(不立文字)의 땅이라서 산, 강, 동, 서, 남, 북, 하느님, 부처님이 없습니다. 그러나 만일 여러분이 거기에 머물러 있으면 공에 집착하게 되어 부처님이라도 여러분을 구제할 길이 없습니다.

절벽의 바위턱에 손으로 매달려서도 생사를 생각지 않고 앞으로 나아갈 수 있다면 그 때 여러분은 참다운 자유를 차지하게 됩니다. 나무로 된 개가 쇠를 먹고 불똥을 누는 것을 볼 수 있습니다. 그러면 여러분은 털가죽이 덮인 거북이나 뿔이 난 토끼와 친구를 할 수도 있고, 구멍이 없는 피리를 부는 법도 배우게 됩니다. 그런데 피리소리는 어디서 나는 것일까요?

이곳을 떠나서 더 나갈 때 여러분은 새들이 지저귀고 산이 푸르고 하늘이 파란 것을 깨닫게 됩니다. 보는 것, 듣는 것,

냄새를 맡는 것, 맛보는 것, 만지는 것들, 진리는 이와 같은 것입니다. 이것들이 바로 부처님과 조사님들의 말씀인 것입니다. 강물소리, 새소리가 경전이고 하늘과 땅이 바로 부처님 자신인 것입니다.

(주장자를 치켜들으셔서) 그렇다면 여러분은 이것이 보입니까? (법상을 내리치셨다.) 이 소리가 들립니까? 이 주장자와 이 소리, 여러분의 마음, 이것이 모두 같습니까, 다릅니까?

만일 같다고 답하여도 맞지 않는 것이니 이 주장자로 칠 것이요, 만일 다르다고 대답한다 해도 역시 맞지 않는 것이니 이 주장자로 칠 것입니다. 만일 같으며 또 다르다고 대답한다면 역시 맞지 않은 것이므로 이 주장자로 몹시 칠 것입니다. 어째서입니까?

할!

여러분이 사자굴로 들어가지 않는다면 결코 사자를 잡을 수 없을 것입니다.

48. 생각 조금, 법거량 조금

어느 날 저녁, 보스톤 달마다투에서 법문이 끝난 뒤에 한
제자가 숭산 선사께 질문을 올렸다.

"사람들이 말하기를, 선사님께선 생각이 멈춘 곳, 혹은 바꾸
어 말하자면, 생각은 계속 되더라도 관(觀)이 끊어진 참선 경
계에 도달하셨다고들 합니다. 그 점에 대해서 말씀해 주시겠
습니까?"

선사께서 말씀하셨다.

"생각은 어디로부터 오느냐?"

그 제자는 이마를 가리키며 말했다.

"아마 여기겠죠."

"생각은 어디로 가느냐?"

"잘 모르겠습니다."

"생각이란 것은 무엇이냐?"

"아마도 생겨나는 그 무엇, 의식 같은 것이겠지요."

선사께서 말씀하셨다.

"생각이란 사람들이 지어 준 이름이다."

그리고 종이 한 장을 가리키시며 말씀하셨다.

"이것의 이름은 종이다. 만일 고양이에게 이게 뭐냐고 묻는다면 고양이는 종이라고 대답하지 않을 것이다. 강, 산, 태양, 달, 이 모두가 이름이다. 고양이는 태양을 태양이라 하지 않고 달을 달이라고 하지 않는다. 개에게 가서 달을 가리키며 '이게 뭐냐?'고 물어 봐라. (청법 대중들 웃음소리) 사람들의 생각이 이 모든 것을 만들었다. 그러니 생각하는 것은 너의 마음이다. 마음은 마음이 아니다. 생각하는 것은 생각이 아니다."

그 제자가 말했다.

"저도 그건 좀 알겠습니다. 그런데 어떻게 생각을 멈출 수 있습니까?"

선사께서 말씀하셨다.

"좋다. 내가 알려 주마. 이리 나와라."

그 제자는 선원 앞으로 나아가 선사님 앞에 앉았다. 선사께서는 그에게 물이 든 컵을 내주며 말씀하셨다.

"이걸 마셔라."

그 제자가 물을 마셨다. 선사께서 말씀하셨다.

"물이 뜨거운가, 찬가?"

그 제자는 잠시 가만히 있다가 말했다.

"맛이 좋습니다."

선사께서 말씀하셨다.

"그건 생각이다. 네가 물을 마실 때는 생각을 안 했다. 내가 물이 뜨거운가, 찬가 하고 묻자 넌 생각을 한 것이다. '어떻게 대답을 하면 좋은가?' 이것이 생각이다. 물을 마실 때는 그냥 마시기만 하여라."

그리고 종이 한 장을 집으셨다.

"이것이 무엇이냐?"

그 제자는 잠자코 있었다.

"왜 대답을 하지 않느냐?"

"아마 선사님께선 제가 종이라고 대답하기를 원하셨겠죠"
(웃음소리)

"좀더 가까이 오너라."

그 제자가 다가왔다.

"고개를 숙여 봐라."

그 제자가 고개를 숙이자 선사께서 그의 등을 향해 한 방
을 내렸다.

"그것이 무엇이냐?"

"소리가 났습니다."

"내가 널 때렸을 때, 넌 몰랐다. 왜 내가 널 때렸느냐?"

"글쎄 저를 좀 일깨워 주시기 위해서겠죠."

"너는 내가 널 때린 의미를 알겠느냐?"

"기분이 좋았습니다."

"기분이 좋았던 건 너의 행(行)이고, 내 행의 의미를 알겠
느냐?"

"아마 선사님께서 절 가르치신 것이겠죠."

선사께서 말씀하셨다.

"부처님께서 영산에 머무르신 적이 있었다. 매일 부처님께
선 많은 대중 앞에서 설법을 하셨는데, 하루는 천 이백여 명
의 대중들 앞으로 오르셨다.

대중들 모두가 부처님께서 설법을 시작하시기를 기다렸지
만, 부처님께선 그냥 계셨다. 1분, 2분, 3분, 오직 침묵뿐. 드디
어 부처님께서 꽃 한 송이를 들어 보이셨다. 아무도 그 뜻을
몰랐지만 마하가섭만은 꽃을 보자 미소를 지었다. 부처님께선

그에게 말씀하셨다. '나의 정법안장(正法眼藏)을 너에게 부촉하노라.' 이제 너에게 묻겠다. 부처님께서 그 꽃을 들어 보이신 뜻이 무엇이냐?"

"부처님께선 단지 자신의 행동을 보이기 위해 꽃을 드신 것입니다."

"만일 네가 거기에 있어 부처님께서 꽃을 들어 보이시는 것을 보았다면 어떻게 했겠느냐?"

"그 꽃을 집어들겠습니다."

선사께서 크게 웃음을 터뜨리셨다.

"하! 하! 하!(웃음소리) 네가 부처님이구나. 그렇느냐?"

그 제자가 말했다.

"저는 부처님이 아닙니다."(더 큰 웃음소리)

선사께서 말씀하셨다.

"만일 네가 꽃을 뺏는다면 부처님께선 널 때리실 텐데, 그럼 어떻게 하겠느냐?"

"저도 때리겠습니다."

"그럼 부처님께서 이렇게 말씀하셨을 게다. '너는 하나만 알고 둘은 모른다.' 이 말씀에 뭐라 대답을 하겠느냐?"

"전 셋은 모릅니다."

"그럼 부처님께서 이렇게 말씀을 하신다. '난 네가 눈 밝은 사자인 줄 알았더니, 이제 보니 눈먼 개로구나.'"

그 제자는 잠자코 있었다. 선사께서 말씀하셨다.

"좋다. 내가 설명해 주지. 부처님께서 말씀하신 뜻은 '네가 나를 때린 것은 아주 좋다. 나도 부처요, 너도 부처다. 그래서 네가 나를 때렸다. 부처님과 넌 똑같으니까.' 이건 아주 고차원적인 대답이다. 그래서 부처님께서 다시 너를 시험하신 거다. '너는 하나만 알고 둘은 모른다.' 그런데 이번에 네가 한 대답은 그다지 훌륭하지가 못했다. 그래서 부처님께선 이렇게 말씀하셨다. '나는 네가 눈 밝은 사자인 줄 알았는데, 눈먼 개로구나.'"

그 제자가 말했다.

"그렇다면……."

그리고 다시 아무 말을 하지 못했다. 모든 사람들이 웃음을 터뜨렸다. 선사께서 말씀하셨다.

"너는 마음의 눈을 떠야만 한다. 알겠느냐?"

그 제자가 말했다.

"감사합니다."

그러자 선사께서는 "천만에." 하고 대답하셨다.

49. 얼음이 없는 바가 곧 얼음이다

목요일 저녁, 케임브리지 선원에서 법문이 끝난 뒤에 한 제자가 숭산 선사께 질문을 올렸다.

"『반야심경』에서 '얻을 것도 얻을 바도 없다'고 했다면, 참선은 왜 하는 것입니까?"

선사께서 말씀하셨다.

"너는 무득(無得)에 대해 아느냐?"

"모릅니다."

선사께서 말씀하셨다.

"얼음이 없음이 얼음이니라. 너는 무득을 얻어야만 한다. 무엇이 얻는 것이냐? 얻을 것이 무엇이냐?"

"공?"

"참다운 공에는 이름도 모양도 없다. 그러므로 거기에는 얻는 바가 없다. 만일 '내가 참다운 공을 얻었다'고 한다면 틀린 것이다."

"가짜 공도 있습니까?"

"이 우주는 언제나 참다운 공이다. 지금 너는 꿈 속에 살고 있는 것이다. 깨어나라! 그러면 넌 참다운 공을 깨달을 것이다."

"어떻게 제가 깨어날 수 있습니까?"

"내가 때리기만 하면. (청법 대중들의 웃음소리) 그건 아주 쉽다."

그 제자는 다시 말했다.

"이 꿈은 무엇입니까?"

"바로 이것이 꿈이다."

"제가 꿈을 꾸는 것처럼 보입니까?"

선사께서 말씀하셨다.

"그렇다. 꿈이 아닌 것은 무엇인가? 깨어 있는 말로 한 마디만 해 봐라."

그러자 한참 있다가 말했다.

"모든 것은 꿈입니다."

"넌 꿈꾸고 있느냐?"

"네."(폭소)

"네가 꿈을 만들었으니 난 꿈 속에 있구나. 아주 멋진 꿈이다. 참선을 하는 꿈이니. 참선 강의하는 꿈이로구나. (웃음소리) 그런데 어떻게 깨어날 수 있느냐, 이게 아주 중요하다. 너의 지나간 삶은 꿈과 같은 것이지? 너의 미래도 꿈과 같다. 그리고 현재 이 순간까지도 꿈과 같은 것이다. 그러니 내게 말하라. 어떻게 넌 깨어날 수 있느냐?"

그 제자가 말했다.

"선사님께선 저를 불가능한 상황으로 밀어 넣으셨습니다. 잠을 자는 제가 어떻게 깨어날 수 있겠습니까?"

선사께서 말씀하셨다.

"좋다. 내가 하나 묻지. 훌륭한 게 무엇이냐?"

"훌륭한 것은 생각하는 것입니다."

"누가 훌륭한 것을 만들었느냐?"

"제가요."

"나는 어디로부터 오느냐?"

"나는 나로부터 옵니다."

"너는 '나'란 단어를 아는 거지 참다운 '나'가 무엇인지를 모른다. 나는 어디로부터 왔느냐?"

"생각으로부터 옵니다."

"생각 역시 말이다. 생각은 어디서 왔느냐?"

그 제자는 다시 한참 동안을 묵묵히 있다가 아주 천천히 대답을 했다.

"정말 모르겠군요."

선사께서 말씀하셨다.

"좋다! 이것이 완전히 모르는 마음이다. 거기는 언어와 문자가 존재하지 않는 오직 모를 뿐인 세계이다. 모든 생각을 끊어 내면 참으로 공하다. 이것이 깨어나는 법이다."

그 제자가 절을 올리고 말씀을 드렸다.

"감사합니다. 제게는 또 다른 문제가 있습니다. 일상 생활에서 사람들은 우리의 견해나 판단을 묻는 경우가 많습니다. '이것을 좋아합니까? 저것을 좋아합니까?' 하는 대화는 피해야 할까요?"

선사께서 말씀하셨다.

"왜 그것을 피해야 되느냐?"

"왜냐 하면 제게는 개인적이고도 각기 떨어진 독립적인 문제처럼 느껴지기 때문입니다."

선사께서 말씀하셨다.

"우리가 걸을 때는 손을 앞뒤로 흔든다. 이것은 생각하지 않고 하는 행동이다. 그러므로 말을 할 때도 말하는 데 집착을 하면 안 된다. 집착하지 않는 생각은 생각이 아니다. 만일 네가 생각하는 데 집착하면 이로 인해 업이 만들어진다. 만일 집착을 하지 않으면 업을 만들지는 않는다.

오늘 하버드 대학 여름 학교에서 나의 영어 선생님이 내게 숙제를 내 주셨다. 아주 어렵더군! (웃음 소리) 이 숙제를 어떻게 풀어야 될지 모르겠다. 단지 큰 의심덩이이다. 먹을 때는 맛도 모르겠고 그 숙제로만 머리가 꽉 차 있다. 귀가 길 버스 안에서도 숙제 생각뿐. 그래서 그만 내려야 할 곳도 지나치고 말았다.

만일 네가 이런 마음을 품고 있다면 보는 것이 안 보는 것 같고, 듣는 것이 안 듣는 것 같으며, 일하는 것 역시 일하지 않는 것과 같이 느껴진다. 이것이 집착하지 않는 생각이다. 그냥 큰 의심만 있을 뿐이다.

그럴 때는 말하는 것도 집착하지 않는 행동이 되고, 또 말 안 하는 것과 같다. 너는 눈을 사용하지만, 그러나 거기엔 눈이 없다. 너는 입을 사용하지만, 거기엔 입이 없다. 네가 깨끗한 마음을 지니면 빨간 색엔 빨갛게, 하얀 색엔 하얄 뿐인 거울과 같다. '내가 이게 좋을 때'는 그냥 '이게 좋을 뿐'이고 '이게 싫을 때'는 그냥 '이게 싫을 뿐'이다. 이 마음은 꼭 어린애의 마음과 같다. 그래서 여기엔 얻을 것도 얻을 바도 없다. 얻음이란 이름이다. 이것은 생각하는 마음이다. 얻음과 얻지 않음은 상대적인 것이다. 생각 이전은 절대적인 것이다. 불립문자의 세계요, 무(無)일 뿐이다. 만일 입을 열면 그르친다. 그럼 어떤 것이 얻는 것이냐? 오직 '할'일 뿐이고, 오직 '방'일 뿐이다."

그 제자가 말했다.

"전 참선을 할 때는 공안을 지키기가 매우 어렵습니다. 어떻게 하면 될까요?"

선사께서 말씀하셨다.

"그건 처음에는 어렵다. 그건 마치 차를 운전하는 것과 같다. 처음 운전을 배울 땐 차 앞으로 누가 걸어가면 브레이크를 매우 세게 밟게 된다. 이것은 생각하는 행동이다. 그러나 운전을 오래 하게 되면 서야 될 필요가 있을 때는 자동적으로 브레이크를 밟는다. 이것은 느긋하고 생각하지 않는 행동이다.

처음 네가 공안을 들게 되면 모를 뿐인 마음과 참선이 각각 따로 떨어져 싸운다. 그러나 한참 수행을 하면 모르는 마음이 참선하는 마음이고 참선하는 마음이 모르는 마음이 된다. 아침에 우리가 함께 예불을 할 때는 오직 예불만을 한다. 만일 딴 생각을 한다면 예불문을 잊어버려 틀리게 된다. 오직 모를 뿐인 마음으로 돌아가기란 너무 쉽다. 단지 '나는 누구인가?' 하는 큰 의문을 스스로 묻는 것이다."

그 제자가 말했다.

"저는 공안과 참다운 공을 이미 이해했다고 느낀 순간 잊었습니다. 다시 이중성의 세계로 되돌아 온 것이죠. 제가 깨달았던 것이 참다운 공은 아닐까요?"

선사께서 말씀하셨다.

"네가 공을 이해했다면 그것은 공이 아니다. 단지 말을 이해한 것이다. 공하다는 말을 이해했을 뿐이지 한국 김치를 먹어 본 적이 있느냐? 김치 맛은 아주 맵다. 그러나 실제 먹어 보기 전까지는 그 '맵다'라는 게 무엇을 의미하는지 완전히 알 수 없다. 자 그런 사람들에게 내가 김치 맛을 보여 주지. '악! 매워!'" (폭소)

"다른 사람들은 김치가 매운지는 알아도 실제 먹어 본 적이 없을 것이다. 한 번 맛을 봐야 그 때서야 무슨 맛인지를 알게 된다. '매운 것'을 경험한 것이다. '매운' 맛을 보면 알고 있는 '매운 맛'과 같지는 않다.

많은 미국 젊은이들도 한마음은 이해한다. 그러나 그것은 정말 한마음이 아닌 생각에서의 한마음일 따름이다. 그래서 공을 이해했다는 것과 공을 경험한 것은 다르다. 만일 한번이라도 공을 경험한다면 영원히 자기 것이 된다. 결코 잊지 않는다. 너는 공을 이해했다고 말했다. 그럼 공이란 무엇이냐?"

"이것이 공입니다."

"넌 공이라고 하고, 나는 공이 아니라고 한다. 너에겐 손, 소리, 몸이 있다. 공에는 손, 소리, 몸이 없다. 무엇이 참다운 공이냐? 이것은 아주 중요한 것이다. 참다운 공에는 아무 말이 없다. 개구즉착(開口卽錯)이니라. 그렇다면…… 이게 무슨 색이냐?"

그 제자가 잠자코 있었다.

"이건 무슨 색이냐?"

"선사님께서 보시면 아십니다."

"보라구? 이건 눈이 아니다. 얼굴 가죽이 뚫려진 구멍일 따름이다. (웃음) 다시 묻는다. 이게 무슨 색이냐?"

그 제자는 잠자코 있었다. 선사께서 말씀하셨다.

"갈색이다."

"그러나 만일 제가 갈색이라고 말했더라면 선사님께선 색에 집착한다고 말씀하셨을 겁니다."

"갈색은 갈색일 뿐이다."

그리고 물컵을 가리키셨다.

"이것은 무엇이냐?"

"물입니다."

"좋다. 물은 물이다. 이건 생각이 아니다. 내가 '물'이라고 대답했을 때, 이것은 마음이다. 이 마음이 매우 중요하다. 이것은 깨끗한 마음이다. 빨간 색이 비치면 빨갛게, 노란 색이 비치면 노란 거울이 되듯이, 물이 비치니까 물이 된 것이다. 문(門)이 비치면 문이 된다. 이것이 '여여함'이다. 그래서 참다운 공이란 깨끗한 마음이다. 본래 깨끗한 마음에는 이름도 모양도 없다. 나타나는 것도 없어지는 것도 없다. 모든 것이 있는 그대로일 뿐이다. 만일 네가 생각을 하면 그건 네가 꿈을 꾸는 것이다. 모든 생각을 끊어 내고 깨어나야만 한다."

50. 참다운 좌선

선사님께

마에즈미 노사님께서는 제가 노사님과 함께 해도 좋을까 하는 문제를 편지로 선사님께 여쭈어 보라고 하셨습니다. 수 잔과 저는 그분과 함께 용맹정진을 3일 간 했습니다.

그분은 깨치신 분이셨습니다. 우뚝 서서 하늘같이 공하신 분입니다. 그 노사님께선 선사님의 공안들을 사용하십니다. 참선하는 것이 더 강해졌습니다.

모든 것이 충만하다.
돌이 숨쉰다.
좌복이 참선한다.
아이들이 논다.
바람이 분다.
더 이상 뭐가 있나.
아 ―
다리가 저린다.

1974년 12월 15일
번몬 드림

번몬 씨

편지는 감사하게 받아 보았습니다. 당신이 마에즈미 노사와 함께 좌선을 하게 되어 전 기쁩니다. 저도 노사를 좋아합니다. 만일 마에즈미 노사와 함께 참선을 하게 되면 노사의 말이나 좌선 자체에 집착을 말아야 합니다. 어떤 것이 참다운 좌선이고 참선인지를 알아야 합니다.

참다운 좌선이란 모든 생각을 끊어 내고 마음을 움직이지 않는 것입니다. 참선은 깨끗해지는 것을 뜻합니다. 멋진 말과 고된 훈련도 중요합니다. 그러나 거기에 빠지면 아주 위험합니다. 그러면 당신은 참다운 좌선을 알 수 없게 됩니다.

옛날에 도안(道安) 선사가 다른 절을 찾아간 적이 있었습니다. 그 때 도안 선사는 선사 복장을 하지 않고 떠돌이 중 차림새였습니다. 우연히 그 절의 한 승려와 이야기를 하게 되었는데, 그 승려는 도안이 선사임을 몰라보았습니다. 조금 후 그 승려는 자기 스승에 대해 말을 했습니다.

"그분은 천 배씩 절을 하고 하루 한 끼만 공양을 드십니다. 30년 동안 절을 한 번도 떠나지 않았고 오직 좌선만 하셨습니다. 중국 내에선 가장 훌륭한 선사이실 겁니다."

도안이 말했습니다.

"네. 아주 훌륭하십니다. 말씀을 듣자 하니 아주 비범하신 분입니다. 저로서는 그건 전혀 흉내낼 도리가 없습니다. 그러나 전 하루 천 배를 하진 않지만 마음이 게으르지 않고, 하루

한 끼만 먹진 않아도 음식을 탐내 본 적은 없습니다. 절만 지키고 오래 있지는 않았지만 어딜 가도 마음은 무애합니다. 좌선을 오래하진 않았지만 생각을 내진 않습니다."

그 승려가 말했습니다.

"잘 이해가 가질 않습니다."

도안 선사가 말했습니다.

"당신의 스승에게 가서 설명을 들으시오."

그 승려는 인사를 하고 절로 돌아갔습니다. 곧 그의 스승이 도안에게 달려와 도안에게 삼 배를 했습니다.

"당신이야말로 훌륭한 선사이십니다. 저를 제자로 삼아 주십시오. 그 동안 저는 고행에 너무 집착해 있었습니다. 그런데 이제 당신의 친절한 말을 듣고 내 마음이 맑아졌습니다."

도안은 웃으며 말했습니다.

"아닙니다. 전 스승이 될 자격이 없습니다. 당신은 이미 훌륭한 선사이십니다. 당신에게 필요한 것은 저에게 절을 했을 때와 같은 마음을 지키는 것밖에 없습니다. 이미 당신은 무애한 사람입니다. 내게 절을 하기 전에는 좌선이나 공양이 모두 당신만을 위한 것이었지만, 이젠 모든 사람을 위한 것이 되었습니다."

그 말을 듣고 선사는 기쁨의 눈물을 흘리며 다시 도안에게 절을 하며 '고맙습니다' 하고 말했습니다.

번몬 씨, 이것을 읽고 무슨 생각을 하셨습니까? 당신은 편지에 마에즈미 노사가 '꼿꼿하고 하늘같이 텅 비었다'고 했는데 그건 무슨 뜻입니까? 만일 당신이 참다운 공을 알고 있다면 이 말도 알고 있을 테지요. 이 말을 이해하고 있다면, 그럼 당신은 이미 견성을 한 것이나 다름없습니다. 그러나 만일 당신이 견성을 하지 못했다면 이 말을 이해하지 못할 겁니다.

시가 아주 훌륭합니다. 그러나 나는 글자를 좋아하지 않습니다. 그러니 글자 이전의 시를 써서 보내 주세요.

1974년 12월 20일
당신의 벗
숭산

51. 삼매(三昧) 대 견성(見性)

목요일 저녁, 케임브리지 선원에서 법문이 끝난 뒤 한 제자가 숭산 선사께 질문을 했다.

"제가 알기로는 삼매는 오랫 동안 깨달음을 얻는 것이고 반면 견성은 순간적으로 깨닫는 것이라고 하는데, 둘은 어떻게 다릅니까?"

선사께서 말씀하셨다.

"만일 네가 생각을 내면 삼매와 견성은 달라진다. 만일 생각을 끊어 내면 삼매와 견성은 같은 것이다. 그러나 일반적으로 설명할 때는 다른 것이라고 한다. 삼매란 일심(一心)이고 견성은 여여한 것이다. 일심과 여여, 이것은 다르다. 그러나 마찬가지다. 그러므로 우리가 진언을 하면 오직 진언만 있을 뿐이다. 옴마니반메훔. 옴마니반메훔. 모든 생각은 끊어졌다. 내가 보고 듣는 것은 오직 옴마니반메훔. 이것이 삼매다. 그러므로 만일 누가 나에게 '이 벽은 무슨 색이요?' 하고 묻는다면 난 '옴마니반메훔'이라고 대답하고, (손을 치켜들고) '이것이 뭐요?' 한다 해도 '옴마니반메훔'이라고 대답한다.

그러나 견성에서는 '이 벽이 무슨 색이요?' 하고 물으면 '하얀 색'이라 대답하고, '이것이 뭐요?' 하고 물으면 '손이요' 하고 대답한다. 즉, 삼매란 움직이지 않는 일심을 뜻한다."

"그럼 견성과 같은 것이군요."

"같지는 않다. 아, 같은 것이고 또 같지 않은 것이기도 하다."

"알겠습니다."

"그럼 한 가지 묻겠다. 부처님께서 살아계셨을 때, 한 여인이 좌선을 하며 아주 깊은 삼매에 빠져 있었다. 십지 보살인 문수사리보살이 여인을 삼매로부터 깨어나게 하려고 애썼으나 불가능하였다. 드디어 초지 보살이 나타나 그녀의 주위를 세 번 돌고 그녀의 등을 툭 쳤다. 여인은 순식간에 깨어났다. 왜 큰 보살은 그녀를 삼매로부터 못 끌어내고 하위 보살이 끌어낼 수 있었을까? 만일 네가 이것을 이해한다면 너는 참다운 삼매와 견성을 얻게 될 것이다. 이해하겠느냐?"

그 제자는 묵묵히 있었다. 선사께서 말씀하셨다.

"넌 이것을 알아야만 한다. 뜻이 서로 같은 공안은 많이 있다. 어느 조사께서 말씀하시길, '부모를 죽이고는 부처님께 참회하는데 부처와 조사를 죽이고는 누구에게 참회하여야 하나?' 하고 말했다. 과연 누구에게 참회해야 되겠느냐?"

그 제자가 말했다.

"나 자신에게요?"

그 때 선원 뒷자리에서 한 제자가 소리쳤다.

"차나 드시오!"

선사께서 말씀하셨다.

"누가 이 말을 했느냐?"

그 제자가 손을 들었다.

"아주 멋지고 훌륭한 답이다! 이 두 공안은 같은 공안이다. 만일 네가 이것을 안다면 너는 삼매와 견성을 이해하는 것이다."

52. 임제(臨濟)의 할(喝)

　덕산(德山) 선사는 질문을 해 오는 사람에게 무조건 방(棒)
으로 대답을 해 주었다. 구지(俱胝) 선사는 손가락을 하나 들
어 보임으로써 대답을 하고 임제(臨濟) 선사는 '할!'을 외쳐
서 대답하였다.

　그래서 덕산의 방(棒), 구지의 일지두(一指頭), 임제의 할
(喝)은 유명한 것이다. 임제는 항상 '할'을 소리쳤지만, 어느
땐 묻는 이의 생각을 끊어 내는 할이 되고, 어떤 때는 참선의
깊이를 가늠해 보는 할이 되며, 어떤 때는 마음을 열게 하는
할도 되었다.

　어느 날, 한 승려가 임제 선사를 찾아와 "무엇이 부처입니
까?" 하고 물었다. 임제는 "할!" 하고 외쳤는데, 그 승려는 절
을 올리고 떠났다. 다음 날 또 다른 승려가 찾아와 절을 하는
데, 막 고개를 들면서 "할!"이라고 외치는 것이었다. 그 때 선
사는 미처 응수도 못했다. 그 승려가 떠나려고 고개를 돌리려
는데 선사가 "으악!" 하고 할을 했다. 또 다른 승려가 와서
이번에는 절을 하는데 임제 선사가 "으악!" 하고 외쳤다. 그

러자 그 승려는 고개를 들어 임제 선사를 마주보고 "할!" 하고 응수했다. 그러자 재빨리 임제 선사가 다시 "할!"을 외치고 얼른 자리를 떠났다. 다른 승려가 선사에게 물었다.

"오늘 선사님은 무슨 일을 하십니까?"

선사는 "으악!" 하고 외쳤다.

이것이 임제 선사가 사용했던 네 가지 할이었다. 선사는 할을 자유로이 사용해서 제자들의 마음을 개오(開悟)하게 해주었다.

어느 날은 한 승려가 물었다.

"무엇이 선입니까?"

선사는 채찍을 들어 보였다. 그 승려가 "악!" 하고 외치니 임제가 그 승려를 때렸다. 다시 그 승려가 물었다.

"무엇이 선입니까?"

임제는 다시 채찍을 들어보였다. 그 승려가 외쳤다.

"할!"

금새 선사도 외쳤다.

"할!"

그러자 그 승려가 당황해서 우물쭈물하자 채찍이 날아들었다.

하루는 많은 대중이 강당에 모여 있었다. 선사가 사자좌에 높이 앉아 대중에게 말하기를, "적육단상 일무위진인(赤肉團上 一無位眞人)이라. 이 스승이 여섯 개의 문으로 항상 출입하니 보지 못한 자는 볼지어다."

어느 제자가 앞으로 나아가 물었다.

"무엇이 무위진인입니까?"

그 때 선사가 번개같이 단상에서 내려와 그 승려의 멱살을 잡고 외쳤다.

"자, 말해라! 무엇이라도 말해 보아라!"

제자가 우물쭈물하자 선사는 그 승려를 확 밀치고 말했다.
"무위진인(無位眞人)이 아니라 마른 똥막대기로군."

53. 열반과 아뇩다라삼먁삼보리

어느 일요일 아침, 프로비던스 선원에서 한 제자가 독참실로 들어와서 숭산 선사께 절을 올렸다. 선사께서 말씀하셨다.

"무엇이 열반이냐?"

그 제자는 바닥을 쳤다.

"『반야심경』에 이르기를, 구경열반 후에는 아뇩다라삼먁삼보리를 얻는다고 했는데 이것이 무엇이냐?"

그 제자가 다시 바닥을 쳤다.

"그럼 그 둘이 같다는 소리냐?"

그 제자가 다시 또 바닥을 쳤다.

"너는 바닥만 치고 있구나. 그 대답 방법에만 매달려 있구나. 다른 대답을 해 봐라."

그러자 그 제자는 또 바닥을 쳤다.

"너는 빨간색과 흰색의 구별도 하지 못하는구나. 눈이 있지만 보지 못한다. 두번째 공격은 용서치 않는다."

그 제자가 절을 올리고 나간 후 다른 제자가 들어왔다. 선사께서 말씀하셨다.

"무엇이 열반이냐?"

그 제자가 바닥을 쳤다.

"무엇이 아뇩다라삼먁삼보리인가?"

"해가 떠오르면 세상이 빛납니다."

"그럼 둘이 다른가?"

그 제자가 바닥을 쳤다.

"이것이 그 진리이더냐?"

"아닙니다."

"그럼 무엇이 참 진리이냐?"

제자가 말했다.

"햇살이 마루 위에 쏟아질 때, 고양이가 누워 낮잠을 잔다."

선사께서 말씀하셨다.

"나는 300년 뒤에 널 다시 만나리라."

그 제자는 절을 올리고 나갔다.

54. 선(禪)과 예술

하루는 제자 한 명이 프로비던스 선원에서 차를 들고 계시는 숭산 선사를 찾아와 선과 예술의 관계에 대하여 물었다. 선사께서 말씀하셨다.

"선은 삶과 죽음을 이해하는 것이다. 너는 왜 사는가?"

"모르겠습니다."

"왜 너는 죽어야만 하느냐?"

그 제자는 어깨를 움찔하였다. 선사께서 말씀하셨다.

"사람들은 삶과 죽음이 무엇인지도 모르는 채 세상에 태어나고 죽는다. 네가 태어났을 땐 그냥 태어난 것이다. 엄마의 몸에서 태어나면서 넌 이런 말을 한 적이 없다. '이제 내가 세상으로 들어갑니다. 날 도와 주세요.' 태어나고 싶다는 바람도 없고 왜 태어나는지도 알지 못한 채 그냥 온 것이다. 이는 네가 선택할 수 없는 것이다.

선이란 삶과 죽음을 위한 가장 멋진 일이다. 데카르트는 이런 말을 했다. '나는 생각한다. 고로 나는 존재한다.' 나는 생각한다. 그러므로 나는 삶과 죽음을 갖는 것이다. 내가 생각을 안 하면 내겐 삶과 죽음이 없다. 그러므로 삶과 죽음은 바로 우리들 자신의 생각에 의해 만들어진 것이다. 우리가 삶과 죽음이 있다고 생각하기 때문에 그것이 존재하고, 우리가 생각을 하지 않을 땐 그것은 존재함을 멈추게 된다. 만일 네가 생각을 하면 네 마음, 내 마음, 그리고 모든 사람들의 마음이 달라진다. 만일 네가 생각을 안 하면 네 마음, 내 마음 그리고 모든 사람들의 마음은 같아진다."

그 제자가 갑자기 말했다.

"그것들은 다르지도 같지도 않은 것입니다. 그런 말은 단지 생각인 것입니다."

"맞다. 만일 네가 생각을 끊어 내면, 그 마음은 생각 이전의 마음이다. 만일 네가 생각 이전의 마음을 갖고, 또 내가 생각 이전의 마음을 가지면, 우리는 한마음이 되는 것이다. 알겠느냐?"

그 제자가 말했다.

"만일 우리가 생각을 끊어 버리면, 그 땐 마음이 없는 것이지요."

선사께선 껄껄 웃으시며 말씀하셨다.

"아주 훌륭하다. 아무 마음도 없게 되지. 그러나 그 이름은 한마음이다. 생각 이전은 언설이 없고 생사가 없는 세계이다. 그럼 너의 본래 자성은 무엇이냐?"

그 제자는 가만히 있었다. 선사께서 말씀하셨다.

"선은 너의 본래 자성을 아는 것이다. 넌 스스로 '난 무엇일까?' 하고 물어야 한다. 이 큰 의심을 마음 속에 간직하고 일체의 생각을 끊어 내야만 한다. 네가 이 큰 의심을 이해하게 되었을 때, 넌 너의 자성을 알 것이다.

소크라테스는 '너 자신을 알라'고 외치면서 아테네 시를 돌아다녔다. 한 사람이 그에게 물었다. '당신은 자신을 아시오?' 그는 이렇게 대답했다. '아니오. 그러나 나는 내가 모른다는 그 자체를 압니다.' 선도 마찬가지다. 바로 모르는 것, 생각하지 않는 것이다. '나는 무엇일까?' 이것이 바로 너의 자성이다.

네가 네 자신을 이해하고 있을 때는, 그림을 그린다거나 시를 쓰고, 서예를 하고, 다도나 무예까지도 모두가 쉽게 된다. 그림도 수월하게 그리게 되고 시도 쉽게 지어진다. 왜인가? 네가 그림을 그리거나, 쓰거나, 아니면 다른 어떤 행동을 하더라도, 너는 쉽게 그 작업에 몰입할 수 있기 때문이다. 너는 단지 그림을 그리고, 아니면 단지 쓰기만 할 뿐이다. 아무 생각이 없기 때문에 너와 작업이 일치할 수 있는 것이다. 아무 생각도 없이 일만 할 뿐이다. 이것이야말로 자유인 것이다.

만일 네가 생각을 하고 있으면 너의 마음은 작업에서 멀어지기 때문에 그림을 그린다거나 시를 짓는 일이 막히게 되고 또 다도(茶道) 역시 뻣뻣해져 솜씨 없이 되고 만다. 만일 네가 생각을 하지 않는다면 너와 너의 행동은 하나가 된다. 너는 바로 네가 마시는 차이고, 또 네가 그림을 그리는 붓이다. 생각하지 않는 것은 생각 이전을 말한다. 너는 온 우주이고, 온 우주가 너이다. 이것이 선의 마음이고 절대의 마음이다. 이는 시공을 초월하고, 나와 남, 선과 악, 생과 사라는 이중성을 초월한 것이다. 참 진리는 여여한 것이다. 그래서 참선을 하는 예술가가 그림을 그리면 온 우주가 그의 붓 끝에 존재하게 된다.

한때 일본에 바쇼(芭蕉)라는 위대한 시인이 있었다. 그는 머리가 비상하고, 신심이 깊은 불자로서 불경을 아주 많이 읽은 사람이었다. 그는 자신이 불교를 잘 이해한다고 믿고 있었다. 하루는 바쇼가 다쿠안(澤庵) 선사를 찾아가서 오랫동안 이야기를 나누었다. 선사가 무슨 말을 하면 바쇼는 한참 있다가 가장 뜻이 깊고도 어려운 경전을 인용해서 대답을 하고는 했다.

마침내 선사가 이렇게 말했다. '나는 당신이 불심이 깊은 훌륭한 분이라는 걸 잘 알겠습니다. 모르는 것이 없을 정도군요. 그런데 우리가 이야기하는 동안 당신은 부처님이나 조사님들의 말씀만을 인용할 뿐이군요. 당신의 진짜 이야기를 듣고 싶습니다. 지금 빨리 아무 말이라도 좋으니 당신의 이야기를 하나만 해 보십시오.'

바쇼는 아무 말도 못했다. 그의 마음 속에선 씨름이 일어났다. '무슨 말을 해야 할까? 내 말이란 게 어떤 것일까?' 1분, 2분 결국 10분이 흘렀다.

그 때 선사가 말했다. '난 당신이 불교를 이해한다고 생각하는데, 왜 내 말엔 대답을 못하는 거요?' 바쇼는 홍당무처럼 얼굴이 빨개졌다. 그의 마음은 딱 멈추고 말았다. 좌우, 앞뒤로도 꼼짝할 수 없이 뚫을 수 없는 벽에 가로막혔다. 그리고 오직 공허뿐이었다. 그 때 갑자기 경내의 정원에서 무슨 소리가 들렸다. 바쇼는 선사를 바라보고 이렇게 말했다.

조용한 연못에
개구리 한 마리
퐁당! 하고
뛰어드는 소리.

선사는 크게 웃곤 말했다. '이젠 됐소! 이것이 바로 당신 자성의 소리요!' 바쇼도 따라 웃었다. 그는 견성을 한 것이다.

그 이후, 바쇼는 시조 경연대회가 열리고 있는, 일본에서 가장 경치가 좋은 마쓰시마(松島)로 갔다. 그 곳에는 전국 각지에서 몰려 온 시인들이 초만원을 이루었다. 사람들은 하나같이 눈 덮인 후지산과 거울같이 반짝이는 호수 수면, 하얀 큰 새처럼 물 위를 달리는 돛단배 등 서정적인 경치를 찬양하고 있었으나 바쇼는 단지 세 줄만 썼다.

마쓰시마!
아, 마쓰시마!
마쓰시마!

그의 시가 당선되었다. 이것은 참다운 선시(禪詩)이다. 시적인 미사여구나 상징어를 전혀 쓰지 않은 것으로써, 거기엔 아무런 생각이 담겨 있지 않았다. 내가 마쓰시마이고 마쓰시마가 바로 나다.

즉, 선에선 밖도 안도 없다. 오직 그 한마음뿐이고 그것은 있는 그대로인 것이다. 이것이야말로 모든 예술의 생명이고 선의 생명인 것이다."

55. 플라스틱 꽃, 플라스틱 마음

숭산 선사께서 뉴욕 국제선원에 머물고 계신 동안의 어느 일요일에 큰 법회가 있었다. 많은 한국 여인들은 쇼핑백에 음식과 선물을 가득 담아 가지고 왔다. 한 여인이 큰 플라스틱 꽃다발을 가져와 숭산 선사의 미국인 제자 한 사람에게 웃으며 주었다. 그는 코트를 벗어 쌓은 더미 밑에 재빨리 그 꽃다발을 감추었다. 그런데 조금 후 다른 여인이 그 꽃다발을 발견하곤 매우 좋아하면서 법당으로 가지고 들어와 불단 위에 있는 꽃병에 꽂았다. 그 제자는 마음이 상해 선사께 가서 이렇게 말씀을 올렸다.

"저 플라스틱 꽃은 보기 흉합니다. 제가 내려다가 어디에 처박아 버릴까요?"

선사께선 이런 말씀을 하셨다.

"플라스틱으로 된 것은 네 마음이다. 그럼 온 우주가 플라스틱으로 된 셈이지."

"무슨 뜻입니까?"

"부처님께선 이런 말씀을 하셨다. '한마음이 순수할 때 온

211

우주가 순수하고, 한마음이 탁할 때 온 우주도 탁하다.' 우리
는 매일 불행한 사람을 만난다. 그들의 마음이 슬프면 그들이
보는 모든 것, 듣는 것, 냄새 맡는 것, 맛 보는 것, 접촉하는
것 모두가 슬프고 온 우주가 슬프다.

　마음이 행복하면 온 우주가 행복하다. 네가 무엇인가에 욕
심을 내면 너는 그것에 집착하는 것이고, 만일 네가 그것을
거부한다 해도 그것을 집착하는 것이다. 무엇에 집착한다는
것은 마음에 장애를 가졌다는 뜻이다. 그러므로 '플라스틱을
싫어한다'는 것은 '플라스틱을 좋아한다'는 것과 마찬가지의
집착인 것이다.

　네가 플라스틱 꽃을 싫어하니까 너의 마음은 플라스틱이
된 것이고, 온 우주가 플라스틱이 된 것이다. 모두 놓아 버려
라. 그러면 아무것도 네게 걸릴 것이 없게 되느니라. 꽃이 플
라스틱으로 되었건 생화이건 불단에 놓았건 쓰레기통에 들었
건 개의치 말아야 한다. 이것이 바로 참다운 자유이다. 플라
스틱 꽃은 플라스틱 꽃일 따름이고, 생화는 생화일 따름이다.
너는 이름과 모양에 집착해서는 안 된다."

　"그러나 우린 모든 사람들을 위해서 이 선원을 아름답게
가꾸려고 노력하고 있습니다. 저 꽃다발이 온 방의 분위기를
망쳐 놓는데 어떻게 개의치 않을 수 있습니까?"

　"만일 어떤 사람이 부처님께 생화를 올렸다면 부처님은 행
복해 하신다. 또 플라스틱 꽃을 좋아하는 어떤 사람이 플라스
틱 꽃을 부처님께 올린다 해도 역시 부처님은 행복해 하신다.
부처님은 모양과 이름에 집착하지 않으시기 때문에, 진짜 꽃
이든 플라스틱 꽃이든 개의치 않고, 다만 그 사람의 마음에
관심을 기울이실 뿐이다.

　플라스틱 꽃을 바친 여인의 마음은 아주 순수하고 그들의

행동은 보살행이다. 너의 마음은 플라스틱 꽃을 거부하고 우주를 좋다, 나쁘다, 아름답다, 추하다로 갈라놓았으니 네 행동은 보살행이 아니다. 너는 오직 부처님의 마음을 지녀야만 한다. 그럴 때 너에겐 아무 걸림이 없게 된다. 생화도 좋고 플라스틱 꽃도 좋다.

이 마음은 마치 큰 바다와 같아서 모든 강물이 이곳으로 흘러든다. 허드슨 강, 찰리스 강, 황하, 중국 물, 미국 물, 깨끗한 물, 더러운 물, 짠물, 맑은 물, 이 바다는 '네 물이 더러우니 내 속으로 흘러올 수 없다'는 말을 결코 하지 않는다. 바다는 모든 물이 다 흘러 들어 섞여서 만들어진 것이다. 그러니 네가 부처님의 마음을 지니면 너의 마음은 큰 바다와 같이 될 것이다. 이것은 깨달음의 큰 바다이다."

그 제자는 감동해서 절을 정중히 올렸다.

56. 참다운 공(空)

일요일 저녁, 프로비던스 선원에서 법문이 있은 후 한 제자
가 숭산 선사께 이런 질문을 올렸다.

"참다운 공이란 무엇입니까?"

선사께서 말씀하셨다.

"네가 참으로 그걸 모르기 때문에 묻는 게냐?"

"전 모릅니다."

선사께서 그를 내리쳤다. 그 제자가 말했다.

"선사님께서 절 왜 때리셨는지 모르겠습니다."

"냇가의 바위나 지붕 위의 기와까지도 참다운 공을 알고
있다. 그런데도 넌 아직까지 그걸 모른단 말이지."

"무슨 말씀을 하시는지요?"

선사께서 말씀하셨다.

"모두 놓아 버려라!"

57. 깨어나라!

목요일 저녁, 케임브리지 선원에서 법문을 마친 뒤 한 제자가 숭산 선사께 질문을 올렸다.

"지난 일요일에 우리와 함께 프로비던스로 드라이브하시다가 선사님께선 잠이 드셨습니다. 어디에 가 계셨습니까?"

선사께서 말씀하셨다.

"내가 널 30방 때리겠다."

그 제자가 답했다.

"아, 대단히 감사합니다."

"그 질문은 어려운 게 아니다. 만일 내가 생각을 하고 있다면 알 수 없다. 그러나 생각을 끊어 낸다면 넌 알 수 있게 된다. 그러니 내가 널 30방 때린 것이다. 가긴 어딜 가느냐? 아무 곳도 없는데. 나에게 말해라."

"전 선사님께서 꿈을 꾸셨는가를 알고 싶었습니다. 그런데 꿈을 안 꾸셨다는 뜻인가요?"

"넌 꿈을 꾸는가?"

"네."

"지금도 꿈을 꾸느냐?"

"아니요."

"아니라구?"(웃음소리)

"아닙니다."

"넌 깨어 있는 거냐?"

"지금 전 숨을 쉬고 있을 뿐입니다."

"꿈속에서 숨을 쉬는 게지."

"아닙니다."

"아니라구? 그럼 깨어 있는 소리를 한 마디만 해 보아라."

"선사님 뒤의 대나무 발이 노란색입니다."

"아냐. 그건 어두운데."

"그건 선사님의 그림자 때문입니다. 만일 그 뒤로 가서 보면 노랗게 보일 것입니다."

"넌 머리는 용인데, 꼬리가 뱀이야."

"전 대나무가 노란 색이라고 했습니다. 만일 그것을 '좋지 않다' 하신다면⋯⋯."

"난 '좋지 않다'란 말은 하지 않았다. 넌 나의 말에 집착하고 있구나."

그 제자는 한숨을 내쉬었다. 선사께서 말씀하셨다.

"내 말에 집착하지 않도록 주의해라. 내가 틀린 말을 하면 날 때리고 이렇게 말하면 돼. '깨어 나세요!' 됐느냐?"

그 제자는 절을 올렸다.

58. 부처님께 더 많은 재를

사탐 화상님께

귀의 삼보하옵고,

보내 주신 편지는 감사히 받아 보았습니다. 스님께서 노력하신 바대로 큰 결실을 속히 거두실 수 있도록 기도합니다.

그러면 공안을 살펴봅시다. 첫번째로 담배를 피우는 사람에 대한 것을 봅시다. 문제가 되는 것은 그 남자가 부처님과 재가 같다거나 다르다고 말하는 게 아니라, 다만 불상에 재를 털고 있다는 데 있습니다. 만일 스님께서 편지에 답하신 바대로, 실재나 공에 대해 말한다면, 그는 스님을 때릴 것입니다. 그러면서 이렇게 물을 것입니다.

"이 몽둥이질이 공한 것입니까? 아니면 실재하는 겁니까?"

만일 스님이 답을 말하려고 입만 열었다 하면 그 남자는 또 때릴 겁니다.

자 어떻게 하시겠습니까? 우리가 불상은 불상이고 재는 재일 뿐이라고 인정을 한다면 문제는, 불신(佛身)은 온 법계에 충만하고 우주의 삼라만상이 다 불성을 지녔다는 부처님의

217

말씀입니다. 불신에 재를 털지 않는다면 어디에다 털어야 될까? 바로 이것이 이 남자의 병인 것입니다. 스님께선 어떻게 이 병을 치료하시겠습니까?

더 나아가, 그는 스님이 입을 열면 그르친다고 믿습니다. 불성이란 불립문자라 진리는 흔들림이 없으며, 참다운 것은 길이 끊어지고 마음이 소멸한 곳에 있다고 믿는 것입니다. 그러므로 스님이 뭐라고 하시기만 하면 그가 때릴 것입니다. 어떻게 하시겠습니까?

두번째 공안은 '쥐가 고양이 밥을 먹었다. 그런데 그만 고양이 밥그릇이 깨졌다. 이것이 무슨 뜻인가?'였습니다.

스님의 답은 '만일 배가 고프면 밥을 먹고 편히 쉬어라'였습니다. 가려운 건 스님 다리인데 왜 남의 다리를 긁는 것입니까? 그런다고 안 가려울 수 있을까요? 지팡이로 달을 치려는 격입니다. 그 답은 십만 팔천 리만큼 떨어진 것입니다.

만일 그 질문이 '무엇이 불성인가?' 혹은 '무엇이 마음인가?' 아니면 '무엇이 법인가?'였더라면 그 답이 100% 정답일 수도 있었겠지만, 내 질문은 '쥐가 고양이 밥을 먹었다. 그런데 그만 고양이 밥그릇이 깨졌다. 이게 무슨 뜻인가?'입니다. 외형적인 문자에는 아무런 뜻이 없습니다. 문자에 집착하지 마세요. 생각에도 집착하지 말고 공에 떨어져서도 안 됩니다. 단지 그 문자에 담긴 순수한 의미만 이해하세요. 쥐, 고양이, 밥, 밥그릇, 깨졌다. 스님 앞에 만일 종이 있는데, 내가 이렇게 묻는다고 합시다.

"이것이 뭐요?"

"배고프면 밥 먹고 쉬시오."

스님이 이렇게 대답한다면 완전히 틀린 답이 됩니다. 종이란 치는 것이고, 시계는 시간을 보는 것, 펜은 쓰는 것, 책은 읽는 것입니다. 각기 특성이 있습니다. 각각의 특성에 일치하여 우리가 행동하게 되면 여여한 진리가 있게 되고, 문자와는 독립된 절대의 진리가 있는 것입니다. 이것이 대아(大我)의 경지입니다.

그 질문은 네 가지 부분이 있습니다. 쥐, 고양이, 밥, 밥그릇, 깨졌다. 이 네 가지 요소가 복합되어 있고, 그 복합된 속에 숨은 분명한 뜻이 있는 것입니다. 이 뜻을 간파하도록 하세요. 여기 시를 한 수 적습니다.

엿장수가 종을 울리고,
아이가 엄마를 조른다.
돈이 엿이 되고, 엿이 돈이 된다.
돈은 엿장수 주머니로,
엿은 아이 입에서 사르르 녹는다.

사탐 화상님, 어떻게 말하시겠어요? 백척간두에서 한 발자국 더 나아가세요. 피나는 노력을 하세요. 여기 또 시 한 수를 적습니다.

오랫동안 잃었던
소의 발자국을 찾아냈다.
마구를 채워 놓았으니,
당신께서 구멍 없는 피리를 불며,
소 등에 올라타서,
봄 꽃이 만발한 고향집으로
들어서길 기원하노라.

나는 스님이 항상 어디서나 "이 뭣고?"를 지녀서 곧 큰 결실을 얻기를 충심으로 바랍니다.

1974년 12월 15일
숭산

P.S. 대행 스님에게 열심히 정진할 것을 전해 주세요. 스님께서도 그를 잘 지켜 주세요. 만일 가능하다면 이 편지를 영어로 번역해서 제게 보내 주세요.

선사님께

보내 주신 혜함(惠函)은 감사히 받아 보았습니다. 편지는 번역을 하여 대행 스님이 타자 치고 있으니 내일 우송해 드리겠습니다.

선사님께서 일러 주신 바를 읽고 저는 다음과 같은 생각을 하였습니다.

1. 그 남자가 절 치고서 "이 몽둥이질이 공하냐, 실재하냐?"고 묻는다면, 전 이런 대답을 하겠습니다. "아야야!" 그리고 그를 다시 때리고선 나의 몽둥이질이 공한 건지 실재한 건지를 되묻겠습니다. 물론, 그가 또 나를 때리겠지요. 이게 그의 병이니까요. 그가 아는 것은 색즉시공(色卽是空)일 뿐 공즉시색(空卽是色)은 모르는 것입니다. 그리고……

2. 제 대답은 "쥐가 고양이 밥을 먹었다. 그런데 고양이 밥그릇이 깨졌다."

선사님께서 좀더 자세히 가르쳐 주십시오. 비가 개인 뒤, 하늘은 더 푸르고, 햇살이 눈부시게 내립니다. 감사합니다.

1975년 1월 4일
사탐 올림

사탐 화상님께

귀의 삼보하옵고,

스님의 편지와 영역 편지는 감사하게 받아 보았습니다. 그간 열심히 정진하신 듯 큰 발전이 있는 것 같군요.

공안을 살펴봅시다.

1. 우선 스님을 30방 때리겠습니다. 그 문제는 그의 마음을 바로 잡아서 있는 그대로의 실상의 세계로 돌려놓아야 하는 것입니다. 그를 때리고 질문을 하는 것도 좋기는 합니다만, 만일 그가 한 그대로의 말을 한다면, 그와 스님이 다른 게 무엇입니까?

편지에 그는 '색즉시공'만 알지 '공즉시색'은 모른다고 썼습니다. 그러나 이 두 마디는 그 사람이 이미 초월한 경계를 표현한 것일 따름입니다. 그의 생각으로 자기가 '무색무공'의 경계에 도달했기 때문에 그 누구의 말도 듣지 않으려는 것입니다. '공즉시색'이란 말은 그에게는 전혀 무의미한 것입니다. 만일 '색즉시색 공즉시공'이라고 말한다면 훨씬 더 낫겠군요. 스님은 '이 뭣고?'를 가능한 빨리 깨달아야만 합니다. 그게 바로 내가 30방을 한 이유입니다.

2. 스님은 아직도 이 공안에 집착하고 있습니다. 원숭이같이 흉내를 내면 안 됩니다. 진짜 의미는 그 단어들에 있는 것이

아니라 네 구절이 복합해서 무엇을 의미하는가에 있습니다.

"쥐, 고양이, 밥, 고양이 밥그릇, 그리고 깨졌다."

문자를 초월한 의미를 잡도록 하세요.

한 사람 먹으니
원숭이 한 마리가 흉내낸다.
도토리가 나무에서 떨어져
언덕 아래로 굴러간다.
다람쥐가 쫓아 달려간다.

원숭이가 되지 말고 또 도토리를 쫓아가지도 말아요. 편지에 스님은 이렇게 썼습니다.

"비가 개인 후 하늘은 더욱 푸르고, 햇살이 눈부시게 내린다."

이건 아주 훌륭한 문장입니다. 그러나 거기엔 함정이 있습니다. 부디 이 함정을 찾도록 하세요. 전 스님께서 열심히 수행 정진하셔서 속히 훌륭한 성과를 얻으시고 모든 유정(有情)들을 구해 주시기 바랍니다.

1975년 1월 10일
숭산

59. 소동파

소동파(蘇東坡)는 송나라의 위대한 시인이었다. 그는 시인으로서만이 아니라, 문장가, 화가, 서예가로도 유명했다. 어릴 적부터 소동파는 유교와 불교 경전에 박식하다는 평을 들었다. 그는 팔만 사천에 달하는 불교 경전을 모두 암기했다고들 했다.

소동파는 20살이 되는 해에, 고급 관료직 시험에 합격해서 네 지방의 감독으로 지명받았다. 그것은 황제의 특사로서 이 지방의 모든 행정을 감찰하는 역할을 하는 것이다. 여행중에도 그는 유명한 사찰마다 들러서 승려들과 선사들을 시험하기를 즐겨했다.

"그러면 스님께선 『화엄경』을 아시겠구려?"

"네."

"그럼 저에게 43품(品)의 마지막 5구절엔 무엇이 적혀 있는지 좀 말해 주시겠소?"

제 아무리 박식한 선사들이라도 경전을 전부 기억할 수는 없었기 때문에 그의 질문에 대답하는 이가 없었다. 마침내 그는 중들을 게으르고 무식하다고 경시하게 되었고 그들을 찾아다니는 것에 흥미를 잃게 되었다.

그러던 어느 날, 소동파는 자기의 어떤 질문에도 능히 답변할 만큼 우뚝한 선사께서 옥천사에 계시다는 소문을 듣고, 말을 타고 그 선사를 찾아갔다.

전통적으로 사찰을 방문하는 사람은 산문 밖에서 지객승(知客僧)을 기다려 안내를 받아 안으로 들어가게 되어 있었다. 그러나 소동파는 자기 손으로 문을 열고 곧장 대법당으로 들어가 부처님을 등지고 앉아서 누군가 나타나기를 기다렸다.

잠시 후 선사가 소동파에게 다가와 공손하게 절을 하였다.

"어서 오십시오. 선생님과 같은 대관께서 저희 보잘것없는 사원을 찾아주시니 대단한 영광입니다. 존함이 무엇인지요?"

"나의 성은 칭(秤:저울) 가요."

"칭가라니요? 아주 묘한 성씨군요!"

"천하 선지식(善知識)을 달아보는 칭가란 말이오."

말이 떨어지자마자 선사는 귀청이 터질듯이 "할"을 터뜨렸다. 그리고는 미미한 웃음을 지으며 선사는 "그것은 몇 근이나 됩니까?" 하고 물었다.

이것의 답은 어느 경전에도 없었다. 소동파는 묵묵부답일 뿐이었다. 그의 아만(我慢)은 무너져 버렸고 소동파는 선사에게 공손히 배례하였다.

그 이후부터 소동파는 불교에 헌신하게 되었다. 그러다가 소동파가 다른 지방으로 전직되었는데, 그곳에서 불인(佛印) 선사라는 고승과 알게 되었다. 그 둘은 매우 친하게 되어 사람들은 마치 형제와 같다고들 하였다.

하루는 소동파가 관복을 입고 불인 선사를 방문하였다. 관복은 청색과 녹색 비단에 금실로 바느질되었고 거기에 커다란 옥대를 매어서 매우 화려하였다. 소동파가 방에 들어서자 불인 선사가 말했다.

"대관, 미안합니다. 저의 초라한 방에는 마땅한 의자가 없습니다. 죄송합니다만 맨바닥 아무 데나 좀 앉아 주십시오."

소동파가 대답하였다.

"아, 괜찮소이다. 화상을 타고 앉지요."

불인 선사가 말했다.

"노승이 얘기 하나를 하지요. 노승이 문제를 내겠으니 대관께서 옳은 답을 하면 노승이 의자가 될 것이나, 답을 못하면 대관의 옥대를 노승에게 풀어 주는 게 어떻겠소이까?"

"좋지요."

"『반야심경』에 색즉시공이요, 공즉시색이라 하였습니다. 만약 대관이 노승을 의자로 쓴다면, 색이 공함을 이해하지 못한 채 색에 집착한 것이 아니겠습니까? 만물은 본래 공하거늘 대관은 어디에다 몸을 걸치겠소이까?"

소동파는 쩔쩔매고 있었다.

"보아라. 지금도 너는 집착하고 있지 않느냐. 모든 분별 사량(分別思量)을 버려라. 그러면 알게 될 것이다."

소동파는 자기 옥대를 풀어 선사께 바쳤다. 그 때부터 소동파는 열심히 참선을 하게 되었다. 항상 명상하고, 많은 선서를 읽고, 할 수만 있으면 선지식을 찾아다녔다.

흥룡사라는 곳에 상총(常聰) 선사라는 명성이 높은 선지식이 계셨다. 소동파는 선사를 찾아가 법을 청하였다.

"원하옵건대 불법을 설하여 저의 무지한 눈을 뜨게 하여 주시옵소서."

소동파가 바로 자비의 화신이라고 여겼던 선사는 소동파에게 소리를 쳤다.

"어찌 감히 네가 이곳에 와서 죽은 언어를 구하느냐! 네 귀를 열고 자연의 살아 있는 언어를 들어라. 선에 대해 너무 많은 지식을 가진 자에게는 가르쳐 줄 수 없으니 나가라!"

소동파는 비틀거리며 방에서 나왔다. 선사께서 하신 말씀은 무슨 뜻일까? 자연은 가르쳐 줄 수 있는데 사람은 할 수 없다는 이 가르침은 무엇일까?

이 문제에 완전히 빠져 버린 소동파는 말을 타고 귀로에 올랐다. 방향 감각을 모두 잃어버린 그는 말이 집을 찾아가도록 맡겨 두었다. 말은 첩첩산중의 길로 접어들었다. 돌연 폭포가 눈앞에 나타나고 폭포소리가 소동파의 귀를 때렸다.

순간 그는 깨달았다. 이것이 바로 선사께서 말씀하셨던 것이다! 전 세계, 그리고 이 세계뿐만 아니라 모든 가능한 세계들, 저 멀리 있는 모든 별들, 온 우주가 다 그에게 분명해졌다. 소동파는 말에서 내려 흥룡사가 있는 쪽을 향해 엎드려 절하였다. 그날 밤, 소동파는 다음과 같은 시를 지었다.

폭포소리 그대로 부처님 대설법이요,
산색 그대로 부처님 청정법신 아닌가.
오늘 밤 팔만 사천 게송이 흘러나오나,
훗날 사람들에게 무엇이라 설하리요.
溪聲便是長廣舌
山色豈非淸淨身
夜來八萬四千偈
他日如何擧似人

60. 너에게 말하는 놈이 누구냐

어느 일요일 저녁, 프로비던스 선원에서 숭산 선사께서는 소동파가 오도(悟道)한 이야기를 들려 주었다. 후에 선사께선 제자들에게 다음과 같이 말씀하셨다.

"이 이야기로부터 무얼 배웠는가? 그 선사는 우리에게 모든 사량 분별(思量分別)을 끊어 버리고 우주 법계의 진리가 결국 우리의 본래 자성임을 깨달으라고 말한 것이다. 여러분들은 이 점을 깊이 새겨 두어야만 한다.

여러분들이 자성이라고 부르는 그것은 무엇인가? 여러분들이 그것이 무엇인지를 깨달을 때, 여러분은 자연과 직관적인 하나로 돌아갈 것이고, 자연이 여러분이고 여러분이 자연이며, 자연이 부처이고 어떤 놈이 매순간마다 설교하는지 보게될 것이다. 나는 여러분 모두가 자연이 말하는 것을 들을 수있기를 바란다."

선사님의 한 제자가 선원 안에 있는 돌 하나를 가리키며 물었다.

"저 돌멩이가 지금 뭐라고 말하고 있습니까?"

선사께서 말씀하셨다.

"왜 너는 저것이 무슨 말을 한다고 생각하느냐?"

"글쎄, 전 무슨 소리인지 듣는 것 같지만 말로 표현할 순 없는데요."

"그 이유는 바로 너의 마음이 그 돌멩이와 똑같기 때문이다." (대중들이 와 하고 웃었다)

약 일분 간 침묵이 흘렀다. 선사께서 말씀하셨다.

"더 물어 볼 말이 있느냐?"

더 긴 침묵이 흘렀다. 그 제자가 말했다.

"만일 질문이 더 없다면, 선사님께서 답변을 하시겠습니까?"

선사께서 말씀하셨다.

"만일 질문이 없다면, 그럼 여러분은 모두 부처님이다. 부처님에겐 가르칠 필요가 없다."

그 때 다른 제자가 말했다.

"그렇지만 저희들은 스스로 부처인 것을 모르고 있습니다."

선사께서 말씀하셨다.

"그것은 사실이다. 다만 여러분들이 모를 뿐이다. 고기는 물 속에서 헤엄을 치면서도, 자기가 물 속에 있다는 것을 알지 못한다. 매 순간 우리는 공기를 마시면서도 의식하지 못한다. 만일 공기가 없을 때만 우리는 공기를 의식할 것이다. 마찬가지로 우린 항상 차소리, 폭포소리, 빗소리를 듣고 있다. 이 소리들은 모두 설법으로서, 부처님 자신이 우리에게 설법하시는 부처님 목소리이다. 우린 항상 많은 설법을 듣고 있으면서도 귀머거리인 것이다.

만일 우리가 정말 살아 있다면 들을 적마다, 볼 적마다, 냄새를 맡을 적마다, 맛을 볼 적마다, 만질 적마다, 이런 말을 할 것이다. '아, 이것이야말로 정말 좋은 설법이로구나.' 또한 이러한 자연에서 얻는 경험이야말로 그 어떤 선사가 가르친 경전보다 더 훌륭한 것임을 알게 된다."

다른 제자가 말했다.

"왜 어떤 사람은 그것을 알고 또 어떤 사람들은 알 수 없습니까?"

선사께서 말씀하셨다.

"전생에 넌 그 어떤 종자를 심었기 때문에, 지금 그 결과로서 불법을 만난 것이다. 단지 그뿐만 아니라, 어떤 사람들은 여기에 머물면서 아주 열심히 참선을 하는 데 반해 어떤 사람들은 한 번만 들을 수도 있다.

네가 참선을 열심히 할 때에는 너는 널 무지하게 만든 그 업을 녹이는 것이다. '열심'은 일본 말에서는 '심장까지 덥히기'란 뜻이다. 만일 네가 심장을 덥힌다면 얼음덩이 같은 이 업은 녹아 물이 될 것이다. 그리고 또 네가 계속 덥힌다면 그 업은 수증기가 되어 허공으로 증발한다.

참선을 수행하는 사람들은 그들 마음 속의 장애와 집착을 녹이게 된다. 왜 그들은 참선을 하는가? 왜냐 하면 그들의 업이 참선을 하는 것이고 마찬가지로 다른 이들의 업은 참선을 안 하는 것이다. 사람들의 사량 분별이 그의 마음 속에 커다란 망상 덩어리를 지어 놓는데, 어리석게도 그들은 이것을 자신들의 실체라고 믿는다. 사실, 그것은 무지에 기초를 둔 정신적인 구조이다. 참선을 하고자 하는 목적은 이 망상 덩어리를 녹여서 없애려 함이다. 마지막까지 남는 것이 바로 진정한 자아다. 그 때에 너는 사심이 없는 세계로 들어 간다. 그리고 만일 네가 거기서 멈추지도 않고 또 이 경계에 대해 생각하지도 않고, 거기에 대해 집착하지도 않는다면, 너는 수행을 계속해서 결국에 절대적인 것과 일치하게 된다."

첫번째로 질문을 했던 제자가 말했다.

"그 절대적인 것이란 무엇을 뜻하는 것입니까?"

선사께서 말씀하셨다.

"그 질문은 어디서부터 시작된 것이냐?"

그 제자가 잠자코 있었다. 선사께서 말씀하셨다.

"그것이 바로 절대적인 것이다."

"이해가 안 됩니다."

"내가 아무리 열심히 그것에 대해 이야기한다고 하더라도 너는 이해하지 못한다. 절대적인 것은 네가 이해하지 못하는, 그러나 분명히 있는 그 무엇이니라. 만일 쉽게 이해할 수 있는 것이라면 그것은 절대적인 것이 될 수 없느니라."

"그러면 선사님께서는 왜 그것을 이야기하시는 것입니까?"

"그 이유는 바로 네가 그것에 대해 물었기 때문에 내가 말하는 것이다. 그것은 내가 가르치는 방법이고, 네가 배우는 방법이다."

61. 그것

선사님께

지금은 저의 용맹정진 4일째의 점심 시간입니다. 어제 제가 한참 참선하고 있을 때 선사님의 편지를 받았습니다.

가르치지 않고서 이토록 오래 앉아 있기가 너무 힘듭니다. 전에는 가르친다는 것이 무엇인가를 깨닫지 못했습니다. 그런데 그것이 절 곧장 나아가게 만듭니다. 저의 대아(大我)는 곧장 저를 밀고 나가게 하는데 소아(小兒)가 자주 방해하기 때문에 혼자서는 더 어렵습니다. 거기엔 스승이 없더군요.

제 가운데 있는 이 매듭은 마치 모서리 같아요. 그리고 그것만이 유일한 그 매듭을 푸는 길입니다. 그것이 매듭을 풀어 주면 전 물결같이 편안히 숨을 쉴 수 있습니다. 매듭도 없고, 모서리도 없고, 풀 것도 풀릴 것도 없이 말입니다.

제게 향한 유일한 질문은, '나는 누구일까?'입니다. 제가 할 수 있는 일이라곤 좌선하는 것뿐이구요.

질문을 하나 올리겠습니다. 만일 제가 그것을 가진 적이 없었다면 어떻게 잃을 수 있겠어요?

1975년 5월 18일
캐롤 드림

P.S. 어제 전 바다에 가 보고 왜 선사님께서 저를 해미(海
美:아름다운 바다)라고 이름을 지어주셨는지를 깨달았습니다.
그것에는 모서리가 없을 텐데도 제게는 있는 듯 생각됩니다.
그래서 전 꼭 그것을 찾아야만 했습니다.

그릇 모서리에 부딪쳐
계란을 깨뜨리려다가
나는 깨달았다.
그릇엔 모서리가 없고,
계란엔 껍질이 없다.
그릇도
계란도
없다.

7일째날 9시 30분

벽도, 식물도, 공기도, 하늘도 없다.
색에 집착한 채
공에 집착한 채
사랑을 멈추네.
우리가 세상을 만든 건

사랑을 가르치기 위함이고,
우리가 이 땅에 사는 것은
사랑을 하기 위함이다.

1975년 5월 22일
해미 드림

캐롤 양에게

보내 주신 세 통의 편지를 감사하게 받아 보았습니다. 제가 뉴욕의 국제선원에 죽 머물러 있었기 때문에, 프로비던스로 돌아온 오늘까지 당신의 편지들을 받지 못했었습니다. 답신이 이토록 늦어진 데 대해 사과드립니다.

첫번째, 편지에 당신은 '스승이 없다'고 말했습니다. 그런 것은 걱정하지 말아요. 내가 전에 말했듯이 당신이 대아가 되고 견성을 원한다면 단지 당신의 상황, 조건, 견해들을 사라지게만 하세요. 이것이야말로 당신의 참다운 스승입니다. 말에만 기반을 둔 가르침이란 그다지 훌륭한 것이 못 됩니다. 만일 당신이 생각을 한다면 제 아무리 잘난 선생이 바로 코 앞에 앉아 있다 하더라도 당신을 돕지 못합니다.

그러나 만일 당신이 모든 생각을 떨쳐 버리면, 그 때는 개 짖는 소리, 바람소리, 온갖 나무, 산, 번개, 물소리까지 당신의 스승이 됩니다. 그러므로 당신은 완전히 모를 뿐인 마음을 지켜야만 합니다. 이것이 아주 중요합니다.

또한 편지에 '제 가운데 있는 이 매듭은 마치 모서리 같아요. 그것이 유일하게 제가 매듭을 푸는 방법이에요. 만일 매

233

듭이 풀리면 전 물결같이 숨을 쉴 수 있을 것 같아요. 매듭도, 모서리도, 풀 것도, 풀릴 것도 없습니다.' 그렇게 쓰여져 있습니다. 이 말은 나쁘지도 좋지도 않습니다. 그러나 당신은 자기 마음을 점검하지 말아야 합니다. 이 문구는 당신의 마음 상태를 쓴 것입니다. 자기의 상태를 던져 버리라고 내가 이미 말했습니다. 만일 당신이 난 그것을 잃지 않았노라고 말한다면, 당신은 벌써 잃고 만 것입니다. 만일 찾기를 원한다면 당신은 그것을 찾을 수가 없습니다.

모든 사람이 언제나 쓰는 것.
그런데도 그들이 그걸 깨닫지 못하는 건,
이름과 모양이 없는 것이기 때문이다.
그것은 삼세(三世)를 꿰뚫고 온 공간을 채운다.
모든 것이 그 안에 있고,
모든 것에 뚜렷이 있다.
그러나 만일 그것을 찾고자 한다면,
그것은 점점 더 멀리 달아난다.
또한 만일 잃었더라도, 이미 당신 앞에 그것이 나타나 있다.
그것은 햇빛보다 더 밝고,
별이 없는 밤보다 더 어둡다.
어떤 때는 온 우주보다 더 크고,
바늘 끝보다 더 작기도 하다.
그것은 모든 것을 지배하니,
만법의 왕이다.
그것은 막강하고 또 경외롭다.
사람들은 그것을 일컬어
'마음', '신', '부처', '자연', '에너지' 라고 부른다.

그러나 그것에는 시작도 끝도 없고,
색도 공도 아니다.
만일 당신이 그것을 원한다면,
껍질 없는 배를 타야만 한다.
당신은 구멍 없는 피리를 불어야만 하고,
생과 사의 바다를 건너야만 한다.
그러면 당신은 '여여한' 법의 골짜기에 도달한다.
그 골짜기 속에서, 당신은
'즉여한 도리'인 당신의 참다운 집을 찾아야만 한다.
당신이 문을 열면, 그 때야 당신은 그것을 얻으리,
그것은 오직 '그것'일 뿐.

당신의 두번째 편지를 보면, 당신은 '모서리도, 껍질도, 그
릇도, 달걀도 없다'고 썼습니다. 그러면 사랑이 어떻게 나타
납니까? 이 사랑은 어디로부터 오는가요?

세번째 편지에는 '벽도, 식물도, 공기도, 하늘도 없다'고 했
군요. 그러면 당신은 왜 우리가 세상을 만들었다고 말합니까?
사랑은 왜 필요합니까? '우리가 세상을……' 이것은 앞뒤가
안 맞는 말입니다. 모두 놓아 버리세요. '…… 없고, …… 없
고, …… 없고'를 놓아 버려요. '사랑, 사랑, 사랑'도 놓아 버
려요. '우리가 세상을 ……'도 놓아 버려요. 그러면 당신은 참
다운 세상, 참다운 우리, 참다운 사랑을 이해할 거예요.

첫째, 당신은 그것을 찾아야만 해요. 만일 당신이 그것을 찾
으면, 당신은 자유롭고 무애하게 됩니다. 어떤 때 그것의 이
름은 당신이 되었다가, 또 어떤 때는 내가 되고, 어떤 때는 세
상·사랑, 어떤 때는 방(棒)이요, 어떤 때는 뿌리 없는 나무와
메아리 없는 골짜기, 마삼근, 마른 똥막대기, 여여한 것, 또 어

떤 때는 즉여한 것이 됩니다.
그것이 무엇일까요?

1975년 5월 27일
곧 만나길……
숭산

62. 작은 사랑과 큰 사랑

어느 목요일 저녁, 케임브리지 선원에서 법문이 끝난 뒤 한
제자가 숭산 선사께 말씀을 드렸다.

"선사님께서는 항상 생각에 대해 말씀하십니다. 저는 어떻
게 해야 마음을 선사님의 가르침에 맞출 수 있을지 그 방법
을 좀 알고 싶습니다. 기독교인의 도리로 보면 사랑이 없다면
모든 깨달음도 다 소용없는 일이라고 합니다."

선사께서 말씀하셨다.

"사랑에는 두 종류가 있다. 첫째는 작은 사랑이다. 이것은
탐욕적인 사랑이고 상대적인 사랑이고 집착하는 사랑이다. 두
번째는 큰 사랑이다. 이것은 절대적 사랑이고 자유이다. 만일
네가 네 자신을 위해 요구한다면 너의 사랑은 참다운 사랑이
될 수 없다. 그런 사랑은 여러 조건을 구비하기 때문에, 만일
그런 것들이 바뀐다면 넌 괴로워한다.

만일 내가 한 소녀를 깊이 사랑하고 그녀도 나를 사랑한다
고 가정해 보자. 내가 L.A.로 멀리 떠나 있다 돌아와 보니 그
사이에 그녀에게 다른 애인이 생겼다. 그러면 내 사랑은 분노

로 변하고 증오심으로 바뀌게 된다. 작은 사랑은 이렇게 항상 괴로움을 갖고 있다. 큰 사랑에는 고통이 없다. 오직 절대적인 사랑뿐이므로 거기에는 행복도 고통도 없다. 이것은 보살애(菩薩愛)이다."

"저는 선사들은 사랑에 대해 특별한 관심이 없는 분들이란 인상을 받아 왔습니다."

"만일 내가 사랑하지 않는다면 왜 가르치고 있겠느냐? 가르친다는 것은 사랑이다. 내가 제자를 때리는 것은 참다운 사랑이다."

"어째서입니까?"

"참다운 가르침이란 참다운 사랑을 뜻한다. 참다운 선생은 간혹 화도 내고 때리기도 하고 또 간혹은 심하게 질책을 하기도 한다. 왜일까? 왜냐 하면 그가 자기 제자들을 매우 사랑하기 때문이다. 마치 애 엄마가 아이를 사랑하지만 아이가 엄마의 바른 가르침을 전혀 따르지 않을 때와 같다. 그래서 가끔 엄마는 아이에게 화도 내고 때리기도 한다. 이것은 사랑의 표현이다. 그런 행위는 엄마 자신을 위한 것이 아니고, 전부 그 아이를 올바르게 가르치기 위한 것이다.

큰 사랑에는 나 자신을 위한 바람이 없이 타인에게 사랑을 주기만 한다. 만일 내가 널 사랑하고 네가 나를 사랑하지 않는다 해도 괜찮다. 네가 나를 사랑하는 것과 같이 나는 너를 여전히 사랑한다. 만일 내가 하느님을 사랑한 대가로 나쁜 업만 받는다고 해도 괜찮다. 하느님에게 화를 내지 않을 뿐 아니라 전보다도 더 사랑한다. 그러므로 큰 사랑이 참다운 사랑이다. 모든 사람을 위한 사랑인 것이다."

"선사님께선 모든 사람을 사랑하십니까?"

"물론이다! 모든 인류와 세상 만물을 사랑한다. 내가 이야기를 하나 해 주겠다.

옛날 중국에 한 승려가 있었는데 하루는 인가로 탁발하러 나갔다가 돌아오는 길에 산적을 만났다. 산적은 돈과 음식, 의복을 빼앗고 승려의 손과 발을 묶어 산길에 나 있는 풀잎으로 칭칭 감아 묶어 놓았다. 승려는 발가벗긴 채 몇 시간 동안 묶여 있었다.

마침 그 때 황제가 신하들과 함께 절로 예불하러 가는 길에 그 벌거벗은 사람을 보고 놀라 다가가서 자초지종을 묻게 되었다. 그 승려가 설명을 했다. 황제가 말했다. '사문은 왜 바로 일어서질 않는가?' 그 승려가 말했다. '제발, 이 풀을 좀 풀어 주십시오.' 황제는 그 풀을 뿌리채 뽑으려 하였다. '그 풀을 뽑아서는 안 됩니다. 제발 풀어 주십시오.' 순간 황제는 이 벌거벗은 승려가 들에 난 풀 한 포기까지도 사랑하는 대사인 것을 알게 되었다. 그리하여 황제는 그를 절로 동행해 모셔가서 자신의 스승으로 모셨다.

이렇듯 큰 사랑은 아무것도 죽이지 않는 것임을 알 수 있다. 기독교인들은 사람을 죽이는 것은 나쁘다고 생각하지만 동물을 죽이는 것은 괜찮게 여긴다. '낚시 — 아, 아주 재미있지.' 하고 말한다. 풀포기조차 죽이는 것이 나쁘다면, 우리는 고기나 짐승, 사람을 죽여선 더욱 안 되는 것이다.

그러나 어떤 때는 죽이는 것이 큰 사랑이 된다. 만일 수많은 사람을 죽이려는 악한이 있다면, 그 사람을 죽이는 것은 여러 사람을 구하는 길이 된다. 이렇게 불교적인 사랑은 광범위한 사랑이다. 여러분은 이 점을 깨달아야만 한다."

제자들은 머리를 깊이 숙여 절을 올렸다.

63. 고양이에게도 불성이 있나?

어느 날 저녁, 케임브리지 선원에서 법문이 끝난 후에 한 제자가 선원에서 자라는 고양이 캣지를 손가락으로 가리키며 숭산 선사께 이런 말씀을 드렸다.

"선사님께서는 전에 말씀하시길, '이 고양이는 자기가 고양이라고 말하지 않기 때문에 모를 뿐인 마음을 지녔다.'고 하셨습니다. 그렇다면 고양이가 견성했단 말입니까? 만일 그렇다면, 왜 불교에선 사람만이 견성할 수 있다고 가르칩니까?"

선사께서 말씀하셨다.

"무엇이 견성이냐?"

"모릅니다."

"견성은 견성이 아니다. 만일 누군가 '내가 견성했다'고 한다면 틀린 것이다. 많은 제자들이 '견성하길 원한다. 기필코 견성하겠다!'고 생각하지만, 이런 생각을 갖고 있는 한 그들은 결코 견성하지 못한다. 고양이는 견성을 생각하지도 않고, 아니면 견성이 아닌 것을 생각하지도 않는다. 고양이는 단지 고양이일 뿐이다.

한 가지 묻겠다. 고양이에게도 불성이 있느냐? 만일 있다면 고양이도 견성을 할 수 있다. 만일 없다면 고양이는 견성을 하지 못한다."

"음 — 모르겠습니다."

선사께서 웃으시며 말씀하셨다.

"그래 모르는 게 좋다. 아주 좋은 일이다."

64. 구렁텅이에서 벗어나

선사님께

그간 편지를 드리지 못해 죄송합니다. 그러나 저는 쓸 말이 없습니다. 선사님께서 숙제로 내 주신 공안을 알아 낼 만큼 열심히 좌선을 하지 못했습니다. 장난이 아닙니다. 저는 기분이 몹시 상해 있습니다. 제 인생이 무가치하게 느껴집니다. 나름대로 꽤 열심히 수행하려고 노력했지만 너무 나약해서 아무 발전이 없습니다.

전 제 불성에 대해 신념을 갖지 못하고 있습니다. 사실 전 이런 식의 편지를 써선 안 되죠. 왜냐 하면 선사님들이 병든 멍텅구리를 치료하는 분은 아닐 테니까요.

혜른 법사님은 자기가 나가 있는 동안 선사님과 서신 왕래를 해 보라고 제게 시켰습니다. 선사님께서는 아주 훌륭한 분이라고 하셨습니다. 제가 훌륭한 사람도 참다운 수행자도 못 되어서 죄송합니다만, 그래도 선사님께서 제게 도움을 줄 말씀이 있으시다면 해 주시길 부탁드립니다. 혜른 법사님이 떠나신 이후나 또는 스님께 편지를 쓴 이후, 전 아무와도 만나지 않았습니다. 제겐 아무 시(詩)도 남아 있지 않고 다만 의심과 분노만 남았습니다. 합장 배례합니다.

1975년 6월 13일
스티브 올림

스티브 씨에게

편지는 고맙게 받아 보았습니다. 당신은 올해 내게 무척 많은 편지를 보냈었는데, 그 편지들은 좋은 것도 나쁜 것도 아니었습니다. 그런데 방금 내가 받아 본 편지는 아주 놀랄 만큼 멋진 것이더군요. 이것이 참다운 선(禪) 편지입니다. 생각이란 오직 생각일 뿐입니다. 고통 역시 고통일 따름입니다.

만일 당신이 '마음을 깨끗이 하고 싶다'는 생각을 한다면 그건 아주 나쁜 생각입니다. 당신이 괴로워할 때는 오직 괴로워할 뿐입니다. 그래서 당신은 당신 편지의 참다운 뜻을 이해해야만 합니다. 편지가 내게 그 진실을 말해 주었습니다. 당신은 견성하기를 원하고 있습니다. 그 생각이 없으면 견성은 불가능합니다.

어느 조사께서 말씀하시길 '마음은 끊임없이 변한다. 변하는 마음 그 자체가 그대로 진리이다. 만일 네가 너의 변하는 마음에 집착하지 않는다면 그 때 너는 너의 참다운 자성을 얻는다. 그 때 너는 선도 악도 없다는 것을 깨닫게 된다.'고 하셨습니다.

당신은 무척 기분이 상해 있다고 했죠. 당신이 나쁘게 만들면 나쁜 것입니다. 그러나 만일 당신이 나쁘게 만들지 않는다면 나쁘지 않습니다. 선도 악도 만들지 말아요. 그러면 모든 것이 좋을 것입니다.

당신은 또 '저는 좋은 사람도, 좋은 참선 수행자도 아닙니다.' 했는데, 당신이 일단 선과 악을 이해하면 이미 선과 악이 사라져 버린 뒤입니다. 『반야심경』을 한번 더 봉독해 보세요. 그러면 마음이 맑아질 것입니다. 무엇이 선이고, 무엇이 악입니까? 당신은 훌륭한 참선 수행자이길 바라고 또 훌륭한 사람이길 바라고 있습니다. 이것은 생각입니다. 그냥 놓아 버리세요! 내려 놓아요! 만일 당신의 마음이 깨끗하지 않다면, 당신은 나무나 하늘에게 도와 달라고 부탁해야만 됩니다. 그러면 나무와 하늘이 당신에게 좋은 답을 줄 것입니다.

만일 당신이 마음을 항상 점검한다면, 그것은 아주 나쁜 것입니다. 마음을 점검하지 말아요. 당신은 자신의 불성에 신념을 갖지 못한다고 하는데 나 역시 나의 불성에 아무런 신념을 갖지 않습니다.

뿐만 아니라 나는 부처님이나 하느님, 아니 그 어느 것에도 신념을 갖지 않습니다. 만일 당신이 신념이 없다면 철저하게 신념을 갖지 말아야 합니다. 전혀 그 어느 것도 믿어서는 안 됩니다. 그러면 당신의 마음이 참으로 공하게 됩니다. 그러나 이 참다운 공은 단지 이름인 것입니다. 이 참다운 공은 생각 이전의 것입니다. 생각 이전이란 여여하다는 것입니다. 당신이 자신의 불성에 신념을 갖지 못한다는 것은 아주 좋은 것입니다. 그러면 당신이 빨간 색을 보면 빨갛게, 하얀 색을 보면 하얗게 되는 것뿐입니다. 신념이나 신념이 없음도 모두 떠나 보내야 합니다. 사물은 있는 그대로일 뿐입니다.

내 생각에는 당신은 다른 선사를 찾아보는 것이 좋을 것 같습니다. 만일 당신이 이미 스승을 누구로 정할지에 대해 확

고한 결정을 내렸다면, 당신은 만 명을 넘는 선사를 만나도 아무 문제가 없습니다. 뿐만 아니라 가끔씩은 다른 명상 센터를 찾아보는 것도 역시 좋겠습니다. 그러나 그곳에서 하는 수행에 마음을 두진 말아야 합니다. 당신에게 시간이 있으면, 필요할 때는 어디든지 가서 참선을 해도 됩니다. 당신은 항상 큰 마음을 지녀야만 합니다.

　나는 당신에게 뉴헤븐에 있는 한 제자에게 내가 쓴 편지의 사본을 몇 통 보내겠습니다. 이 편지들이 당신에게 도움이 되기를 바랍니다. 당신은 자기 수행에 진전이 있나 없나에 대해서나, 자기가 화가 나 있나 아닌가에 대해 걱정을 하면 안 됩니다. 이런 일들은 모두 중요한 것이 아닙니다. 그것들은 모두 달 앞에 잠시 가려진 구름 같은 것입니다. 당신은 자기 마음에 나타나는 그 어느 것에도 집착해서는 안 됩니다. 그럴 때 당신은 자유로운 생각을 얻게 됩니다. 집착하지 않는 생각이란 바로 여여함입니다. 나는 당신이 곧 견성을 해서 고통받는 모든 중생을 구제해 주기를 바랍니다.

1975년 6월 17일
숭산

65. 요지경

수지 양, 조지 군, 로저 군, 알반 그리고 루이즈 양에게

여러분들의 그림엽서를 잘 받아 보았습니다. 여러분들은 잘 지내겠죠? 식사도 잘하고 열심히 수행 정진합니까? 그림엽서에 '멋진 시간을 보내시기 바랍니다' 그렇게 적혀 있더군요.

우리를 도와줘서 참으로 고맙습니다. 우린 지금 아주 멋진 시간을 보내고 있습니다. 식사도 잘하고 이야기도 많이 하고 또 나들이도 많이 합니다.

이 세상은 참으로 요지경 같습니다. 진여의 입장에서 보면 일체법은 불생불멸인 것입니다. 그런데도 사람들은 그런 것들에게 생과 사가 있다고들 합니다. 이것이 이상하다는 말입니다. 또 모든 것은 불구부정(不垢不淨: 더럽지도 깨끗하지도 않음)인 것입니다. 그런데도 사람들은 어느 것은 선이고 어느 것은 악이며, 또 어느 것은 깨끗하고 어느 것은 더럽다고 합니다. 또 본래 부증불감(不增不減: 늘지도 줄지도 않음)인 것입니다. 그런데도 사람들은 원을 만들고 네모를 만들기도 하고, 어느 것은 길다고 하고 어느 것은 짧다고 생각합니다. 이

것이 요지경이라는 것이지요.

　사람들은 좋은 업과 나쁜 업에 집착해 있습니다. 그들은 행복과 고통에 빠집니다. 사람들에게는 과거·현재·미래가 있고 오고 감과 머무름이 있으며, 동서남북이 있습니다. 이 또한 요지경 속입니다.

　한 조사님께서 이런 말을 한 적이 있습니다. '원래 모든 것은 공하다.' 그런데도 당신은 견성하길 바랍니다. 이것이 요지경입니다. 놓아 버리세요! 놓아 버리세요! 이것이 요지경 속입니다. 거기에 놓아 버릴 것이 무엇이 있단 말입니까?

　아제 아제 바라아제 바라승아제 모지 사바하(Gatē, gatē, paragatē, parasamgatē bodhi swaha)!

　허기진 아이가 엄마에게 보챕니다.

　개 한 마리가 먹을 것을 찾아 코를 벌름거리며 돌아다닙니다.

　해가 서산을 넘어가자 소나무 그림자가 점점 길어져서 저 멀리 담까지 닿았습니다.

1974년 2월 4일

곧 다시 보게 되길 고대하며……

숭산

66. 경허 선사

75년 전쯤, 숭산 선사의 법맥으로 조부이신 경허(鏡虛) 선사가 젊은이었을 때의 한국 불교는 매우 미약했었다. 그 때 경허 선사가 견성을 하여 그의 문하에서 훌륭한 선승들이 많이 배출되었기 때문에 그를 일컬어 한국 선의 중흥조(中興祖)라고 부른다.

경허가 9살 되는 해에 그의 가친이 돌아가셨다. 가계가 너무 빈궁하였기 때문에 그의 모친은 그를 기를 수 없어 절로 보냈고 그 후 그는 스님이 되었다. 열네 살이 되었을 때부터 경을 배우기 시작했는데 경허는 머리가 총명해서 하나를 들으면 열을 깨달았다.

몇 년이 안 되어 그는 경을 가르치는 강사로부터 가르침을 받은 뒤 더 배우기 위해 큰 절 동학사(東鶴寺)로 옮겼다. 그는 거기서 대교과에 들어갔다. 나이 23세가 될 때까지 그는 중요한 경전을 모두 통달하였다. 곧 수많은 승려들이 그의 주위로 몰려들게 되었고, 그는 유명한 강백(講伯)이 되었다.

하루는 경허가 자기를 처음 가르친 옛날 스승을 찾아가기로 했다. 몇 날을 걸어서 한 작은 마을을 지나게 되었는데, 그 마을 길에는 아무도 나와 있지 않았다. 그는 순간적으로 뭔가 석연치 않음을 깨닫고 어떤 불길한 예감에 사로잡혔다.

그는 한 인가의 문을 열어 보았다. 집 안에는 다섯 구의 시체가 바닥에 아무렇게나 뒤섞여 누워 있었다. 그 옆집의 문을 열어 보니 바닥에서 더 많은 시체가 썩고 있었다. 그가 겁에 질려 마을 가운데로 걸어가자 이런 경고문이 눈에 띄었다. '위험: 호열자. 목숨이 아까우면 이 마을을 떠나라.' 경고문을 보자 경허는 망치로 한 대 얻어맞은 것처럼 정신이 맑아졌다. '내 스스로 대강백이라고 여겼었고, 부처님의 모든 가르침을 이미 다 깨달았다고 생각했는데 왜 이다지도 무서울까? 내가 제행(諸行)이 무상함을 알고 생사가 한 본질의 양면임을 알면서도 내 몸뚱이에 이토록 집착을 하다니! 그래서 삶이 장애이고 죽음 또한 장애로구나. 이를 어쩔꼬?'

절로 되돌아가서 그는 이 문제를 깊이 생각한 끝에 드디어 모든 제자들을 한 자리에 불러모았다.

"너희들은 경을 배우기 위해 여기에 왔고 그 동안 내가 너희들을 가르쳐 왔노라. 그런데 나는 이제 경이란 오직 부처님의 말뿐임을 깨닫게 되었노라. 그것은 부처님의 마음이 못 된다. 그토록 많은 경을 다 배웠음에도 불구하고 나는 아직도 참된 깨달음을 얻지 못했노라. 더 이상 너희들을 가르칠 수가 없다. 만일 더 배우고 싶거든 너희를 맞아 기꺼이 가르치고 싶어하는 훌륭한 강백들이 있으니 찾아가 보아라. 대신 나는 참다운 나의 자성을 깨달아야겠다. 내 기필코 견성을 하기 전에는 다시는 안 가르칠 것이다."

그래서 한 명만 남기고 모든 제자들을 떠나보냈다. 경허는 방문을 걸어 잠궜다. 하루 한 번씩 그의 제자가 탁발해다 주

249

는 음식을 먹고 그는 빈 그릇을 밖에 내 놓고는 다시 문을 잠궜다. 종일 그는 방안에서 좌선(坐禪)이나 와선(臥禪)을 하면서 책에서 읽은 공안을 생각했다.

그 공안 중 영운 선사가 말했다.

"당나귀가 떠나기 전에 말이 벌써 도착해 있었다(驢事未去馬事到來)! 이게 무슨 뜻이냐?"

"나는 이제 죽은 것과 다를 바가 없구나."

그는 이런 생각을 했다.

"만일 생사를 초월하지 못한다면 맹세코 이 방을 떠나지 않겠다."

그는 졸음이 올 때마다 송곳으로 자기 허벅지를 찌르며 잠을 쫓았다. 세 달이 흘렀다. 그 동안 경허 선사는 한 잠도 자지 않았다. 하루는 그의 제자가 마을로 탁발하러 내려갔다가 경허 선사의 가까운 친구인 이 거사를 만났다. 이 거사가 말했다.

"요즈음 너의 스승은 무엇을 하시느냐?"

제자가 말했다.

"스승님께선 아주 열심히 수행하십니다. 오로지 먹고 좌선, 와선만을 하십니다."

"만일 먹기만 하고 앉고 눕기만 한다면 네 스승은 죽어서 소로 태어날 것이다."

그 제자는 몹시 화가 났다.

"무슨 말씀을 그렇게 하십니까? 스승님은 우리 나라에서 제일 훌륭한 강백이십니다! 스승님은 돌아가시면 극락왕생하실 게 분명합니다!"

이 거사가 말했다.

"나한테는 그렇게 대답하면 안 된다."

"왜요? 그럼 어떻게 대답해야 합니까?"

"나 같으면 이렇게 말하지. '만일 제 스승님이 소로 태어난다면 콧구멍 없는 소가 될 것입니다.'"

"콧구멍이 없는 소라니요? 그게 무슨 소리예요?"

"너의 스승에게 가서 물어 봐라."

제자는 절로 돌아와 방 앞으로 가서 경허 선사에게 이 거사와 주고 받은 말을 들려 두었다. 제자가 그 말을 마치자 놀랍게도 경허 선사가 눈을 반짝이며 문을 열고 나와 밖으로 나갔다. 이 시는, 경허 선사가 개안(開眼)의 법열(法悅)을 읊은 오도송(悟道頌)이다.

문득 콧구멍 없는 소라는 말에
삼천대천세계가 내 집인 것을 알았다.
유월 연암산 아래 길에
일 없는 야인이 태평가를 부른다.

忽聞人語無鼻孔
頓覺三千是我家
六月燕岩山下路
野人無事太平歌

곧 그는 만화(萬華) 선사를 찾아갔다. 만화 선사는 그에게 전법(傳法)을 주었고, 그의 이름을 '빈 거울'이란 뜻으로 경허(鏡虛)라고 지어 주었다. 이렇게 해서 그는 75대 조사가 되었다. 그 후 5인의 선사가 그로부터 법을 받았다. 용성(龍城), 한암(漢巖), 혜월(慧月), 수월(水月)과 숭산 선사의 스승이신 고봉(古峯) 선사의 스승 만공(萬空) 선사들이다.

경허 선사는 입적하기 바로 전에 다음과 같은 시를 지었다.

마음의 달이 외롭게 비치니,
달빛이 세상 만물을 들이킨다.
빛도 경계도 모두 사라지니,
이것 또한 무슨 물건인가.
心月孤圓
光呑萬象
光境俱忘
復是何物

이 시를 마친 순간 그는 입적했다.

67. 보살의 죄

어느 목요일 저녁, 뉴헤븐 선원에서 법문이 끝난 뒤 한 제자가 숭산 선사께 다음과 같은 말씀을 드렸다.

"선사님께선 보살도 가끔 가다가 잘못을 저지른다고 하셨는데 어떤 경우에 그렇습니까?"

"이리로 오너라."(대중들 몇 사람이 낄낄대고 웃는다.)

그 제자가 앞으로 나아가 선사 앞에 무릎을 꿇고 앉았다. 선사께서 그를 치셨다. (웃음소리) 그리고 다음과 같이 말씀하셨다.

"이제 알겠느냐?"

그 제자가 미소를 짓고 절을 올렸다. 선사께서 말씀하셨다.

"우리의 선원청규(禪院淸規)에 따르자면 이렇다. '너는 5계(戒) 혹은 10계를 받아 지니고 있다. 아울러 넌 언제 이 계를 지니고, 범하고, 열고, 막아야(持犯開遮) 하는지를 알아야 한다.' 이 계율은 아주 중요하다. 이것들은 옳은 방향을 가리키는 교통 표지판 같아서, 이 계율이 없으면 바른 길을 알 수가 없다. 그러나 계율 자체에 집착하지 않는 것이 또한 중요하다. 아무 행위를 안 한다면 그 자체는 선(善)일 수도 악(惡)일 수도 있다. 오직 의도가 문제가 된다. 만일 네가 보살심만 지니고 있다면 너는 다른 중생을 돕기 위해 계율을 범할 수도 있는 것이다.

예를 들자면, 네가 산 속을 걷는데 토끼 한 마리가 튀어나와 길을 가로질러 오른쪽 숲으로 도망갔다고 하자. 잠시 후 사냥꾼 한 사람이 달려와 너에게 토끼가 어디로 도망갔는지 아느냐고 묻는다고 하자. 만일 네가 사실대로 말하면 토끼가 죽을 것이다. 또 만일 네가 아무말도 하지 않는다면 그 사냥꾼은 오른쪽 길로 갈 수도 있을 것이다. 그러나 만일 네가 거짓말로 왼쪽 길을 가르쳐 준다면, 너는 토끼의 목숨을 건져 주는 것이 된다.

경허 선사가 제자인 만공 선사와 함께 여행을 하고 있었다. 만공 선사가 몹시 지쳐 다리가 아프다고 하자 둘은 나무 아래서 쉬기로 했다. 그러나 쉬고 난 후에도 만공 선사는 더 이상 걸을 수가 없었다. 그들이 찾아나선 절은 그곳으로부터 아주 멀리 떨어져 있었기 때문에 해 떨어지기 전까지 도착하려면 둘은 거기서 더 지체할 수가 없었다.

그래서 경허 선사는 만공 선사를 나무 밑에 버려 둔 채 혼자 걸어갔다. 경허 선사는 혼자 밭길을 지나가다 밭일하는 농부들을 만났다. 그들 중 한 사람은 열여섯 살이나 열일곱 살쯤 되는 소녀였다.

경허 선사는 소녀에게 다가가 다짜고짜 입맞춤을 하였다. 이 광경을 보자 소녀의 아버지와 다른 농부들은 중이 하는 짓에 아연실색을 했다. 말할 것도 없이 그들이 노발대발해서 쫓아오고 이것을 본 경허 선사는 들판을 가로질러 소나무 쪽으로 달아나며 만공 선사에게 소리쳤다. '일어나라! 죽을 힘

을 다해 도망쳐라!' 만공 선사는 스승이 성난 농부들에게 쫓
겨 오는 광경을 보자 벌떡 자리에서 일어나 자기도 있는 힘
을 다해 달렸다. 그렇게 해서 둘은 밤이 되기 전에 절에 도착
할 수 있었다."

68. 무상함도 항상함도 없다
— 1974년 3월 18일, 브라운 대학에서의 법문.

(주장자를 높이 들어 법상을 세 번 치시다)『대반열반경(大般涅槃經)』에, '제행이 무상하니, 이것이 생멸법이니라. 생하고 멸하는 것을 여의면 적멸위락이니라(諸行無常 是生滅法生滅滅已 寂滅爲樂)'고 하였습니다.

『금강경』에서는 또 '모양이 있는 것은 다 허망한 것이다. 이렇게 모든 것을 허망한 것으로 보는 사람은 그 사람이 곧 부처이니라(凡所有相 皆是虛妄 若見諸相 非相 卽見如來)'했습니다.

『반야심경』에선 또 이렇게 말했습니다. '색불이공 공불이색 색즉시공 공즉시색(色不異空 空不異色 色卽是空 空卽是色)'

무엇이 생하고 무엇이 멸하는 것입니까? 무엇이 무상하고 무엇이 항상한 것입니까? 색은 무엇이고 공은 무엇입니까? 참다운 적멸 속에는, 참다운 자성 속에는, 참다운 공 속에는 생하는 것도 없고, 멸하는 것도 없고, 무상한 것도 항상한 것도 없고, 색도 없고 공도 없습니다.

육조 스님께서는 이런 말씀을 하셨습니다.

"본래 아무것도 없었다(本來無一物)."

경에는 '생멸멸이 적멸위락(生滅滅已 寂滅爲樂)'이라고 했지만 본래 적멸도 낙도 없는 것입니다.

또 경에는 '약견제상비상 즉견여래(若見諸相非常 卽見如來)'라 하였으나 상도 여래도 없는 것입니다. 또 경에서는 '색즉시공 공즉시색'이라 했지만 공도 색도 없는 것입니다. 그러므로 생각도 말도 끊어질 때에 이미 생·멸, 무상·항상, 색·공도 모두가 없는 것입니다. 그러나 이런 것들이 존재하지 않는다고 말한다면 틀린 것입니다. 개구즉착(開口卽錯)이지요.

색이 보입니까? 소리가 들립니까? 만질 수 있습니까? 이것이 색입니까? 공입니까? 말하시오! 말하시오! 한 마디라도 하면 틀립니다. 그러나 만일 말을 하지 않는다 해도 틀린 것입니다. 어떻게 할 것입니까?

할!

생과 멸, 그냥 놓아 두시오!

무상과 항상, 그냥 놓아 두시오!

색과 공, 그냥 놓아 두시오!

봄빛에 눈이 녹는다 — 생멸은 이와 같은 것입니다.

동풍(東風)이 부니 먹구름이 서쪽으로 밀려 가누나 — 무상과 항상 역시 바로 이와 같은 것입니다.

불을 켜니 방이 밝아지니라 — 모든 참된 진리는 바로 이와 같습니다. 색은 색이고 공은 공입니다(色卽是色 空卽是空).

여러분의 본래면목(本來面目)은 무엇입니까?

(법상을 치시며) 할!

하나, 둘, 셋, 넷. 넷, 셋, 둘, 하나.

69. 올바른 길

프로비던스 선원의 용맹정진 기간 중 어느 날 아침, 한 제자가 독참실로 들어와 숭산 선사께 절을 올렸다. 선사께서 말씀하셨다.

"무엇이 올바른 길이냐?"

그 제자가 소리쳤다.

"할!"

"그 대답은 좋지도 나쁘지도 않다. 그것으로 모든 생각을 끊어냈으므로, 거기에는 언설·부처·마음·참다운 길도 없는 것이다. 그러니 말을 해라. 무엇이 올바른 길이냐?"

"하늘이 푸릅니다."

"그건 틀림없는 사실이다. 그러나 그건 참다운 길이 아니다."

선사께서 주장자를 집어드셨다.

"이것이 무슨 색이냐?"

"갈색입니다."

"그렇다. 내가 너에게 '이 주장자 색깔이 뭐냐?'고 묻는데,

넌 대답도 하지 않았고 또 비록 그 말 자체는 맞기는 하지만, '종이 노랗습니다'라는 식으로 대답을 한 셈이다. 네가 가려운 건 정작 오른발인데 왼발을 긁는 격이다. 마찬가지로 내가 '올바른 길이 뭐냐?'고 물었는데 너는 '하늘이 푸르다'고 대답을 했다.

어린 아이에게 가서 올바른 길에 대해 물어 봐라. 어린아이가 잘 가르쳐 줄 게다. 선을 하는 마음은 어린아이의 마음과 같다. 아이에겐 과거도 미래도 없다. 항상 여여한 진실 속에서 살 뿐이니까. 배고프면 먹고 피곤하면 잘 뿐이다. 아이들이야말로 모든 것을 다 알고 있다. 그럼 또다시 묻겠다. 무엇이 올바른 길이냐?"

그 제자가 일어나 절을 올렸다. 선사께서 말씀하셨다.

"그 방법은 대도(大道)요, 불도(佛道)요, 도(道)이지 올바른 길은 아니다. 창문 밖의 소리가 들리느냐?"

"네."

"무슨 소리냐?"

"자동차 소리입니다."

"그 차들은 어디를 달리느냐?"

"저 너머입니다."

"저 너머의 이름은 뭐냐?"

그 제자는 우물쭈물하며 대답을 하지 못했다. 선사께서 말씀하셨다.

"95번 도로이다. 그것이 올바른 길이다. 호프 가(街)나 도일 가가 올바른 길이다. 길은 그냥 길일 따름이다. 그 너머엔 아무것도 없다."

그 제자가 절을 올리고 말했다.

"알겠습니다. 감사합니다."

"천만에! 자, 그럼 무엇이 올바른 길이냐?"

그 제자가 답했다.

"95번 도로는 프로비던스로부터 보스톤까지 나 있습니다."

그 제자는 케임브리지로 돌아간 뒤 한 번은 케임브리지 선원 옆 길가에서 노는 두 꼬마들 — 6살 난 여자 아이와 4살 난 남자 아이 — 앞으로 다가가서 여자 아이에게 물었다.

"무엇이 올바른 길이냐?"

그 여자 아이는 훼어웨더 가를 손으로 가리켰다. 그 제자는 이번엔 남자 아이에게 물었다.

"무엇이 옳은 길이니?"

꼬마는 화난 얼굴 표정을 짓더니 돌아서서 걸어갔다.

70. 참다운 선의 마음

하루는 숭산 선사의 제자 한 사람이 예일 대학에서 다른 선사의 법문을 들었다. 뉴욕 국제선원으로 돌아와서 그 제자는 선사께 말씀을 드렸다.

"그 선사의 가르침은 이상했습니다. 그 선사는 성교하는 마음이 곧 참선하는 마음이라고 했습니다. 왜냐 하면 남녀가 성교할 때, 그들은 각자의 독자적인 의식을 버리고 하나가 되기 때문이라고 합니다. 그래서 그 선사는 누구나 반드시 결혼을 해야 된다고 했습니다. 이 말이 옳습니까?"

선사께서 말씀하셨다.

"네가 성교할 때의 그 마음과 운전을 할 때의 그 마음은 같으냐 아니면 다르냐?"

제자가 아무 대답도 안 했다. 선사께서 말씀하셨다.

"내가 너를 30방 때리겠다."

"왜입니까?"

"너는 내가 널 때리는 참다운 이유를 알아야만 한다. 그 선사의 말은 성교하는 동안에 넌 소아적(小我的)인 너 자신을 잊는다는 뜻이다. 아마도 이것은 진실일 것이다. 그러나 외적 조건이 소아적인 너를 없앤 것이기 때문에 외적 조건이 또 변한다면 너는 다시 소아적인 너로 돌아갈 것이다. 네가 깨끗한 마음으로 운전을 할 때는 자신을 잊지 않는다. 내외(內外)가 하나로 된 것이다. 그대로 외부와 내부는 하나로 된다. 빨간 불이 켜지면 서고, 파란 불이 켜지면 간다. 그러나 네가 성교를 할 때는 빨간 불이 켜져도 빨간 불인지를 알지 못한다. 너는 전부 다 잊는 것이다."

그 제자가 말했다.

"그럼 성교하는 마음과 참선하는 마음은 어떻게 다릅니까?"

선사께서 말씀하셨다.

"우리는 마음을 세 가지로 분류해서 말할 수 있다. 첫번째는 집착하는 마음이다. 즉, 망념심(妄念心)이다. 그 다음은 일념심(一念心)이다. 세번째는 명명심(明明心)이다."

"무엇이 망념심입니까?"

"예를 들자면, 네가 기차역에 서 있는데 갑자기 삑 하는 경적 소리가 났다고 하자. 그 소리에 너는 혼비백산하고 자기도, 세상도 모두 없어지고 오직 경적 소리뿐으로 된다. 이것이 망념심이다.

아니면 만일 네가 3일을 굶었는데 누군가가 너에게 먹을 것을 준다면, 너는 허겁지겁 받아먹을 것이다. 그 마음은 오직 먹을 뿐일 따름이다. 아니면 네가 성교할 때는 오직 좋은 감각뿐이고 상대방에 푹 빠진다. 이것이 망념심이다. 그러나 성교가 끝났을 때는 너의 소아심은 전과 같이 강해진다. 이런 것들은 행동에 집착하는 행위이다. 갈애(渴愛)에서 비롯된 행위들은 고통으로 끝을 맺는다."

"무엇이 일념심입니까?"

"누군가가 진언을 외우고 있다면 거기는 오직 진언만 있을 따름이다. 좋은 일을 봐도 그는 오직 옴마니반메훔, 나쁜 일을 봐도 옴마니반메훔뿐이다. 그가 무엇을 하건, 무엇을 보건 오직 진언만 외울 뿐이다."

"그럼 명명심은 무엇입니까?"

"명명심은 거울과 같다. 빨간 빛이 비치면 거울은 빨갛게 되고, 하얀 빛이 비치면 거울은 하얗게 된다. 모든 사람들이 슬플 때 내가 슬프고, 모든 사람들이 기쁘면 나도 기쁘다. 오직 모든 사람들을 도우려는 그 마음이 명명심이다. 그러므로 망념심은 소아심이다. 일념심이란 텅 빈 마음이다. 명명심이란 시간과 공간을 초월하는 대아심(大我心)이다."

"아직도 제겐 충분히 이해가 되지 않습니다. 한 가지만 더 예를 들어 주시겠습니까?"

"좋다. 두 남녀가 성교를 하는 중이라고 상상하자. 그들은 자기들 마음을 잃고 있기 때문에 아주 행복감에 젖어 있다. 그 때 갑자기 강도가 총을 들고 뛰어 들어와 '돈을 내놔라!' 고 한다면 행복감은 다 사라지고 그들은 두려움에 떨며 '제발 목숨만 살려 주십시오!' 할 것이다. 이것은 소아심(小我心)이다. 이와 같이 그 마음은 외적 조건이 바뀌면 항상 바뀌어지는 것이다.

그 다음에는 어떤 사람이 진언을 하고 있는 중이다. 한 마음으로 그의 마음은 전혀 움직이질 않는다. 마음의 밖과 안 모두가 참으로 텅 비어 있다. 그 때 갑자기 강도가 나타나 '돈을 내놔!' 한다 해도 그는 전혀 두려워하지 않는다. 오직 '옴마니반메훔, 옴마니반메훔' 하고 말할 뿐이다. 강도가 '돈 안 내놓으면 죽여!' 라고 해도 그는 아랑곳하지 않는다. 이미 그는 생사의 경계를 초월했기 때문에 그에겐 그런 말이 조금도 두렵지 않은 것이다.

맨 마지막은 명명심이다. 이 사람은 항상 보살심을 지니고 있다. 강도가 나타나 '돈 내놔' 한다면 그는 이렇게 말한다. '얼마를 원하는가?' '전부 다 내놔라!' '좋다' 그러면서 그는 자기가 가진 전부를 내 준다. 그는 두려워하지 않고 슬퍼할 뿐이다.

그는 이런 생각을 한다. '당신은 왜 이런 짓을 하는가? 지금은 무사하겠지만, 그러나 앞으로 많은 고통을 받으리라.' 그 강도는 상대가 두려워하지 않고 있을 뿐 아니라 어머니와도 같은 자비심으로 넘쳐 있음을 얼굴 표정으로 알아차린다. 그래서 강도는 좀 어리둥절해진다. 강도에게 돈을 준 이 사람은 그 강도에게 바르게 사는 법을 가르친 것이다. 이것이 참다운 선의 마음이다."

그 제자는 정중히 절을 올리고 말했다.

"대단히 감사합니다."

선사께서 말씀하셨다.

"인생에서는 네 가지 어려운 것이 있느니라. 첫째가 인간의 몸을 받기가 어려운 것이고, 그 둘째는 불법을 만나기가 어려운 것이고, 셋째는 좋은 스승을 만나기가 어려운 것이고, 넷째는 견성하기가 어려운 것이다. 셋째는 아주 중요하다. 크게 견성하지 못한 선사라면 훌륭한 스승이 될 수가 없느니라. 그건 마치 장님이 다른 장님을 인도해서 길을 가다가 둘이 다 개천에 빠지는 꼴과 같다. 그래서 나는 네가 눈 밝은 사자와 눈먼 개를 분별할 줄 알게 되기를 바란다."

그 제자가 말했다.

"어떻게 다릅니까?"

선사께서 말씀하셨다.
"이젠 식사 시간이로구나."
그 제자가 절을 올렸다.

71. 눈 밝은 사자와 눈먼 개

다음 날 아침, 어제의 그 제자가 숭산 선사께 여쭈었다.

"어제 선사님께선 두 종류의 선사들에 대한 말씀을 해 주셨습니다. 어떻게 하면 눈 밝은 선사를 알아볼 수 있을까요?"

선사께서 말씀하셨다.

"만일 네가 한 곳에만 머물러 있다면 그건 아주 어렵다. 스스로 찾아다니며 여러 선사들 말을 직접 들어 봐야만 한다. 그러면 알 수 있게 된다.

『화엄경』에 보면 53인의 선지식들로부터 배움을 얻는 한 동자의 이야기가 실려 있다. 그는 한 스승으로부터 배울 것을 다 배우면 또 다른 스승을 찾아 길을 떠났다. 맨 마지막에 그는 지혜 제일인 문수사리보살을 만났다. 문수사리보살이 젊은이에게 물었다. '자네는 53인의 스승으로부터 무엇을 배웠는가?' 젊은이는 이 사람은 이것을, 저 사람은 저것을 가르쳐 주었다고 늘어 놓았다. 문수사리보살이 그를 때렸다. 순간 그가 배운 것이 전부 사라져 버렸다.

그가 이것을 깨닫는 순간, 그는 다시 한 사람의 스승을 찾아 떠나기로 결심을 하였다. 그 때 몸이 사라져 버렸던 문수 사리보살이 1만 세계를 가로질러 젊은이의 머리를 쓰다듬으며, '이 초발심자의 발심이야말로 참다운 견성의 마음이니라' 하고 말했다.

그 소리를 듣는 순간 그 동자는 대오견성(大悟見性)하였다. 어떤 사람들은 5년이고 10년이고 견성을 못하고 계속 참선만 한다. 그들은 거의가 다 자기 스승에게 집착해 있어서 이 스승들은 그들을 깨닫게끔 도울 수가 없다. 만일 네가 오직 한 스승하고만 참선을 한다면, 그 스승이 아무리 훌륭하더라도 문수 보살을 만나긴 어렵다. 그러므로 참선인은 모름지기 선사를 찾아다녀야 하고 그러다 보면 눈 밝은 선사를 만나게 된다. 이것은 아주 중요한 일이다."

"그런데 제가 그걸 어떻게 알 수 있을까요?"

"처음엔 아마도 알 수 없을 것이다. 그러나 네가 한참 동안 참선하고 여러 선사의 말을 들으면, 그 때는 스스로 무엇이 올바른 가르침인지 아닌지를 알 수 있게 된다. 만일 네가 설탕을 직접 맛보지 않으면 달다는 것을 알지 못한다. 또 소금을 직접 먹어 보지 않고서는 짜다는 것도 알 수 없다. 아무도 너를 대신해서 맛을 볼 수는 없다. 그건 네 스스로 해야만 한다."

"그렇다면 모든 선사들은 다 깨우친 분들이 아닙니까?"

"깨우침의 정도가 다르다. 시각(始覺)이 있고, 본각(本覺)이 있고, 구경각(究竟覺)이 있다. 시각이란 '참다운 공'을 증득하는 것이다. 본각은 '여여함'을 증득하는 것이다. 구경각은 '즉여함' 이다."

"좀더 설명을 해 주시겠습니까?"

"그러마. 여기 사과 한 개가 있다. 만일 네가 사과라고 한다면 너는 이름과 모양에 집착하는 것이다. 그러나 만일 네가 사과가 아니라고 한다면, 넌 공에 집착하는 것이다. 그러면 이것이 사과냐, 아니냐? 만일 네가 바닥을 두드리거나 '할!' 하고 외치면 그것이 시각으로 답하는 것이다.

만일 네가 '하늘이 푸르고 나무가 파랗다'고 대답하거나 '사과는 빨갛고 벽은 하얗다'고 한다면 바로 '여여한' 경지로 대답하는 것이다. 그러나 만일 네가 사과를 한 입 베어 문다면 그건 '즉여한' 대답이 된다. 이와 마찬가지로, 종을 울린다거나 책을 펴서 읽을 수도 있다. 그러므로 시각, 본각, 그리고 구경각은 모두 다른 해답을 갖고 있다.

어떤 선사들은 이런 구분을 짓지 않는다. 어떤 선사들은 '할'과 양구만을 알기도 한다. 또는 '할'과 '여여함'은 좀 구분할 수 있다 해도 '즉여함'은 모른다. 눈 밝은 선사라면 이 세 가지 깨달음을 다 판가름한다. 뿐만 아니라 그는 이 세 가지를 자유자재로 다 사용할 줄 안다."

"뉴헤븐에서 제가 법문을 들은 선사께서는 완전한 견성 같은 것은 없다고 했습니다. 그래서 누구라도 졸업할 수는 없다고 했는데 그 말은 맞습니까?"

"부처님께서 말씀하시길, '두두물물이 모두 이미 견성하였노라' 하셨고, 또한 탁월한 조사께선 '생각을 내지 않으면 그대로가 부처이니라' 하고 말씀하셨다. 생각을 내지 않으면 깨끗한 마음이 된다. 그래서 만일 네가 깨끗한 마음을 지킨다면, 무슨 행동을 하건 즉여한 경계이다. 네가 '견성을 더 많이 증득한다. 더 많이. 더 많이'라고 말하는 것은 생각이다. 생각은 갈애다. 갈애는 고통이다. 그래서 남전(南泉) 선사는 '평상심이 도이다(平常心是道)'라고 하셨다."

그 제자가 말했다.

"질문이 하나 더 있습니다. 선사님께선 눈 밝은 선사라면 견성의 세 가지 종류를 다 식별한다고 하셨습니다. 그러나 참선하는 마음이란 바로 분별을 하지 않는 마음을 가리키는 것이 아닌가요? 그래서 3조(僧璨) 스님께서 '대도(大道)란 분별하지 않는 사람에겐 결코 어렵지 않다'고 하셨지 않은가요?"

선사께서 말씀하셨다.

"시각, 본각, 구경각 이것들은 같으냐, 다르냐?"

그 제자는 잠시 생각을 하더니 미소지으며 대답하였다.

"벽은 하얗고 카페트는 파랗군요."

"넌 색에 집착하고 있다."

"선사님이야말로 색에 집착하고 계십니다."

"개는 뼈다귀를 쫓는 법이니라."

"그럼 그들이 같은 것입니까, 다른 것입니까?"

선사께서 말씀하셨다.

"벽은 하얗고 카페트는 파랗다."

그 제자가 미소를 지었다.

72. 본래 소리, 본래 몸

선사님께

케임브리지에서 인사드립니다. 편지에 동봉한 '선 코미디'
를 재미있게 보시기 바랍니다. 아마 영어 공부에도 유익할 겁
니다. 여기 일은 잘 되어 갑니다.

'나는 누구인가(是甚麼:이 뭣고)'의 의문은 자라고 자라
서…… 토요일에 요가 학교가 시작됩니다. 전 두 개의 강의를
맡고 있습니다. 하나는 토요일 오전이고 또 하나는 대부분이
교수와 교수 부인, 친지들로 이루어진 특별반으로 주간에 있
습니다. 각각 2시간씩 이어지는데, 몸 동작·숨쉬기·세척과
식이요법에 대한 이해·좌선 입문으로 이어집니다. 처음에는
딱 30분으로 정했었는데 점차 쿠션 위에선 좀더 지속할 수
있게 되었습니다. 대자 씨가 여성들에게 요가를 지도하고, 죠
니도 역시 요가를 지도합니다. '케임브리지 선원 하타 요가
센터'라고 불리어질 겁니다.

제 친구 중 한 사람이 곧 우리에게 두 사람의 부자를 데려
와 소개시킬 예정입니다. 그 사람들은 남을 위해 시간과 돈을

많이 베푸는 사람이어서, 아마도 우리에게 도움을 줄 것 같습니다.

어제 전 교수직을 맡기 위해 아주 멋지게 인터뷰를 하고 왔습니다. 교수직이 우리에게 도움이 될 것 같습니다. 특히 그 직업이 좋은 점은 제가 어떤 특정 전공(예를 들면, 심리학이라든가 철학 같은)에 속하지 않고 아는 것을 가르칠 수 있는, 그야말로 종합 교수가 된다는 점입니다. 특별한 과목을 전공하지도 않은 제가 대학 교수 같은 직업을 가질 수 있다니 그 얼마나 대단한 것입니까? 제가 무엇을 원하건(불교라도) 제가 가르칠 수 있도록 허용될 것 같습니다. 보수도 좋아서 선원 운영에도 큰 도움이 될 것 같습니다. 그러나 그런 일을 해 나가기는 쉽지 않을 것 같습니다. 특히 대부분의 교수들은 다른 외부인이 높은 지위로 들어와서 선이나 요가에 대해 강의한다는 것에 선뜻 마음을 열어 주지 않기 때문입니다. 만일 그들이 제게 일을 준다면 제가 하고 싶은 것을 가르치도록 할 것입니다. 몇 가지 질문을 드립니다.

1) 요 몇 년 동안 명상을 할 때면 제 '머리 속에서' 무슨 소리가 들립니다. 그런데 이제는 매우 큰 소리가 들리게 되고 또 잠시 좌선을 할 때도 그런 일이 나타납니다. 귀뚜라미떼 소리 같기도 하고 아니면 커다란 고동소리처럼 들리기도 하는 아주 기분이 좋은 소리입니다. '난 누구인가?'의 대답으로 들려옵니다. 그것을 호랑이처럼 무서워해야 되나요? 아니면 그 소리 속으로 사라져야 합니까? 무시해 버려야 합니까?*

2) 윤회에 대해: 솔직히 말해서 전 아직 전생에 대한 실제

---

* 이것은 관세음 보살 염불 수행과 무슨 관련이 있는 건 아닐까요? 즉, 외부의 소리를 듣게 함으로써 자성(自性)의 소리에 귀를 기울이게 하는 방법과 같은 건 아닐까요?

체험이 전혀 없고(아니 그것을 모른다고 하는 편이 더 옳습니다), 뿐만 아니라 전 육신이 죽은 뒤에 무슨 일이 일어나는지도 모릅니다.

불교의 윤회설(輪廻說)은 아주 지적이고도 수긍 가는 설이기는 하지만 이 진리에 대해 직접적으로 자각할 수는 없습니다. 두 명의 심령술사는 제가 전생에 동양인이었던 적이 있다고 말했습니다. 그랬기 때문에 어렸을 때 제가 동양적인 방식의 삶을 훨씬 편하게 생각했다는 것입니다.

전에 L.S.D.를 복용했을 때는 제가 마치 몽고족의 야성적이고 원시적인 사냥꾼이었던 것 같은 느낌이 들었습니다. 그렇지만 전 이것을 전생이 있음을 증명하는 증거로 받아들이진 않았습니다. 제가 불교의 귀일사상(歸一思想)이나 공관(空觀)을 아주 '친숙'하게 느끼는 것은 사실이지만, 그러나 이것은 L.S.D. 같은 것을 써 본 작은 경험에서 비롯된 것입니다.

누구로 다시 태어납니까? 모든 것은 변하기 때문에 제행무상(諸行無常)입니다. 케임브리지의 많은 사람들이 윤회에 확신을 갖는 것 같습니다. 그런데 전 모르겠습니다. 이것이 수행에 절대 필요한 것은 아닙니다. 왜냐 하면 제게 이것이 저의 단 한 번뿐인 생이라고 하더라도 아무튼 전 참선을 할 작정이기 때문입니다. 절 도와 주시겠습니까? 전 부처님과 조사스님들 그리고 선사님께서 거짓말을 한다고는 절대 생각하지 않습니다. 그렇지만 전 꼭 제 자신을 알아야만 하겠습니다.

또 전 저의 '소아(小我)'가 공안을 싫어한다는 것을 인정해야만 합니다. 모든 영적인 방법 중에서 — 요가, 염불, 진언, 호흡법 등 — '소아'가 제일 싫어하는 것이 그것입니다. 제마음이 네모난 바퀴를 가진 차를 운전하고 국숫발을 날개 삼아 달고 있는 비행기같이 날아다닙니다. 어서 돌아오셔서 저희들과 함께 웃으시길 바랍니다.

선사님께서 뿌리 없고 껍질 없는 과일 아닌 결실을 미국에서 거두시길 바랍니다.

1974년 10월 12일
사랑해요!
변조 드림

변조 씨에게

당신의 편지와 책을 잘 받아 보았습니다. 그 책은 아주 유익합니다. 나는 선(禪) 영어를 배우기 위해 읽을 생각입니다. 당신이 요가 학교를 시작했다는 말을 듣고 아주 기뻤습니다. 그 학교가 매일매일 더욱 번창해서 미국에서 으뜸가는 요가 학교가 되길 바랍니다.

요즘 달마사에는 미국인들이 좌선하러 옵니다. 그들은 생전 처음으로 조계종(이것이 한국식입니다)의 가르침을 들었는데도 우리들 방식의 선을 아주 좋아하더군요. 그들 중 몇 사람이 제자가 되고 싶어서 케임브리지 선원으로 갈 겁니다. 그들이 케임브리지로 가면 잘 도와 주어야 합니다.

선원에 부자가 찾아오는 것은 좋은 일입니다. 그렇지만 우리 학생들이 열심히 일해서 그 돈으로 집을 사는 게 더 좋습니다. 이 길이 더 좋은 방법이지요.

나는 당신이 훌륭한 직업을 가지고 모든 사람들을 돕기를 고대하고 있습니다. 많은 사람들이 이름과 모양에 집착하고 있고, 당신이 교수 직함을 갖게 된다면 그들은 다른 면으로 당신의 말을 잘 들을 것입니다. 그것이 보다 쉽게 그들을 도울 수 있는 방법이 될 수도 있습니다. 난 당신이 그 직업을 얻어 모든 사람을 돕는 훌륭한 교수가 되길 바랍니다.

소리에 대한 당신의 질문에 대답하겠습니다. 이것은 본래의 소리입니다. 만일 당신이 아주 조용히 있을 땐 그 소리를 들을 수 있습니다. 그러나 만일 당신이 그 소리에 집착하면 그 소리가 더 커지는데, 그것은 좋지 않습니다. 그냥 '난 누구인가?'만 지키고 있으면 그 소리는 '난 누구인가?'란 소리로 됩니다. 그리고 소리가 안 날 때는 아무것도 안 들리는 것이 바로 소리입니다. 그러면 당신의 참다운 자성을 이해할 것입니다. 이것이 바로 당신의 참다운 자성입니다.

참 성품엔 안도 밖도 없다.
소리는 깨끗한 마음이고, 깨끗한 마음이 소리다.
소리와 듣는 것은 다르지 않다.
오직 소리만 있을 뿐.

내가 당신에게 묻는다.
지금 당신은 육신을 가졌는데, 이것이 색인가, 공인가?
무지개에는 몇 가지 색이 있나?
어떤 이는 다섯, 어떤 이는 일곱,
또 어떤 이는 열둘, 혹은 삼십,
또는 백 가지 색으로 되어 있다고 하는 이도 있다.
누구의 말이 맞을까?
본래 무지개는 무색이다.
불교에선 생명을 과거, 현재, 미래로 분류한다.
기독교에선 과거는 없고 오직 현재와 미래만 있다.

도교에선 과거도 미래도 없고 오직 현재만 있다.

어느 것이 옳은가?

『반야심경』에서 이르길, '색즉시공 공즉시색'이라 했습니다. 만일 당신이 이름과 모양에 집착하면 삼라만상은 생멸할 것입니다. 그러나 당신이 모든 생각을 끊어 낸다면 삼라만상은 불생불멸할 것입니다.

불교에선 윤회를 말합니다. 이것이 맞습니까? 틀립니까? 만일 당신이 '맞다' 해도 내가 30방을 칠 것이고, 만일 당신이 '틀리다'고 해도 내가 30방을 칠 것입니다. 왜일까요? 당신은 이미 알고 있습니다. 고양이가 쥐를 좋아합니다.

당신이 '작은 나'를 안 만들고 '교수'를 안 만들고 공안에 집착하지 않을 때, 모든 생각이 당신 자성으로 회귀하여 당신의 마음이 맑아집니다. 마음은 칠판과 같습니다. 당신은 그 위에 '작은 나' '교수' '참선자' 등과 같은 그림을 그렸습니다. 당신이 그것을 지우면 모든 것이 사라집니다. 그런 다음 그 위에다 당신은 보살의 그림만을 그려야 합니다. 보살이란 자기를 위한 욕구가 없이, 오직 다른 사람을 위함을 뜻합니다. 그래서 나는 당신이 그것을 놓아 버리길 바랍니다.

놓아 버려요. 모두 놓아 버려요. 당신에게 시 하나를 적어 드립니다.

모양이 있는 육신과 생각이 있는 육신
그것은 대체 어디서부터 온 것일까?
생각 이전에는 이름도 모양도 없고,
오직 영원한 시간과 영원한 공간뿐.
아이들은 채를 들고 나비를 쫓고

바람이 불어 사과가 땅으로 떨어진다.

난 당신이 곧 견성해서 대장부가 되길 바랍니다.

1974년 10월 21일

곧 만나길……

숭산

73. 만공 선사

　숭산 선사의 스승의 스승이신 만공(滿空) 선사께선 어린 나이에 출가하여 수년 간 동학사(東鶴寺)에서 대승경전을 배웠다. 선사가 열세 살 적인 어느 날, 오랜 기간의 해제가 시작되는 큰 법회가 있었다. 강사 스님이 일어나 말했다.

　"여러분들은 모두 열심히 공부해서 불교를 잘 배워 큰 나무가 되라. 큰 나무가 되면 법당의 대들보가 되느니라. 큰 그릇이 되라. 큰 그릇이 되면 만 가지를 다 포용할 수 있느니라.

　경전에 보면 '물은 담는 그릇에 따라 그 모양이 모나게도 되고 둥글게도 된다고 하였다. 마찬가지로 사람도 사귀는 친구에 따라 훌륭해지기도 하고 나빠지기도 한다'고 하였다. 마음 속에 항상 부처님을 섬기고 훌륭한 벗을 사귀어라. 그러면 여러분들은 큰 나무가 되어서 불법을 가득 담을 것이다. 이것이 내가 여러분에게 진심으로 바라는 바다."

　그 뒤를 이어서 우연히 그 때 그 곳을 방문했던 경허 선사가 설법하였다. 경허 선사는 국내에서 가장 훌륭한 선사로 알려졌는데, 누더기를 입고 머리를 덥수룩하게 기르고 초라한 수염을 기른 모습이, 머리를 깨끗하게 삭발한 다른 스님들에 비해 이상하게 보였다. 경허 선사는 이렇게 말했다.

"여러분들은 모두 출가한 승려입니다. 중이란 사사로운 정에 끌리지 말고 모든 중생을 구제하는 삶을 살아야 합니다. 커다란 나무로 자라고 큰 그릇(法器)이 되기를 원하다 보면 참다운 스승이 될 수가 없습니다. 큰 나무는 크게 쓰일 데가 있고, 작은 나무는 작게 쓰일 데가 있는 것입니다. 좋은 그릇과 나쁜 그릇은 다 용도에 맞게 쓰일 데가 있는 것입니다. 아무것도 버릴 것은 없습니다. 훌륭한 친구도 나쁜 친구도 다 사귀시오. 아무것도 거절하면 안 됩니다. 이것이 참다운 불교입니다. 내가 여러분에게 바라는 것은 모든 관념적인 생각들에서 여러분 자신들을 해탈시키는 것입니다."

이 말에 모든 사람들이 깊은 감명을 받았다. 선사가 법당을 나설 때 어린 만공이 뒤를 쫓아가 옷자락을 잡아 당겼다. 경허 선사가 뒤를 돌아다보고 말했다.

"왜 그러느냐?"

만공이 말했다.

"저를 제자로 삼아 주십시오. 저를 데리고 가 주셔요."

경허 선사는 소리를 쳐서 쫓으려 하였지만 소년은 떠나지 않았다. 그래서 경허 선사는 엄격하게 말했다.

"네까짓 조그만 것이 무슨 불법을 배운단 말이냐?"

만공이 대답했다.

"사람이야 작고 클 수 있지만, 불법에도 어리고 늙음이 따로 있습니까?"

경허 선사가 말했다.

"그놈 부처를 잡아먹을 놈이구나! 날 따라오너라."

경허 선사는 만공을 천장사(天藏寺)로 데리고 가서 거기에

머물게 하였다. 만공은 5년 동안 열심히 공부하였다. 18살이
된 만공은 어느 날 이런 공안을 들었다.

"만법귀일인데 일귀하처인가(萬法歸一 一歸何處)?"

순간 그는 커다란 의심에 빠져 버렸다. 그는 그 때부터 먹
지도, 자지도 못하고 그 질문만을 생각했다. 밤에는 잠도 이
루지 못하고 종일 어디서 무엇을 하든 그는 마음 속에서 항
상 그 의문만을 생각했다.

어느 날, 그가 좌선을 하고 있을 때 앞에 있는 벽이 뻥 뚫
어졌다. 그 구멍 밖의 풍경이 훤히 내다보이는 게 아닌가! 풀,
나무, 구름, 파란 하늘까지 벽을 통해 뚜렷하게 보였다. 그는
벽을 손으로 만져 보았다. 아직도 벽은 거기에 있었는데 유리
를 통해 보는 것같이 투명하였다. 위를 보니 천정을 통해서도
밖이 보였다. 순간 만공은 뛸듯이 기뻤다.

다음 날 아침 일찍 그는 선사에게로 달려가 말했다.

"제가 만물의 본래 성품을 꿰뚫었습니다. 제가 견성했습니
다."

선사가 말했다.

"아, 그래? 그럼 만물의 본래 성품이 어떤 것이더냐?"

만공이 말했다.

"제가 벽과 천정을 보니까 벽과 천정이 없는 것처럼 훤히
내다 보였습니다."

선사가 말했다.

"그래, 그게 그 진리라는 말이냐?"

"네, 전 이제 아무런 장애가 없습니다."

선사가 주장자를 들어 만공의 머리를 때렸다.

"지금도 아무 장애가 없느냐?"

만공은 깜짝 놀랐다. 눈이 튀어나올 것 같고 얼굴이 빨개지

면서 단단한 벽이 나타나 보였다. 선사가 말했다.

"너의 진리는 어디로 갔느냐?"

"모르겠습니다. 가르쳐 주십시오."

"넌 무슨 공안으로 공부를 했느냐?"

"'만법귀일 일귀하처?' 입니다."

"그래, 그 하나를 알았느냐?"

"아닙니다."

"너는 우선 그 하나를 알아야만 한다. 네가 본 것은 망상이었다. 그런 것으로 미혹에 빠지지 말아라. 공부하던 그 공안으로 계속 수행해 가면 곧 깨닫게 될 것이다."

만공은 선사와의 면담을 마치고 나온 후 더욱 분발하였다. 그 후 삼 년 동안 계속해서 큰 의심을 품고 참선해 나갔다. 그런데 어느 날 아침, 다른 날과 마찬가지로 그가 새벽 쇳송을 하는데 '약인욕료지 삼세일체불 응관법계성 일체유심조(若人欲了知 三世一切佛 應觀法界性 一切唯心造)하는 대목을 부르며 범종을 쳤다.

순간 그의 마음이 확 트이고 부처님이 그 한 소리에 살아 계심을 깨달았다. 너무 기쁜 나머지 만공은 법당으로 달려가 자기 옆자리의 승려를 발로 걷어찼다. 그 승려가 소리를 치며 말했다.

"너 미쳤느냐?"

만공이 말했다.

"이게 불성이다!"

"네가 견성했느냐?"

"온 우주가 하나이다. 내가 부처다!"

그 다음 해 만공은 많은 승려들을 발로 차고 때려서 유명해졌다. 다른 사람들은 이런 말을 하였다.

"그는 자유인이다. 그에겐 아무런 장애가 없다."

그 후 일 년 뒤인 어느 날, 경허 선사가 참석하는 중요한 행사가 열렸다. 만공은 방으로 들어가면서 이런 생각을 했다.

"이 선사나 나나 똑같다. 둘이 다 견성했으니 그도 부처고 나도 부처이다. 그렇지만 그는 나의 첫번째 스승이셨으니 다른 중들이 하듯이 똑같이 절은 해야겠다."

만공이 절을 하자 경허 선사가 말씀하셨다.

"이리 오너라. 참으로 오랫만이구나. 나는 네가 견성했다고 들었는데 그것이 사실이냐?"

만공이 대답했다.

"네, 사실입니다."

"훌륭하구나. 그럼 내가 한 가지 묻겠다."

경허 선사는 부채와 토시를 꺼내어서 만공 앞에 놓으며 말했다.

"이 둘은 같으냐, 다르냐?"

만공이 대답했다.

"부채가 토시이고, 토시가 부채입니다."

자비심에 넘쳐 경허 선사는 만공이 틀린 것을 가르쳐 주기 위해서 몇 시간을 애썼으나, 만공은 들으려 하지 않았다. 마침내 경허 선사가 말했다.

"내가 한 가지 더 묻겠다. 시달림에 보면 이런 어구가 있다. '눈이 있는 돌 사람이 눈물을 흘린다(有眼石人 濟下淚).' 이게 무슨 뜻이냐?"

만공은 아찔하였다. 그는 아무 할 말이 없었다. 갑자기 경허 선사가 소리쳤다.

"네가 이것을 모르는데 어찌 부채와 토시가 같다 하느냐?"

이 소리에 만공은 절망해서 절을 올리고 말했다.

"용서해 주십시오."

"네가 틀린 것을 깨달았느냐?"

"네, 스승님. 어찌해야 할까요?"

"옛날 조주 선사는 개에게도 불성이 있느냐는 물음에 '무!' 라고 하였느니라. 이게 무슨 뜻이냐?"

"모르겠습니다."

경허 선사가 말했다.

"항상 그 모르는 마음을 지니면 너는 곧 견성할 것이다."

만공은 이 말이 얼마나 위대한 가르침인가를 깨달았다. 그 후 그는 삼 년 동안을 열심히 수행하면서 항상 모르는 마음을 지녔다.

어느 날, 그는 범종 치는 소리를 듣고 조주 선사의 답을 이해했다. 그는 경허 선사를 찾아가 절을 올리고 말했다.

"저는 이제 보살의 얼굴이 왜 멀어졌는지를 알게 되었습니다. 왜냐 하면 꿀은 달고 김치는 맵기 때문입니다."

74. 만공 선사 할(喝)을 설명하다

한때 만공 선사가 양산 통도사에서 혜월(慧月) 선사와 함께 기거한 적이 있었다. 점심 공양 시간이 되었다. 승려들이 둘러앉아 공양을 받았다. 모두 공양 시작을 알리는 죽비소리를 기다리고 있었다.

갑자기 혜월 선사가 '할!' 하고 외쳤다. 모두 그 소리에 깜짝 놀라 어리둥절하였다. 다른 승려들이 혜월 스님을 바라보았다. 그런데 그는 전혀 아랑곳하지 않고 혼자 공양을 들고 있었다.

그래서 다른 사람들도 공양을 들기 시작하였다. 그러나 모두들 생각했다.

'왜 선사께서 소리를 내셨나?'

'그건 무슨 뜻일까?'

'왜 난 지금의 일을 이해하지 못할까?'

드디어 점심 공양이 끝나고 전부들 발우를 닦아 각자의 보자기에 쌌다. 그 때 죽비소리가 나서 모두 일어섰다. 갑자기 만공 선사가 '할!' 하고 소리치자 모두 놀라고 당황해 하였다.

잠시 후, 한 승려가 만공 선사에게 다가가 그 의미가 무엇이냐고 물었다. 만공 선사가 말했다.

"미안하네만, 말해 줄 수가 없네."

그 때 다른 승려가 오고 두 사람, 세 사람씩 모여 들었다. 그들은 절을 하며 말했다.

"제발, 선사님 가르쳐 주십시오."

드디어 만공 선사가 말했다.

"나는 입을 떼고 싶지 않다. 그러나 너희들이 너무도 알고 싶어하기 때문에 내가 설명하마."

그러면서 갑자기 만공은 "할!" 하고 소리를 지른 후 걸어갔다.

75. 무심전법(無心傳法)

어느 목요일 저녁, 케임브리지 선원에서 법문이 끝난 후 한
제자가 숭산 선사께 질문을 했다.

"선가의 전통에 의하면, 자비에 대한 가르침이랄까 혹은 스
승이 제자에게 마음이 없음을 전한다는 것이 무슨 뜻입니
까?"

선사께서 말씀하셨다.

"없는 마음을 어떻게 전하느냐? 전할 게 대체 뭐가 있단 말
이냐? 한때 부처님께서 영산에 머무신 적이 있었다. 매일 부
처님께선 제자들에게 긴 법문을 들려 주셨다.

하루는 천이백 명의 대중이 설법을 듣기 위해 모여 있었다.
부처님께선 대중 앞에 앉으셔서 아무 말씀도 없이 그냥 계셨
다. 일 분이 지나고, 오 분이 지나고, 십 분이 지났다. 드디어
부처님께선 꽃 한 송이를 들어 보이셨다. 오직 마하가섭만이
그 뜻을 알아차리고 미소를 지었다. 부처님께서 말씀하셨다.
'나에게 있는 정법안장을 너에게 전하노라.'

그러나 훗날 한 명안 조사(明眼祖師)는 '부처님은 미쳤다.

모든 사람이 정법안장을 이미 갖고 있는데, 어찌 부처님이 가섭 존자에게만 전할 수 있단 말인가?'라고 했다. 이것은 마치 개고기를 팔면서 양고기라고 선전하는 것과 같다. 선에선 전법한다는 뜻은 오직 스승이 보아 이미 견성했음을 인가(印可)한다는 것이다. 즉, 스승이 마음을 감별해서 깨달았는가 못 깨달았는가를 보는 것이다. 만일 견성을 했으면 그 때서야 스승은 자기의 교수법을 전하는 법이다."

두번째 제자가 말했다.

"선사님께선 스승이 제자의 견성을 감별한다고 말씀하셨는데, 만일 모든 사람이 이미 정법안장을 가졌고, 또 이미 불성을 지녔다면, 어찌 견성을 못한 사람이 있을 수 있단 말입니까?"

선사께서 말씀하셨다.

"너의 머리가 매우 검구나. 왜 검으냐?"

"그냥 검은 거죠."

"너는 검은 색에 집착해 있다."

"그러나 그건 검습니다!"

"『반야심경』에는 색도 없고 눈도 없다고 하였다. 그런데 어디에서부터 검은 색이 온 거냐?"

"모르겠습니다."

"모른다면 나의 방(棒)을 맞아라."

"제 마음에서부터 왔습니다."

"너의 마음? 너의 마음은 어디에 있느냐? (대중들 웃음소리) 너는 검다는 것을 모르고 있구나. 그렇지 않느냐?"

그 제자가 잠자코 있었다.

"너는 아무것도 모르는구나."

선사께서 말씀하셨다.

"이것이 선사가 다른 사람의 마음을 감별하는 법이다. (더 큰 웃음소리) 모든 사람이 너의 머리가 검다는 것을 본다. 그러나 깨닫지는 못한다. 모든 사람들이 불성을 지녔으나 깨닫지는 못한다. 그래서 너의 마음을 감별한다는 것은 아주 중요한 일이다."

76. 암소의 뱃속

어느 날 아침, 프로비던스 선원에서 숭산 선사께서는 다음
과 같은 법문을 하셨다.

"옛날에 한 훌륭한 선사가 아침 공양 후 쌀 세 톨을 가져다
가 작은 소 한 마리에게 주곤 했다. 처음에 이 소는 아주 작
았고 또 배도 무척 고팠다. 암소는 식탁을 둘러보더니 바늘
한 개를 찾아내서 그것을 먹기 시작했다. 그리곤 입으로 들어
갈 만한 것은 모두 찾아내서 먹으며 돌아다녔다. 소는 곧 자
라기 시작했다. 많이 먹을수록 소는 더욱 자랐다.

결국 암소는 그 훌륭한 선사를 삼킬 만큼 자라서 선사를
아주 맛있게 먹어 치웠다. 암소는 부엌에 있는 것을 몽땅 먹
어 치운 뒤 법당으로 갔다. 목탁도 먹고, 향도 먹고, 부처님도
먹었다. 그리고 암소는 절까지 전부 먹고 사찰 주변의 요사채
까지 몽땅 삼켜 버렸다. 암소는 점점 더 비대해졌다. 암소는
똥을 누지 않았기 때문에 삼키는 것이 전부 살로 가서 커지
기만 하였다.

비록 이 소에게 먹힌다는 것이 좀 무시무시하긴 해도 신체

적으로는 아무런 해도 입지 않았다. 그러나 금새 큰 고통을 느꼈다. 일단 암소의 뱃속에 들어가면, 사람들은 이름과 모양에 집착하게 된다. 사람들에게 있어 선과 악, 시간과 공간, 온 우주가 여전히 암소의 뱃속에 갇혀 있는 것이다.

지금도 여러분은 암소의 뱃속에서 생하고 멸하는 세계에 살고 있다. 여러분은 그래서 이름과 모양에 집착한다. 암소의 몸 밖에는 고통도 없고 생도 없고 멸도 없다. 여러분은 어떻게 밖으로 나갈 것인가?"

77. 오늘은 부처님 오신 날, 햇살이 찬란하다

선사님께

보내 주신 침술 책과 멋진 편지는 감사하게 받아 보았습니다. 오늘은 부처님 오신 날입니다. 불단에 특별한 향을 피웠습니다.

어제 저녁에는 프루던 교수님께서 오셔서 함께 식사를 했습니다. 그분은 단무지와 샐러드를 아주 많이 드셨습니다. 우리가 그분을 위해 부처님 오신 날 찬가를 불러 드렸더니 아주 행복해 하셨습니다.

저는 사자후를 토하며 모든 부처님을 죽이고, 모든 조사를 죽이고, 모든 사람을 죽였습니다. 그래서 산이 전부 무너지고 바다가 전부 말랐습니다. 사자후란 무엇일까요? 저는 모르겠습니다. 할!

오늘은 부처님 오신 날, 햇살이 찬란하다.

1973년 5월 10일
보비 올림

보비 군에게

모두들 안녕하세요? 당신이 보내 준 편지와 『붓다의 가르침』이란 책을 아주 감사히 받아 보았습니다. 당신이 부처님 오신 날을 기념했다니 아주 멋지군요. 고맙습니다.

당신이 프루던 교수를 저녁 식사에 초대했었다는 말을 듣고 나는 아주 기뻤습니다. 당신의 편지는 아주 훌륭한 것이었습니다.

편지를 보니까 내가 없을 때도 당신은 좌선을 열심히 했더군요. '사자후를 토한다'는 말을 했기 때문에, 비록 당신이 모든 부처님과 조사님들 그리고 모든 사람을 다 죽였다 하더라도 당신은 화살같이 지옥으로 날아갈 것입니다. 왜냐 하면 본래부터 아무것도 없었기 때문에(本來無一物), 부치와 조사를 죽일 필요도 없고, 산을 무너뜨릴 필요도, 바다를 말릴 필요도 없는 것입니다.

"나는 모릅니다. 할!"

이것은 아주 멋진 문장이군요. 그러나 어떻게 당신은 흰색에서 붉은색을 가려내고, 바닥에서 꼭대기를 구분해 낼 수 있을까요? 왜냐 하면 이런 말 속에는 머리도 꼬리도 눈도 귀도 없기 때문입니다.

그래서 아무리 당신이 무한한 시간을 지나 보낸다 해도 당신은 여전히 부처가 될 수 없습니다. 그곳에서부터 나오면서 당신은, 오늘은 부처님 오신 날이고 햇살이 찬란하다고 했어요. 내가 어떻게 해야 당신을 충분할 만큼 칭찬할 수 있을까요?

진리란 바로 즉여(卽如)인 것입니다. 그러나 아무리 당신이 진리를 말했다 하더라도, 만일 당신이 가느다란 머리카락이 허공의 뼈(Bone of Space)에서 자라고 있음을 못 깨닫는다면, 당신은 아직도 참다운 자성을 모르는 것입니다. 어떻게 할 것입니까?

청산은 움직이지 않고 있는데,
흰 구름만 오락가락하노라.
靑山自不動
白雲自去來

1973년 5월 14일
곧 만나길……
숭산

78. 덕산(德山)의 방(棒)

덕산 선사는 질문을 하는 사람에게 주장자로 때려서 그 질문에 답을 해 준 선사로 유명하다. 어느 날, 선사는 한 절로 법문을 하러 갔다. 선사는 법상에 올라서서 주장자를 들고 대중들에게 말했다.

"오늘은 질문도 답도 없을 것이다. 여러분이 질문을 하기만 하면 내가 30방을 때릴 것이다."

한 제자가 그의 앞으로 걸어와 절을 하였다. 덕산 선사는 30방을 때렸다. 그러자 그 제자가 질문했다.

"왜 저를 때리십니까? 전 절만 했지 질문은 안 했습니다."

덕산이 말했다.

"네 놈은 어디서 왔느냐?"

그 제자가 대답했다.

"동쪽에서요."

덕산이 말했다.

"네놈이 동쪽을 떠나기 전에 내가 네놈에게 30방을 주겠다."

덕산이 그를 30방 때렸다. 그 제자는 절을 하고 자리로 돌아갔다.

하루는 제자가 덕산을 찾아와 절을 하였다. 덕산이 즉시 그를 때렸다. 제자가 말했다.

"제가 무슨 잘못을 했습니까?"

덕산이 말했다.

"나는 네 놈이 입 열기를 기다리지 않는다."

또 한번은 한 승려가 덕산의 방으로 들어왔다. 그는 눈이 밝고 자신만만한 사람이었다. 그는 덕산이 무조건 사람들을 때리기만 한다고 알고 있어서 자기가 먼저 덕산을 때리려고 작정하였다. 그가 손을 들었지만 이미 덕산은 주장자를 쳐들고 있었다.

"이게 뭐냐? 너의 행동을 용납하지 않겠다."

그 제자가 어리둥절해서 방을 나가려 하였다. 그 때 덕산이 뒤에서 그를 때렸다. 제자가 쳐다보자 덕산이 외쳤다.

"할!"

그 제자는 얼어붙었다. 덕산이 말했다.

"이것이 네가 가진 밑천의 전부냐?"

제자가 고개를 숙이고 말했다.

"죄송합니다."

덕산은 제자의 등을 두드리며 말했다.

"됐다, 됐어."

그렇게 덕산은 많은 제자들을 때림으로써 마음을 열게 해주었다.

79. 두두물물이 네 스승이다

선사님께

로드아일랜드와 케임브리지의 일은 잘 되어가는지요? 4월
에 승룡 법사는 아시아로 갈 것이고 그 때 저도 이곳을 떠나
려고 합니다. 쎄일론 승려인 아난다(법랍이 30년 되었다고 합
니다)는 제가 그를 도와서 제 고향에 선원을 열기를 희망합
니다. 그렇지만 전 썩 내키지 않습니다. 이분이 경전이나 공
안 중에서 이해 못하는 부분은 없는 것 같습니다. 그러나 이
해한다는 것 — 고작 문자로서 이해한다는 것 — 은 전혀 중
요하지 않은 것 같습니다.

중요한 것은 다만 있는 것을 그대로 보는 것이고, 안과 밖,
선과 악에 대한 분별을 전혀 일으키지 않거나 없애는 것입니
다. 그 때에 사람은 시간을 초월한 영원한 관점에서 분명히
볼 수 있습니다. 그러나 저는 이런 식의 이야기 때문에 30방
을 맞아야만 하겠죠.

이제 문제를 말씀드리면, 지난 2년 간 저는 점점 더 공으로
부터 탈출하고 있으며, 제가 세상이고 세상이 저라는 것을 더

욱더 깨닫고 있습니다. 제가 행하는 바에 따라 저는 저를 둘러싼 세상을 만든다고 생각합니다. 저는 이것을 분명히 알기 때문에 매일 다른 이에게도 가르쳐야 될 책임을 느낍니다. 어떻게 사람들이 자신의 극락과 지옥을 만드는가, 어떻게 그(그녀)가 증오심과 분노심으로 증오와 분노에 가득 찬 세상을 만드는가 하는 것들에 대해서 말입니다.

저는 더 이상 제 자신만을 위하여 살 수는 없습니다. 다른 사람들을 도와 주고 위의 사실을 보여 주어야만 합니다. 그런데도 제게 남들을 도와 줄 힘이 없어서인지 그들이 제 말을 듣지 않아요. 이건 제가 이해를 못해서가 아니라, 제 이해력이 제 자신의 능력과 일치하지 못했기 때문입니다.

그렇지만 이제는 그 어떤 이해도 다 떨쳐 버리려고 합니다. 왜냐 하면 누군가가 이해의 견지에서 행동을 하게 되면, 그 이해는 결국 동떨어진 것이 되기 때문입니다. 이해라는 것을 던져 버렸을 때의 진짜 깨달음이란 깨달을 바가 없는 것입니다. 그리고 이것까지도 던져 버려야만 합니다. 그렇다면 진리를 갈구하고, 신을 찾으며, 고통을 멈추고자 하는 사람들에게 그들이 해야 할 일이란 무엇인가를 추구하지 않는 일이라는 것을 어떻게 말해 줄 수 있겠습니까? 매일매일 저는 제 의무감이 자라남을 깨닫습니다. (관념으로써만이 아니라) 제가 도와야만 할 여러 현실적인 측면들을 매일 깨닫고 있으면서도, 어떻게 도와야 할지도 또 어떻게 사람들로 하여금 제 말을 듣게 할지에 대한 자신도 없어서 결국 길을 찾지 못하고 있습니다.

저는 매일 해야 할 의무를 분명히 깨닫기 때문에 제 행동에 대해 세심하게 주의를 기울이고 있습니다. 좀더 점잖고 더욱 열중하도록, 즉 해야 할 일을 피하지 않도록 말입니다.

예를 들자면, 빚을 갚을 수 있도록 일을 한다든가, 거리의 동물들에게 먹이를 주는 일들 말입니다. 뿐만 아니라 자신의 의무를 이행치 못하는 자들을 보면 저는 화가 불끈 치솟습니다. 빚을 떼먹고 도망가는 짓, 정신적으로 어울리지 않는다는 미명하에 처자를 버리고도 아무렇지도 않다고 주장하는 짓, 모든 일이 전부 그런 식입니다. 망할 놈들! 그들은 게으르고 또 세상을 피해서 아무런 일을 안 하는 거짓 평안에 매달리고 있습니다. 그들은 자기들 삶에 아무 규율도 안 갖고 있으면서도 자신들이 깊은 깨달음을 갖고 있다고 여깁니다. (선사님의 숙제인 불상에 재를 떠는 사나이와 아주 흡사하죠.) 그래서 전 그들이 자기들의 처신을 어떻게 해야 할지를 모른 채 의무를 피하고, 다른 이들에게 해를 입히고 고통을 주기 때문에 분노를 느끼지만, 그러면서도 무엇을 해야 할지 알 수 없습니다.

그 외에도 자신의 욕망을 이루기 위해 많은 사람들을 괴롭히면서도 다른 사람들에게는 관심도 없이 오직 자기 꿈만을 소중하게 여기는 야심 가득 찬 사람들을 봅니다. 저로서는 그들이 세상에 고통을 주고 자신을 망치고 있다는 것을 일깨워 주고 싶지만 그러지 못하는 데 대해 좌절을 느낍니다. 그래서 지는 제 미음을 더 맑게 하기 위하여 좌선을 계속합니다. 그래서 이들을 가르쳐서 이들의 야심, 무책임, 증오나 환상으로부터 자신이나 타인을 괴롭히는 것을 멈추게 할 수 있는 길을 찾으려는 것입니다. 그러다 보니 제가 막상 아무것도 할 수 없기 때문에 화가 나서 미칠 지경입니다. 이것은 전혀 새로운 문제는 아닙니다. 제 나이 18살 때부터 14년 동안이나 죽 느껴 온 문제니까요.

이제 두번째 문제를 말씀드리겠습니다. 헤른 법사가 4월에 떠날 때 저도 여기를 떠나고 싶다는 것을 빼고는 제가 어떻게 해야 좋을지 잘 모르겠습니다. 로스앤젤레스의 선사들 중에는 아주 훌륭한 분이 없는 것 같고, 선원들도 모두 강력한 정진을 하지 않고 있습니다. 사람들도 원치를 않고, 제자의 수도 적어서 좌선을 거의 하지 않더군요. 이런 사람들에 둘러싸여 있다는 것은 심각한 문제입니다. 왜냐 하면 제가 그들에게 좌선의 중요성을 확신시켜 줄 수가 없기 때문입니다.

1. 저는 아리조나 사막에 계신 형님 댁으로 가서 100일 간 용맹정진을 해야 할까요?

2. 강력한 참선을 한다는 일본의 선원이나 사찰에 있는 선사를 찾아야 할까요?

3. 마음이 결정되지도 않았는데 아난다 승려와 함께 고향에 선원을 차려야 할까요?

4. 아니면 프로비던스나 케임브리지로 가서 제가 훌륭한 깨달음을 얻으신 분이라고 느끼는 선사님과 함께 공부를 해야 할까요? 그러나 (비록 선사님께 끌리고는 있어도) 저는 선사님의 법문을 이해하기가 힘이 듭니다. 왜냐 하면 저는 스님이 흔히 사용하시는 말들에 대한 답을 마음 속으로 찾을 수 없기 때문입니다.

반면에 승룡 법사는 이해하기가 쉽습니다. 선적인 답이든 아니든 제게 회신을 보내 주시겠습니까? 때가 되면 제가 할 바가 뚜렷해질 거라고 말하기는 쉬운 일입니다. 그러나 이번 경우에는 이러한 말이 옳지 않다고 생각합니다. 왜냐 하면 제가 처음 이곳으로 올 때부터 거의 줄곧 떠나야겠다고 생각했으면서도 다른 좋은 대안이 없었는데, 이제는 그 어느 것도 좋게 생각되질 않습니다. 그래서 저는 여기에 머물면서 계속 저의 선사와 그의 성실하지 못한 점, 또 이곳 수행이 부족한 것들을 놓고 수없이 작은 논쟁을 벌이는 것입니다. 서서히 여기서도 수행이 늘고 있지만 그 진행 속도는 너무도 더딥니다.

또한 여기에는 참선이 전혀 없기 때문에 저 혼자 하루에 다섯 시간씩 좌선을 합니다만 이것 역시 썩 좋지 못합니다. 왜냐 하면 자기 혼자만 노력을 하면 자아가 매우 커지고 강해져서 더 끌고 나가거나 다른 것을 놓아 버리기가 어렵게 되기 때문입니다. 그것은 자신만의 힘이고 다른 사람 힘은 거의 없는 것입니다.

반면에 모여서 정진을 강하게 한다면, 좌선을 하는 노력은 단순히 해야 하는 일을 하는 것뿐이니까 자아가 점점 강해지는 일은 없지요. 자아지향적인 수행은 결국 결과는 같지만 그 속도가 느린데, 게다가 여기엔 진짜 선사가 없고 승룡 법사가 일 주일에 한 번만(어떤 때는 그보다 더 적게) 독참이나 법회 때에 오기 때문에 더 말할 나위도 없습니다.

선사님께선 프로비던스나 케임브리지에서 강력한 정진을 하십니까? 아니면 약하고 중단이 많이 되는 무력한 정진을 하십니까? 이 선원은 약 16개월 동안 수행다운 수행이 한 번도 없이 계속 정지 상태입니다. 이제는 더 강한 수행을 위한 시간이 필요합니다. 무슨 일이 있더라도 빠른 회신을 주시기 바랍니다.

1975년 1월 7일
에드 올림

에드 군에게

편지는 고맙게 받아 보았습니다. 아주 길고도 긴 편지였습니다. 좋았습니다. 그러나 나는 당신에게 입을 열어 말하면 그르치는 것이라고 알려 주었습니다. 입을 다물고만 있어요. 당신도 이미 아는 것이죠.

『반야심경』에 이르기를, '…… 오온(五蘊)이 텅 빈 것을 꿰뚫어 보고 모든 고통과 재난을 벗어났노라.' 하였습니다. 만일 당신이 이를 참으로 깨닫는다면, 당신의 마음 속에는 장소·친구·절·스승이 모두 없는 것입니다. 제일 중요한 점은 어떻게 당신이 마음을 지키느냐 하는 것입니다. 당신이 마음을 바르게 지키기만 한다면, 어디서 살든 그건 중요한 것이 못 됩니다. 당신이 승가의 일원이 되었을 때, 당신은 초발심자의 마음을 잃은 듯합니다. 나는 당신이 빨리 그 자리로 돌아가길 바랍니다.

편지에 당신은 이와 같이 썼습니다. '당신을 둘러싼 세상을 만들고' 또 '각자 모든 사람들이 자기만의 극락과 지옥을 만든다' 했습니다. 말은 쉽습니다. 참선이란 이런 것을 모두 만들지 않는 것입니다. 그러면 거기에는 아무것도 없습니다. 이것이 참다운 공입니다. 참다운 공이란 아무 장애가 없음을 뜻합니다. 왜 당신은 '세상'과 '나' '다른 사람'을 만듭니까? 우선 당신은 참다운 자성을 깨달아야만 합니다. 그러면 당신은 다른 사람들의 마음을 이해할 수 있게 됩니다. 만일 당신이 자신을 깨닫지 못한다면 어떻게 다른 사람을 가르칠 수 있습니까?

당신은 다른 사람들이 당신의 말을 들으려 하지 않는다고 했습니다. 그러면 당신은 무엇을 이해했다는 말인가요? 무슨 말을 하는 겁니까? 그들이 당신의 말을 듣기를 원합니까? 그들이 당신을 이해하기를 원합니까? 당신은 당신의 견해가 있고 다른 사람들은 각자 그들의 견해가 있기 때문에 그 차이점으로 인해 그들은 당신 말을 들으려 하지 않는 것입니다.

우선 당신이 당신의 모든 견해, 당신의 모든 지식, 당신의 상황에 대한 걱정, 자기 변명을 모두 내던져야만 합니다. 그럴 때 거기엔 아무것도 없는 것입니다. 그 때 당신이 다른 사람의 마음을 이해하는 것입니다. 당신 마음은 깨끗한 거울처럼 될 것입니다. 빨간 빛이 비치면 빨갛게 되고, 하얀 색이 비치면 하얗게 됩니다. 당신의 마음이 깨끗할 때, 그 때 거기에 다른 사람의 마음이 반사되는 것입니다. 다른 사람들이 슬프면 당신도 슬프고, 다른 사람들이 침묵하면 당신도 침묵하며, 다른 사람들이 갈애를 가질 때 당신은 그들의 갈애를 이해하게 됩니다. 그럴 때 다른 사람을 가르칠 수도 있고 그들의 마음을 고쳐 줄 수도 있습니다.

선과 악은 당신의 참다운 스승입니다. 만일 당신이 당신의 '소아(小我)'를 떨쳐 버리면 거기에는 선도 악도 없게 됩니다. 이 우주의 두두물물이 모두 당신의 훌륭한 벗이고 스승입니다. 그러므로 당신은 자기 자신을 죽여야만 합니다. 그런 후에야 당신은 자유를 얻고 무애하게 됩니다. 이것이야말로 참다운 당신의 길을 찾는 방법입니다. 만일 당신이 이 참다운 길을 깨닫게 되면 오직 자기의 길만 보고 나아가야 합니다. 길가에서 벌어지고 있는 일에 집착하면 안 됩니다. 곧장 앞으로 나아가기만 하세요.

부처님께선 이런 말씀을 하신 적이 있습니다. '한 마음이 깨끗하면 온 우주가 다 깨끗하다.' 만일 당신의 마음이 모든 생각을 떨쳐내서 깨끗해지면 당신이 있는 그곳이 어디든 간에 깨끗합니다. 다른 사람들 걱정은 하지 마세요. 만일 당신만 열심히 수행한다면 다른 사람들이 모두 당신을 따를 것입니다. 당신의 마음은 아주 강합니다. 그러나 당신은 '자아'가 그 강한 마음에 집착해서 싫고 좋은 것도 강렬하게 하고, 분노도 강렬하며, 좌절감이나 다른 사람들에 대한 나쁜 생각 같은 것도 강렬하게 합니다. 당신은 이 강한 마음과 강한 나를 철저하게 끊어 내야만 합니다. 이것은 아주 중요한 일입니다. 당신이 이해하는 것에 대해 말할 때는 그것은 바로 당신의 마음에 집착하고 있는 것입니다. 이 자신을 끊어 버리세요!

어떤 승려가 조주 선사에게 묻기를, "개에게도 불성이 있습니까." 하자 조주 선사는 "무(無)!" 하고 대답했습니다. 당신은 이 '무'를 이해합니까? 그게 무슨 뜻입니까? 만일 당신이 입을 열면 나는 당신에게 30방을 때릴 것입니다. 어떻게 하겠습니까? 생각하는 건 좋지 않습니다. 그러니 모두 놓아 버리세요.

당신은 훌륭한 선사나 맹렬히 수행하는 선원 혹은 100일 간 용맹정진을 하든지 프로비던스로 오고 싶어합니다. 만일 당신이 마음을 떼 버리지 못한다면 그 어떤 방법도 당신에게 도움이 되지 못할 겁니다. 당신은 무엇이 좌선인가를 알아야 합니다. 무엇이 좌선입니까? 앉는다는 것이란 바로 모든 생각을 끊어내고 마음을 움직이지 않도록 지킨다는 뜻입니다. 선이란 무엇입니까? 선이란 깨끗해지는 것을 뜻합니다. 당신은 외형적인 선에 집착해 있고 진짜 선을 알지 못합니다.

만일 당신이 정말 선을 이해한다면 그 때는 선사가 있을 필요도 없고 100일 간 용맹정진을 할 필요도 없으며, 고된 수행을 하는 곳이나 프로비던스·케임브리지 같은 곳을 찾을 필요도 없습니다. 그러면 당신은 걷고, 서고, 앉고, 자고, 말하고, 침묵을 하면서도 수행을 할 수 있게 됩니다. 항상 깨끗한 마음을 지키세요. 항상 참다운 자성으로 돌아가세요. 그럴 때 거기에는 안(眼), 이(耳), 비(鼻), 설(舌), 신(身), 의(意), 색(色), 성(聲), 향(香), 미(味), 촉(觸)과 마음의 대상(法)이 없게 됩니다. 그러면 당신은 '얻을 것도 얻을 바도 없음'을 이해하게 됩니다. 당신은 '나는 견성을 원한다'는 마음을 끊어버려야만 합니다.

당신이 마음을 바르게 잡는 것은 매우 중요합니다. 당신이 견성을 원하면 원할수록 점점 더 틀려지기만 합니다. 만일 당신이 참선하기에 좋은 장소를 찾길 원한다면 그럴 만한 곳은 아무데서도 찾을 수 없을 것입니다.

그러나 만일 당신이 모든 생각을 끊고 초발심자의 마음으로 돌아간다면 바로 그 자체가 견성이 될 겁니다. 만일 당신이 참으로 공한 마음을 지킨다면 어디에 있든지 당신은 열반에 들 것입니다. 그러므로 당신은 굳게 입을 다문 채 파란 하늘과 흰 구름과 적막한 산과 시끄러운 도시로부터 배워야 합니다. 그들은 모두가 있는 그대로 여여한 것입니다. 그것이야말로 당신의 참다운 훌륭한 스승입니다. 나는 당신이 우선 강한 자아를 죽여서 항상 깨끗한 마음을 찾아 고통으로부터 모든 사람들을 구제하길 바랍니다.

　　파란 산과 푸른 숲이야말로
　　조사님들의 깨끗한 얼굴이다.
　　당신은 이것을 아는가?
　　1쿼터는 25센트.

　　　　　　　　　　　　　　1976년 1월 16일
　　　　　　　　　　　　　　곧 만나길 고대하며……
　　　　　　　　　　　　　　　　　　　숭산

선사님께

프로비던스 날씨는 어떠한지요? 이곳은 아름다운 계절입니다. 날씨는 선선하고 아주 간혹 비가 내립니다. 전 대략 7월 15일 경에 이곳을 떠나 동부로 가서 어머니와 선사님을 찾아뵐 계획입니다.

질문 한 가지가 있습니다. 만일 아무 노력 없이도 이룰 수 있는 경지라면 무엇 때문에 그 많은 노력을 해서 수행하는 것인가요? 왜 좌선하고 공안을 지키고 염불을 하는 것입니까? 지난 열 달 혹은 열두 달 동안의 저의 좌선은, 좌선을 하는 것과 안 하는 것의 차이는, 맑다는 것을 빼고는 거의 없는 것이었습니다. 즉, 공안을 지키며 좌선을 하든지 묵묵히 좌선을 하든지(지관타좌) 마찬가지였고, 힘을 들이든 안 들이든 똑같았던 것입니다.

초기에는 한 방향으로 집중하기 위해 노력하는 것과 안 하는 것은 상반되는 것 같았으나 나중에는 결국 마찬가지로 되었습니다. 3년 혹은 5년을 통해 노력하는 것이 노력 안 하는 것이 된다면, 왜 처음부터 노력 없이 시작하지 않는 건가요? 소승의 위빠사나 명상법이나 아니면 크리슈나무르티의 방법처럼 말입니다. 왜 3년이나 5년 동안을 성과도 없이 헛수고하고 제자리로 돌아오는 것입니까?

또한, 임제선이나 일본의 조동선은 힘을 기울이는 것을 더욱 강조하는 것 같습니다. 더 힘들게 좌선하고, 끝없이 수행하고 있지요. 선사님보다 말입니다. 선사님의 방법은 좌선에 있어서나 수행에 들이는 노력이 훨씬 적은 편입니다. 왜 그렇습니까?

또 선사님께선 견성, 즉 깨달음이란 '깨끗한 마음'이라고 하시지만 마에즈미 노사나 헤른 법사는 그 말에 찬성하지 않습니다. 제 경험만으로도 전 지난 4년 동안 수없이 투명함을 넘어선 상태에 든 경험이 있었습니다. 그 상태는 '나(마음과 몸 모두)'란 존재가 없어지고 보이는 세상이 그대로일 뿐, 나와 세상은 다른 것이 아니고 공간도 시간도 없는 그러한 체험이었습니다.

이 경지가 바로 선사님께서 뜻하시는 그 '깨끗한 마음'이 되는 것입니까? 좌선이 잘될 때면 '여여하다'는 이 하나된 상태는 며칠 동안 매일 나타나기도 하지만, 좌선이 잘 안 될 때는 전혀 그런 상태가 나타나지 않습니다. 그러나 이제는 좋은 좌선과 나쁜 좌선의 차이도 깨끗한 마음과 번잡하고 화가 난 마음의 차이도 없다는 것을 알게 되었습니다.

그렇지만 수행 중에는 특별히 대오하였다고 불리어질 만한 어떤 다른 시기가 있는 것입니까? 전 없다고 생각합니다. 모든 것이 견성이 아닙니까? 그렇다면 무엇 때문에 일본 노사 밑에서는 20년이고 30년이고 무작정 참선만 하고, 또 한국에서도 그보다 짧기는 하지만 오랫동안 참선을 합니까? 그렇게 오랫동안 하는 일본 방식에 대해 좀 알고 싶습니다. 그들은 그렇게 함으로써 더 철저하고 완벽해지는 것입니까? 더 나아지는 것인지 아니면 더 나빠지는 것인지 혹은 왜 그래야 하는 건지?

선사님께서 제게 질문을 하셨습니다.

"너는 무엇을 깨달았느냐?"

저는 깨달아야 할 것도, 해야 할 것도, 수행해야 할 것이라고는 아무것도 없고 오직 깨끗한 마음뿐이라는 것을 깨달았습니다. 그러나 아무도 이것을 듣고 싶어하지 않습니다. 그들은 마시고, 춤추고, 떠들고, 서로 자기 주장을 갖고 끝도 없이 사랑과 동정에 대해 떠들어대지만, 그것은 단지 사랑과 동정에 대한 그들의 관념일 따름입니다.

저는 선사가 되고 싶은 마음이 별로 없습니다. 몇 번밖에 안 되지만 선사님께서 법문을 하실 때 들은 적이 있는데, 선사님도 항상 훌륭한 선사님은 아니시더군요. 그래서 다른 사람들에게 말하고자 하는 제 지도 방법이란 사람들이 할 수 있는 수없이 많은 수행 방법을 염두에 두지 말고 그냥 좌선만 하라는 것입니다. 좌선, 공안, 지관타좌나 수식관 등 방법이 중요한 것은 아닙니다. 그러면 참된 자아는 생각하지 않고 말하지 않는 가운데 가끔씩 하느님이나 부처님이 알지 못하는 사이에 나타나 이렇게 실재와 함께하게 됩니다.

저는 더이상 견성한다는 데에 관심이 없습니다. 견성이란 단지 말뿐인 것입니다. 제가 이미 했던가 아니면 수행을 오래 하다 보면 따라오는 것일 테니까요. 그것으로 달라질 것이 있을까요? 단지 제가 관심을 갖는 것은 어떻게 하면 다른 사람들에게 생각이나 관념 등이 깨끗함에 방해되는 것인지를, 또 최소한 초기에는 자기들의 생각이나 감정을 떨쳐 버릴 수 있는 방법을 가르쳐 주는 일입니다.

7월이나 8월쯤에 만나뵐 수 있기를 바랍니다.

1975년 3월 8일
에드 올림

P.S. 직업과 수행으로 인해 저는 경제적이고도 계획적인 사람이 되었습니다. 1년이나 2년 전까지만 해도 저는 미래의 세상, 즉 식량이나 전쟁 따위에 대해 아주 낙관론자였습니다. 그러나 세상이란 너무 복잡해서 무엇이 일어날지에 대해 관념으로는 이해할 수가 없다는 것을 알기 때문에 이제는 더 관심

을 안 갖고, 대신 어떤 계획을 철저하게 세우는 편이 낫다고 보는 것입니다. 그러나 이제는 무엇이 일어나고 있는지에 대해 깊이 연구한 결과, 온 세상이 그 어느 때보다 더 심한 고통에 빠져 있어서, 아마도 세상에 대해 걱정을 한다는 그 자체가 이미 늦은 감이 있다 해도 과언이 아닐 것 같습니다.

실제로 우리가 반드시 해야 할 일은 사람들 마음을 변혁시키는 일입니다. 그리고 이제는 이것도 몇몇의 훌륭한 지도자만을 시켜서 될 일은 아닌 듯 싶습니다. 아주 많은 사람들이 이 변혁을 체험해 내야 하고, 만일 못 그런다면 온 지구는 종말을 맞게 될 것입니다. 만일 그렇게 된다면, 만일에 말입니다. 그러나 병이 나면 훌륭한 의사가 온갖 질병을 고치듯, 그때엔 능력 있는 사람들이 나서서 영혼의 병을 치료해야 할 것입니다. 그러나 급히 말입니다. 몇백 년이나 몇천 년같이 무수한 시간이 남은 게 아니라 불과 20년 혹은 30년이 지나기도 전에 이 세상은 붕괴되고 온갖 고통을 받게 될 것입니다. 만일 고통을 받게 된다면 전 괴롭습니다. 이 괴로움은 멈춰져야만 합니다.

에드 군에게

당신의 편지를 잘 받아 보았습니다. 당신이 동부 지방으로 올 때에 만나게 된다니 여간 기쁘지 않군요.

편지에 당신은 노력과 노력 안 하는 것에 대해서 글을 아주 많이 썼군요. 전부 그냥 놓아 두세요. 왜 그렇게 생각을 많이 하나요? 왜 그렇게 말하는 것에 집착을 하나요? 훌륭한 스승 한 분이 이런 말씀을 하신 적이 있습니다.

'만 가지 질문은 결국 한 가지 질문이다. 만일 네가 그 한 가지를 생각에서 끊어 낸다면 그 때에는 만 가지 질문이 한 꺼번에 사라진다.'

당신은 무엇을 원합니까? 어떤 사람은 노력을 아주 많이 하기도 하고, 또 어떤 사람은 노력을 하지 않을 수도 있습니다. 걱정하지 마세요. 당신이 관심을 가져야 할 것은 오직 당신의 일입니다. 우선 당신의 훌륭한 일을 마치도록 하세요. 그러면 당신은 그 때에 모든 것을 이해하게 될 겁니다. 앉거나, 걷거나, 말하거나, 웃거나, 먹거나, 이 모든 것은 선(禪)입니다. 당신은 이것을 알아야만 합니다. 좌선은 중요한 것입니다. 그러나 참다운 좌선은 단지 몸뚱이가 앉아 있든 말든 그 자세에 달려 있는 것이 아닙니다. 당신도 마조 선사가 고된 좌선을 했을 때 남악(南嶽) 선사가 기와 조각을 바위에 갈아 보인 이야기를 알 것입니다.

당신은 또 내가 '견성이란 깨끗한 마음'이라고 말했다고 했군요. 무엇이 깨끗한 마음입니까? 깨끗한 마음이란 오직 이름일 뿐입니다. 마찬가지로 견성 역시 이름일 뿐입니다. 만일 당신이 깨끗한 마음이라고 말한다면, 그것은 깨끗한 마음이 아닌 것입니다. 만일 당신이 견성이라고 말한다면 그것은 견성이 아닙니다. 빨간 것은 빨갛고, 하얀 것은 하얄 뿐. 오직 이와 같은 것입니다. 이것이 깨끗한 마음이고 이것이 견성입니다. 그 밖에 다른 아무런 것도 아닙니다. 만일 당신이 깨끗한 마음이 견성이라고 말한다면, 난 당신에게 30방을 치겠습니다. 만일 당신이 깨끗한 마음이 견성이 아니라고 말한다 해도 당신을 30방 때리겠습니다. 깨끗한 마음이나 견성에 집착하지 말아요. 선에서 하는 말 따위에는 관심을 갖지 말아요. 이 점을 아주 조심해야 합니다. 선사들은 말로 제자들을 함정에 빠뜨리곤 하기 때문입니다.

당신은 좌선이 잘 되면 가끔 투명함을 넘어선 일여(一如)의 경계가 나타난다고 했습니다. 무엇이 일여입니까? 무엇이 좋은 좌선이고 무엇이 나쁜 좌선입니까? 당신은 마음의 상태를 점검하지 말아야 합니다. 마음을 점검하는 것은 아주 나쁜 선병(禪病)입니다. 당신의 말대로 좌선이 잘 되었다면 그건 오직 생각일 뿐입니다. 내게 생각 이전의 한 마디 말을 해 보아요.

또 당신은 왜 일본 노사 밑에서는 20년이고 30년이고 철저하게 수행해야 하느냐고 물었습니다. 한국에서는 선사 밑에서 끝없는 수행을 합니다. 당신은 한국 선과 일본 선을 비교하고 불교의 차이점을 살펴보고 있군요. 이것은 당신의 나쁜 업인 것입니다. 그런 것은 하나도 중요한 것이 못 됩니다. 그냥 놓아 버려요!

당신은 깨달을 것이 아무것도 없음을 깨달았다고 했습니다. 그러나 견성, 공, 또 모든 것을 깨달았다고도 했습니다. 그러나 당신은 아직 견성도, 공도, 그 어느 것도 깨닫지 못한 것입니다. 깨달았다는 것은 생각입니다. 증오(證悟)했다는 것은 생각 이전의 것입니다. 개구즉착입니다. 내가 이미 당신은 입을 꽉 다물고 있어야만 한다고 일러 주었습니다. 이 법칙을 지켜야만 합니다. 3조 스님이 말씀하셨습니다.

지극한 도(道)는 어렵지 않나니
오직 간택을 꺼릴 뿐.
오직 미움과 사랑을 여의면
환하고 뚜렷하게 알게 되리.
至道無難

309

惟嫌揀擇
但莫憎愛
洞然明白

가르침도 버리고 모든 것을 버리세요. 만일 당신이 방법에 집착하지 않는다고 말한다면, 그것이 바로 방법에 집착하는 것입니다. 만일 당신이 집착을 끊어 내면, 그 때에는 당신의 말은 ('참된 나'는 생각이나 말없이 가능하기 때문에) 필요하지 않습니다. 당신은 '가끔씩 하느님이나 부처님이 나타나 실재와 함께하게 된다'고 했습니다. 부처가 오면 부처를 죽이세요. 하느님이 오면 하느님을 죽이세요. 왜 하느님이나 부처님이 필요하겠습니까? 조사 스님 한 분께서 말씀하셨습니다.

"나는 육도(六道)를 윤회하더라도 결코 부처님이나 보살의 도움을 바라지 않는다."

또 다른 조사께선 이런 말씀을 하셨습니다.

"부모를 죽이고는 부처님께 참회하는데 부처와 조사를 죽이고는 누구에게 참회하여야 하나?"

당신은 이 참된 참회의 대상을 알아야 합니다. 당신은 '나는 견성하는 데 관심이 없다'라고 했습니다. 그러나 실제 당신은 관심이 많고 집착해 있는 것입니다. 왜 마음 속 깊이 견성, 견성, 견성하고 말하고 있습니까? 무엇이 견성입니까?『반야심경』을 다시 읽어야만 합니다. 만일 당신이『반야심경』의 참된 도리를 이해한다면, 그 때 당신은 당신의 참다운 길을 알게 될 것입니다.

당신이 다른 사람들을 가르친다는 것은 한 사람의 장님이 다른 장님을 인도해 가다가 개천에 함께 빠지는 것과 같습니다. 당신은 눈을 떠야만 합니다. 이것이 아주 중요합니다.

　　당신은 온 세상이 고통을 당한다고 생각하고 세상이 파멸될까 두려워하고 있습니다. 당신은 모든 사람들을 고통으로부터 구제해 주고자 합니다. 그러므로 당신은 아주 위대한 보살이고 위대한 사람입니다. 그러나 정말 위대한 사람은 말도 없고, 웅변도 하지 않습니다. 다만 행동으로 나타낼 뿐입니다. 나는 다음에는 당신의 짤막한 편지를 받고 싶습니다. 당신은 밖으로 나아가서 절 앞에 있는 나무에게 무엇이 참다운 길인가를 물어 봐야만 합니다. 그러면 나무가 당신에게 알려 줄 것입니다. 다른 것은 쓰지 마세요. 다만 그 나무가 당신에게 말한 것을 내게 말하기만 하면 됩니다.

1975년 3월 22일
당신의 충실한 벗
숭산

80. 누가 하나를 만드느냐?

어느 날 저녁, 보스톤 달마다투에서 법문이 끝난 뒤에 한 제자가 숭사 선사께 질문했다.

"만법귀일이면 2는 무엇입니까?"

선사께서 말씀하셨다.

"누가 만법을 하나로 만드느냐?"

"선사님이십니다."

"내가 아니라, 네가 하나로 만들었다."

"그럼 왜 하나라고 부르십니까?"

선사께서 말씀하셨다.

"너는 말에 집착하고 있다."

선사께선 몇 분 동안 잠자코 계시다가 말씀하셨다.

"좋다 내가 묻겠다. 넌 태어나기 전에 0이었느냐, 1이었느냐?"

"둘 다 아니었습니다."

"0이 아니라구? 태어나기 전에 너의 몸은 존재하지 않았었다. 그렇다면 0이었겠지? 그런가?"

"0은 아니었습니다."

"0이 아니라? 이 몸은 존재했느냐?"

그러면서 그 제자의 긴 금발을 가리켰다.

"그럼 태어나기 전에도 이런 머리를 갖고 있었느냐?"

그 제자는 잠시 우물쭈물하다가 "아닙니다." 하고 대답했다. 선사께서 말씀하셨다.

"됐다. 이제 너의 머리카락이 1이 되었다. 죽은 다음에도 머리카락을 갖느냐?"

"아닙니다."

"이렇듯 이것은 단지 너의 머리카락일 뿐이다. 태어나기 전에는 너의 머리카락은 0이었다. 지금은 1이다. 미래에는 다시 0이 된다. 됐느냐?"

"됐습니다."

"이것이 진리이다. 그래서 0은 1이고 1은 0이다. 됐느냐?"

"됐습니다."

"그래서 1×0=0이다. 10×2=0이다. 100×3=0이다. 됐느냐?"

"음, 만일 그렇게 말씀하신다면……."

"네가 하나라고 말하고, 둘이라 말하고, 셋이라 말하고, 많다고 말한다. 이 모두는 0과 같다. 그래서 만일 네가 1을 원하면 너는 1을 갖는다. 네가 그를 원하면 그를 갖는다. 만일 네가 100을 원하면 너는 100을 갖는다. 데카르트는 이렇게 말했다. '나는 생각한다. 고로 나는 존재한다.' 만일 내가 1을 생각하면 1을 갖는다. 앞서 너는 1을 생각했다. 그러므로 너는 1을 가졌던 것이다. 나는 1을 생각하지 않았기 때문에 1을 가지지 않았다. 그래서 네가 1이라고 말했지 나는 1이라고 하지 않았다."

"그렇다면 왜 선사님은 모든 것을 0이라고 하십니까?"

"0이 아니다. (청법 대중들의 웃음소리) 네가 0이라고 했지 나는 0이라고 하지 않았다."

"선사님께서는 1이라고 하셨습니다."

선사께서 말씀하셨다.

"난 0이라 한다. (크게 계속 이어지는 웃음 소리) 네가 1이라고 했고 나는 0이라고 했다. 너는 나의 말에 집착하고 있다. 나는 말에 집착하지 않는다. 나는 무애하다. 간혹 0이라고 했다가 또 간혹 0이 아니라고도 한다. 만일 네가 1을 생각하면 너는 1을 갖는다. 만일 네가 100을 생각하면 너는 100을 갖는다. 만일 네가 하느님을 생각하면 너는 하느님을 갖는다. 만일 네가 부처님을 생각하면 너는 부처님을 갖는다. 만일 네가 생각하지 않는다면 부처님도 하느님도 없게 된다. 이것이 바로 부처님께서 이렇게 말씀하신 뜻이다. '온 법계가 너의 생각으로 만들어졌다.'"

81. 너의 별은?

전강(田岡)은 22살에 견성을 하자 곧 만공 선사를 찾아갔다. 만공 선사가 그에게 말했다.

"부처님께선 동녘 하늘에 떠 있는 계명성을 보고서 견성하셨다. 자 너는 저 많은 별 중에서 어느 별을 보고 깨닫겠는가?"

전강은 바닥에 무릎과 손을 대고 엎드리더니 방바닥을 더듬기 시작했다. 만공 선사가 "아, 자네는 참으로 부처가 되었군." 하고 그에게 법을 주었다.

82. 설 낭자 이야기

마조 선사의 문하에는 장(張)이라는 이름의 거사가 있었다. 그는 아주 독실한 불자였기 때문에 하루에 두 번씩 예불하고 독경했으며, 선사도 자주 찾아다녔다. 그는 언제나 작은 딸 설(雪)이를 데리고 다녔다.

설이는 아버지보다 더 신심이 지극하였고 아버지 장 거사와 함께 예불하고 독경하기를 즐겼으며, 항상 선사와 만나기를 고대하며 그것을 낙으로 삼았다.

어느 날, 마조 선사를 방문한 중에 마조 선사가 그녀에게 말했다.

"네가 이토록 훌륭한 소녀이니, 내가 너에게 선물 하나를 주어야겠다. 내 선물이란 관세음보살이다. 이 보살의 명호를 네가 할 수 있을 만큼 많이 계속 불러야 한다. 그러면 너는 크나큰 행복을 발견할 것이다."

집에 돌아오자 설이의 아버지는 그녀의 방 벽에다 관세음보살 그림을 한 장 걸어 주었다. 설이는 매일 오랜 시간 동안 그림 앞에 앉아서 관세음보살, 관세음보살 하며 불렀다. 점차 설이는 관세음보살을 어디에서든 하루 종일 외우게 되었다. 바느질을 할 때나 빨래를 할 때나, 밥짓고, 먹고, 놀고, 심지어는 자면서까지도. 그녀의 부모들은 그런 그녀를 아주 자랑스럽게 생각했다.

몇 년이 흘렀다. 그녀의 친구들은 설이가 약간 돌았다고 멀리하였지만 그녀는 전혀 개의치 않고 어디서든 종일 염불했다. 하루는 설이가 냇가에서 빨래를 하며 방망이로 빨래를 두드리고 있었다. 그 때 마조 스님이 계시는 절에서 범종 소리가 들려왔다. 방망이 소리와 범종 소리가 하나로 되는 순간 그녀의 마음이 확 열렸다. 그녀는 환희에 차서 마치 온 우주가 관세음보살에 이끌려 춤추는 듯했고, 그 관세음보살은 어느 누구도 아닌 자신이라고 느꼈다. 자신이 관세음보살이라니!

또 관세음보살이 땅이고 하늘이고 마조 스님이 계신 절의 범종이고, 개울가에 쌓인 더러운 빨래더미였다. 그녀는 행복에 겨워 집으로 달려 온 이후에는 다시 관세음보살을 부르지 않았다.

며칠이 지난 뒤 그녀의 부모는 딸에게 큰 변화가 있음을 눈치챘다. 전에는 어디서든지 조심스럽게 행동하던 딸이 요즈음은 아무 이유도 없이 미친듯 웃어대기도 하고, 나무나 구름하고도 오랫동안 말을 나누기도 하며, 남자 아이같이 길을 뛰어다니기가 일쑤였다.

결국 그녀의 아버지는 딸이 방에 혼자 있을 때 몰래 숨어서 무엇을 하는지 엿보기로 작정했다. 아버지가 문틈으로 방을 들여다보니 벽에 걸린 관세음보살상이 보이고 그 다음에는 향과 꽃으로 장식한 불단이 보였다. 그리고 불단 위에는 항상 『법화경』이 놓여 있었는데 오늘은 보이지 않았다. 그런데 벽을 마주보고 한쪽 구석에 앉아 있는 설이를 보니……

『법화경』을 방석처럼 깔고 앉아 있는 게 아닌가. 아버지는 그 광경을 보고 도저히 믿을 수가 없었다. 정신을 차린 후 그는 방으로 뛰어들어가 소리쳤다.

"너 도대체 무슨 짓을 하고 있는 거냐? 정신이 나간 거냐? 그건 성스러운 경전이 아니냐! 그걸 깔고 앉다니!"

설 낭자는 미소를 띠고 조용히 말했다.

"아버지, 이 책이 대체 뭐가 그렇게 성스럽다는 겁니까?"

"그건 부처님의 말씀이고, 그 속에는 불법의 가장 훌륭한 진리가 담겨 있단 말이다!"

"진리가 말에 담겨질 수가 있습니까?"

이 소리에 장 거사는 딸에게 생긴 일은 자기 힘으로는 어쩔 도리가 없다는 것을 깨달았다. 그는 화난 것도 잊고 강한 호기심에 사로잡혔다.

"그럼 너는 진리가 어디에 있다고 생각하느냐?"

"만일 제가 설명한다고 해도 아버지는 이해하실 수 없으십니다. 마조 선사께 가셔서 뭐라고 말씀하시는지나 알아보셔요."

그래서 장 거사는 마조 선사를 찾아가 지난 며칠 동안 딸에게 일어난 일에 대해 말했다. 말을 마치고 그는 이렇게 물었다.

"선사님, 제게 말씀 좀 해 주십시오. 제 딸은 미친 거지요?"

마조 선사가 말했다.

"당신 딸은 미치지 않았소. 당신이 미친 거요."

"전 어떻게 해야 됩니까?"

"걱정하지 마시오."라고 말하며 선사는 다음과 같은 글이 적힌 큰 족자를 내 주었다.

야밤 삼경 나무닭 소리 들으니
내 마음 내 고향이 분명하구나!
나의 집 앞마당에 들어서니
버들은 푸르고 꽃은 붉도다!

"이것을 딸의 방에다 걸어 놓고 무슨 일이 일어나는지만
보시오."

장 거사는 그 말에 더 어리둥절해졌다. 그는 넋이 나간 사
람처럼 집으로 돌아왔다. 그로서는 아무것도 이해할 수가 없
었다. 설 낭자는 벽에 걸린 붓글씨를 읽더니 고개만 끄덕이고
혼잣말을 하였다.

"어 선사님께서도 이런 것을 아시네."

그리고 『법화경』을 다시 향과 꽃이 놓인 불단 위에 올려 놓
았다. 더욱 열심히 공부한 뒤에 그녀는 마조 선사가 있는 절
을 찾아갔다.

마침 그 때 호암 선사가 마조 선사를 찾아왔기 때문에 두
선사는 설 낭자를 맞아 함께 차를 마셨다. 설 낭자가 자리에
앉아 자기 잔에 차를 따르자 호암 선사가 마조에게 말했다.

"이 낭자가 선 수행을 열심히 한다지요."

마조 선사는 침묵하고 있었다. 그러자 호암 선사가 설 낭자
를 보며 말했다.

"내가 너의 마음을 점검해 보아야겠다."

"좋습니다."

"경에 보면 '겨자씨 안에 수미산이 들어가고 수미산 속의
큰 돌을 쪼갠다' 라고 했는데, 이게 무슨 도리인가?"

설 낭자는 자기의 잔을 집어서 벽에 던져 깨뜨렸다. 마조
선사가 웃으며 박수를 쳤다.

"아주 훌륭하구나! 이제는 내가 너의 마음을 점검하겠다."

"좋습니다."

"불교에서는 인연이라는 말을 자주 쓴다. 너는 좋은 불연(佛緣)을 지녔다. 그래서 내가 묻는 거다. 인연이 무엇이냐?"

설낭자가 대답했다.

"죄송합니다만 다시 한번 더 말씀해 주세요."

"불교의 3승(乘)에는 모두 인연이라는 개념이 한 가지 혹은 또 다른 의미로 쓰인다. 나는 너에게 인연의 정확한 의미가 무엇인가를 묻고 있다."

설 낭자는 마조 선사에게 절을 하고 말했다.

"감사합니다."

그런 다음 잠자코 있었다. 마조 선사는 미소를 지으며 말했다.

"아주 좋은 꾀를 썼구나. 너는 이미 알고 있구나."

설 낭자는 커가면서 깨끗한 마음을 항상 지켰다. 밖으로 나타난 그녀의 행동은 평범한 것이었으나, 속 마음은 보살의 마음 그것이었다. 나중에 그녀는 결혼하여 넉넉하고 행복한 가정을 꾸렸는데 가족들 모두 불심이 지극하였다. 수많은 사람들이 그녀를 찾아와 도움을 청하고 가르침을 구했다. 그녀는 위대한 선사라고 알려졌다.

그녀가 할머니가 된 어느 날, 그녀의 어린 손녀가 죽었다. 그녀는 장례식에서 비통하게 통곡을 하였으면서도, 집에 돌아온 이후로도 조문객이 찾아와 애도를 표할 때면 눈물을 하염없이 쏟았다. 사람들은 모두 깜짝 놀랐다. 그래서 수근거렸다. 결국 그들 중 한 사람이 그녀에게 가서 말했다.

"할머니! 할머니께선 견성을 하셨으니 이미 생사가 없음을 아실 텐데 왜 그렇게 슬피 우십니까? 왜 당신의 깨끗한 마음에 손녀딸이 장애가 되는 것입니까?"

그녀는 갑자기 울음을 멈추고 말했다.

"나의 눈물이 얼마나 값진 것인지를 당신은 모를 겁니다. 내 눈물은 경전 전부보다도, 조사들의 말 전부보다도, 그 어떤 향화반식(香華飯食)보다고 값진 것입니다. 내 손녀딸은 나의 통곡 소리를 들으면서 열반에 들 것입니다."

그리고 그녀는 모든 방문객들에게 소리쳤다.

"이것을 아십니까?"

그러나 그 어느 누구도 그것을 아는 사람은 없었다.

83. 힌두 학자와 나눈 대화

어느 날, 한 유명한 힌두 학자가 케임브리지를 방문한 중에 숭산 선사를 초청하여 면담을 하였다.

숭산 선사와 세 사람의 수행 제자가 자리에 앉자 힌두 학자는 선사께 사탕 한 개를 권했다.

선사를 수행한 제자 한 사람이 "아니, 괜찮습니다." 하고 사양하며 숭산 선사가 당뇨병 환자임을 알려 주었다. 힌두 학자가 말했다.

"그것 참 안 됐습니다. 매일 2마일은 걸으셔야만 합니다. 그러면 나을 수 있어요."

선사께서 말씀하였다.

"당뇨병은 아주 좋은 것이죠. 색즉시공이고 공즉시색이라. 이 몸뚱이는 이미 공한 겁니다. 그러므로 제 당뇨도 공한 것이지요. 그래서 아주 좋은 것이지요."

힌두 학자는 몇 분 동안 침묵을 하더니 다시 말했다.

"함께 이야기를 해 봅시다. 다른 어떤 것에 대해 말입니다."

선사께서 말씀하셨다.

"당신들이 요가를 할 땐 어떤 마음을 지녀야 합니까?"

"마음과 내면의 자아를 합치시켜야 합니다. 또 마음은 어떤 대상도 가져서는 안 됩니다. 선사님께선 파탄잘리(Patanjali) 요가에 대해 읽으신 적이 있습니까?"

"그렇다면 나의 자아와 내 마음, 이것들은 같습니까, 다릅니까?"

힌두 학자가 말했다.

"마음이 내부로 향해서 내면의 자아로 들어갈 때는 그 둘은 하나가 됩니다. 그러나 마음이 밖으로 나오면 그 때는 서로 분리됩니다."

"마음은 안도 밖도 없는 것입니다. 그런데 어떻게 마음이 자성과 하나가 되고 분리되고 합니까?"

"그렇다면 마음이 아니라면 누가 외적인 행동을 합니까?"

"마음이 무엇인지를 아시나요?"

힌두 학자가 말했다.

"마음이란 행동으로 나타나는 자성의 경향입니다. 그것이 내부로 향할 때는 심성이 되고, 밖으로 표출될 때는 세상의 것이 됩니다. 마음이란 나뉘어지지 않는 실제물이고 그 어느 것이 변해 된 것이 아닌 의식일 따름입니다. 우주 의식이 축소되어서 외적인 그 무엇으로 될 때, 우리는 이것을 마음이라 부릅니다. 그리고 그 마음이 내부로 향해서 자성이 될 때 다시 이것은 의식이 되는 것입니다. 그것은 축소되기도 하고 확대되기도 합니다."

선사께서 말씀하셨다.

"마음은 안도 밖도 없는 것입니다. 생각이 안 · 밖, 의식 · 마음을 만드는 거지요. 모든 것은 생각으로 만들어질 뿐입니다. 즉, 마음이란 무심(無心)입니다."

힌두 학자가 말했다.

"마음이 외적인 그 무엇의 형태로 될 때 마음이 되는 것입니다. 그러나 그것이 내부로 향해 모든 대상을 잊게 되면 그것은 다시 자성이 되고 의식이 됩니다."

선사께서 말씀하셨다.

"누가 안을 만들고, 누가 밖을 만들며, 누가 의식을 만들고, 누가 대상을 만듭니까?"

"선사께서는 누가 당신을 만들었다고 생각하십니까?"

선사께서 말씀하셨다.

"만일 제게 물으시면 대답하겠습니다."

"누구입니까? 누가 세상을 만들었습니까?"

선사께서 말씀하셨다.

"당신 앞에 사과와 귤이 많이 있습니다."

바로 이 때에 힌두어 통역자가 아주 어리둥절한 표정을 지으면서 선사께 다시 답변을 해 주십사고 요청하였다. 그러다가 그녀는 이맛살을 찌푸리면서 그 말을 힌두 학자에게 통역했다. 그 힌두 학자는 잠시 침묵하였다. 그런 다음 이렇게 말했다.

"그게 대답입니까?"

선사께서 말씀하셨다.

"다른 답을 원하십니까?"

"그렇습니다."

"1 더하기 2는 3."

"그럼 3에서 2를 빼면 얼마가 된다고 생각하십니까?"

"1뿐이요."

"우리가 그 1을 버린다면요?"

"그럼 내가 당신을 방망이로 때리겠소."

통역자는 그 말을 듣는 순간 아연실색하였다. 그녀는 충격을 받은 듯, 분명히 이 마지막 말만은 통역하기를 꺼리는 듯하였으나, 잠시 후 그대로 전했다. 힌두 학자는 몹시 불쾌한 듯 보였다. 그는 발을 흔들면서 말했다.

"대답들이 전혀 말이 안 되는군요. 선사께서 갖고 계신 지식이 무엇인가요?"

선사께서 말씀하셨다.

"좋습니다. 설명해 드리죠. 내가 당신에게 묻겠습니다. 1+2=3, 1+2=0, 이 둘 중 어느 것이 맞습니까?"

힌두 학자가 말했다.

"모든 것은 순간마다 변한다는 것을 선사께서도 아실 것입니다. 어떤 때는 10도 되고 5도 될 수 있습니다. 7일 수도 있고, 9일 수도 있습니다. 항상 변하니까 말입니다. 말하자면 변하지 않는 것은 하나도 없습니다. 모든 것은 순간적인 진리인 것입니다."

선사께서 말씀하셨다.

"만일 모든 것이 변한다고 한다면 그것은 당신이 색에 집착해 있다는 뜻입니다."

힌두 학자가 말했다.

"나는 절대 색에 집착해 있지 않습니다. 반대로 당신이야말로 당신의 질문과 대답에 집착하고 있는 겁니다."

선사께서 웃으시며 말씀하셨다.

"아, 그건 좋은 대답이군요."

"왜 사람들은 변하는 사물에 집착해야만 하고 또 갈구하는 겁니까?"

"좋습니다. 내가 하나를 묻고 싶……"

"안 돼요. 내가 더 물을 것이 있어요. 영적인 것에 관해 우리들이 만나 이야기하는 목적은 무엇입니까?"

선사께서 말씀하셨다.

"오늘은 토요일입니다."

"그런 건 철학자들이 하는 대답이 아니잖습니까? 애들이나 하는 대답이지, 그게 뭡니까?"

"맞습니다."

힌두 학자가 말했다.

"인생을 넓게 보는 관점에서는, 모든 것에는 항상 어떠한 목적이 있게 마련입니다. 예를 들면, 이 사람에게 (한 사람의 제자를 가리키며) 만일 내가 '왜 여기에 왔느냐?' 하고 묻는 다면, 그는 '당신을 보러 왔다' 거나 혹은 '당신에게 무엇인가 를 묻고 싶어 왔다' 라는 식의 대답을 할 겁니다. 이런 대답이 사람들이 이해할 수 있는 답변인 것입니다. 그래서 누군가가 만일 의문나는 일이 생기면 내게 묻고 대답을 얻음으로써 그 의문을 없앱니다. 그런데 선사님의 대답들은 의미도 없고 목 적도 없는 것입니다. 꼭 애들 장난 같습니다."

선사께서 말씀하셨다.

"그 반대의 대답이야말로 애들 답이지요. '당신을 보러 왔 다' 모든 아이들은 이 말을 이해합니다. 그러나 '오늘은 토요 일이다' 란 대답은 아이들이 이해하지 못합니다. 그러므로 당 신의 답변이 아이들 대답인 것입니다."

힌두 학자가 말했다.

"만일 사람들이 우리가 이야기하는 것을 이해한다면, 그 대 답은 의미와 목적이 있다는 뜻입니다. 그러나 아무도 당신의 말을 이해하지 못한다면 당신의 질문이나 대답은 무슨 소용 이 있는 것입니까? 답변에는 꼭 어떤 의미가 담겨 있어야 한 다는 뜻입니다."

선사께서 말씀하셨다.

"나는 당신이 위대한 사람이라는 것을 알고 있습니다. 그러나 당신은 모르고 있습니다. 그러니 당신은 아이인 셈이군요."

힌두 학자가 말했다.

"위대하다거나 범상하다는 문제가 아닙니다. 그러나 우리들이 이야기를 할 때는, 일상적이고도 세상에서 흔히 쓰이는 방식대로, 의미가 함축된 단어와 문장을 사용해야 합니다. 크든 작든 그 의미가 명백하게 드러나야 합니다. 아이나 어른이 모두 그 의미를 이해할 수 있어야 하는 것이죠."

선사께서 말씀하셨다.

"한 가지만 더 묻고 싶군요."

선사께서 사과 한 개를 집어 들었다.

"이것이 사과입니다. 맞습니까? 그러나 당신이 이것을 사과라 한다면, 그건 당신이 이름과 모양에 집착해 있다는 뜻이 되고, 또 만일 당신이 이것을 사과가 아니라고 한다면, 그건 당신이 공에 집착해 있다는 뜻입니다. 이것이 사과입니까, 아닙니까?"

"둘 다 됩니다."

"둘 다라구요? 그럼 60방을 맞으셔야겠습니다. '사과' 라고 해도 틀리고, '사과가 아니다' 고 해도 틀리는데, 둘이 다 맞다고 했으니 두 배로 틀리신 셈입니다. 왜 그럴까요? 이 사과는 생각으로 만들어진 것입니다. 이것이 '나는 사과다' 하지 않았는데 사람들이 사과라고 불렀습니다. 그래서 생각으로 만들어진 것입니다."

그 힌두 학자가 말했다.

"우리는 그것이 나무에 열리는 것을 압니다."

선사께서 말씀하셨다.

"그렇습니다! 그건 훌륭한 답입니다. 아주 좋은 대답은 바로……" 하며 한 입을 베어 무셨다. 그 힌두 학자가 말했다.

"먹지 않아도 나는 이것이 어떤 사과인지 알 수 있습니다. 이해 못하는 사람들은 먹어 볼 필요가 있을 겁니다. 당신은 먹어서 알고, 나는 보아서 압니다."

"그럴 때 좋은 답변이라면 내게 사과를 직접 권하면서 '드시죠' 하고 말하는 것이죠."

"그럴 필요는 없습니다. 나는 그게 무엇인지를 볼 수 있으니까요."

"그것도 진리이죠. 말은 모두 필요 없는 셈입니다."

힌두 학자가 말했다.

"이해의 종류는 아주 많이 있습니다. 먹는 것만이 유일한 방법은 아닙니다. 또 다른 이해 방법이 있습니다. 때에 따라선 선사께서도 그 철학을 내버리고 시장에 가시겠죠. 가령 상점에 가서 사과나 혹은 다른 것의 크기 등을 묻는다고 가정해 봅시다. 상점 주인은 절대 먹어 보라고 주지는 않을 겁니다. 일상 생활에서는 당신의 철학이란 전혀 쓸모가 없는 것입니다. 철학이란 반드시 실제적이어야만 합니다. 그럼으로써 우리는 그것을 일상 생활에 적용시킬 수가 있습니다. 우리의 철학과 일상 생활은 분리되지 않고 하나이어야만 합니다. 철학이란 평범한 사람들이 사용할 수 있는 바로 그런 것이어야 합니다. 오늘날의 세상은 과학자들이 이를 믿지 않는 그런 세상입니다. 그들은 활동하지 않는 것은 전혀 믿지를 않습니다."

선사께서 말씀하셨다.

"나는 철학자도, 과학자도, 불교도도 아닙니다."

"그럼 당신의 목적은 무엇입니까?"

"이미 당신은 이해하셨습니다."

그 힌두 학자는 손목 시계를 보고 미소지으며 말했다.

"나는 가야만 합니다. 다음에 또 이야기 합시다. 당신과 이야기하기는 어렵지 않군요. 당신이 철학자가 아니므로 사과 하나를 드리겠습니다."

그는 선사께 사과 하나를 드렸다. 선사께서는 다시 사과를 돌려 주며 미소지으며 말씀하셨다.

"나는 이것을 당신에게 드리겠습니다."

그 힌두 학자가 말했다.

"나는 둘 다 행복합니다. 주는 것도 받는 것도."

선사께서 말씀하셨다.

"대단히 감사합니다."

84. 큰 실수

어느 일요일, 뉴욕의 국제선원에서 법문이 끝난 후 한 제자
가 숭산 선사께 질문을 했다.

"대아(大我)도 실수를 합니까?"

선사께서 말씀하셨다.

"아주 큰 실수를 하지."

"누가 그 실수를 봅니까?"

"이미 벌써 나타났구나."

85. 언로(言路)와 법로(法路)

선사님께

선사님께서 보내 주신 편지를 감사히 받아 보았습니다. 편지를 보고 난 뒤, 너무 많은 관념적인 생각으로 인해 더러워져 가는 공기가 깨끗해졌습니다.

하얀 종이 위에 까만 잉크, 오직 이럴 뿐. 선사님께선 제게 많은 질문을 하셨지만 결국 한 가지뿐이었습니다. 죽은 다음에는 무슨 일이 일어나는가 하는 문제. 저는 모르겠습니다. 태어나기 이전에는 알았겠지만 이제는 다 잊어버렸어요. 선사님이 내주신 숙제는 너무 난해합니다. 여기 '불상에 재를 떠는 사람'과 '쥐가 고양이 밥을 먹자 고양이 밥그릇이 깨졌다'에 대한 제 답이 있습니다.

얼음, 물, 수증기 — 물이 끓고 있는 욕조

발톱 없는 고양이가 할퀸다.
주둥이 없는 쥐가 밥을 먹는다.
테두리도 바닥도 없는 그릇이 깨진다.
고양이 밥은 먹어도 변하지 않는다.

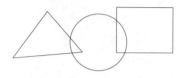

　선사님의 시는 훌륭했습니다. 여기에 제가 선사님을 위해
시 한 수를 적어 봅니다.

　특별한 목적 없이도
　내 인생은 완벽하여라.
　깜깜한 밤, 동굴 안에도
　빛은 있는 것.
　그러나 마음이 한치라도 흔들리면
　향의 제가 떨어질 때 천둥처럼 들리리.
　할!
　그것의 무게는 몇 근입니까?
　저울을 가져와야 합니다.

1975년 2월 10일
큰절을 올립니다.
스티브 올림

스티브에게

요즈음은 어떻게 지냅니까? 편지는 잘 받아 보았습니다. 그러지 않아도 기다리고 있었던 차에 편지를 받게 되어 무척 반가웠습니다.

편지에 '하얀 종이 위에 까만 잉크, 오직 이럴 뿐'이라고 쓴 말은 아주 멋집니다. 그러나 '이와 같은' 대답은 두 가지입니다. 언로(言路)와 법로(法路)가 그것입니다. 예를 들면, 다음 공안을 보세요.

"여기 종이 있습니다. 만일 당신이 종이라 한다면, 그건 당신이 이름과 모양에 집착하고 있음이요, 만일 종이 아니라고 한다면, 그건 당신이 공에 집착하고 있음이다. 이것이 종인가, 아닌가?"

내가 네 가지 답을 말하지요.

1. '바닥을 친다' 2. '종이 웃는다' 3. '밖은 어둡고, 방 안은 밝다' 아니면 '종이 마루 위에 있다' 이런 것들은 여여한 대답입니다. 다 좋은 답이긴 해도 완전한 대답은 못 됩니다. 4. '종을 집어서 흔든다'

이것이 100% 완전한 대답입니다. 그래서 '여여함'을 이해할 수 있다 해도 가장 좋은 답변을 제공하지는 못하는 거지요. 언로의 답은 훌륭하기는 해도 간혹 완벽하지 못할 때가 있습니다. 법로의 답이 완전한 답입니다. 질문이 광범위할 때는 언로와 법로의 대답은 하나가 됩니다.

그래서 '무엇이 부처인가?' 하는 질문에는 완전한 답이 많이 나오게 되는 것입니다. '마삼근이다', '마른 똥막대기다', '벽은 하얗고 카페트는 파랗다' 등.

그러나 한정된 질문에서는 언로와 법로의 대답은 다르게 됩니다. 종의 문제를 말하자면, 완전한 대답은 하나뿐입니다.

쥐 공안도 이와 마찬가지입니다. 언로의 대답으로는 완전하지 못합니다. 법로의 방법으로 찾아야 하고, 그럴 때 하나의 좋은 답에 도달하게 됩니다. 이 대답은 꼭 한 가지입니다. 당신은 세모, 원, 네모를 그렸습니다. 만일 당신이 생각을 한다면 이것은 마구니의 짓입니다. 만일 당신이 모든 생각을 끊어 내면 모든 것이 진리입니다. 그러므로 만일 당신이 모든 생각을 끊어내면 이런 그림은 전혀 필요하지가 않습니다. 똥이 부처이고, 토해 낸 것이 부처입니다. 이 모두가 진리요, 즉여한 것입니다.

만일 당신이 분별하는 마음을 가졌다면 왜 세 가지 도형만 그렸습니까? 당신은 끝도 없이 많은 도형을 그려낼 수 있습니다. 이것들은 단지 선을 가르치기 위한 수단일 따름입니다. 실재로 존재하지는 않습니다. 색에 집착해서는 안 됩니다. 숙제를 끝내도록 하세요. 이 점이 아주 중요합니다. 그래서 1쿼터가 25센트인 것을 알아야 합니다.

당신의 시는 아주 훌륭합니다. 그런데 '내 인생은 완벽하다'의 뜻이 무엇입니까? 만일 당신이 '완벽하다'는 말을 쓰려면 '내 인생'이란 말을 빼야 합니다. 또 만일 '내 인생'이란 말을 사용하려면 '완벽하다'란 말을 빼야 합니다. 어떻게 당신은 향의 재 떨어지는 소리를 천둥같이 들을 수 있습니까? '할'이나 '그것의 무게가 몇 근인가?' 나는 이미 당신에게 그것의 무게가 몇 근인가를 물었습니다. 만일 당신이 그 무게를 알고자 한다면 눈금 없는 저울이 필요합니다. 여기에 당신을 위해 시 한 수를 적습니다.

눈사람 달마 대사가 녹아 내려
자꾸자꾸 작아져 간다.

그의 심장 뛰는 소리가
극락과 지옥을 부순다.
눈썹이 떨어지고, 눈이 빠지고,
홍당무 코가 떨어진다.
꼬마가 소리친다.
'달마 대사 죽는다!'

1975년 2월 23일
당신의 숭산

86. 여래(如來)

목요일 저녁, 케임브리지 선원에서 법문이 끝난 후 어떤 제자가 숭산 선사께 질문하였다.

"저는 아주 전문적인 질문을 한 가지 드리겠습니다. 여래의 개념에 관해서 말씀해 주시겠습니까?"

선사께서 말씀하셨다.

"미국에서는 사람들이 수표나 서류에 싸인한다. 그러나 동양에서는 고무 도장이나 인장을 사용하고 있다. 여래란 이것이다. 선에는 세 가지가 있다. 의리선(義理禪), 여래선(如來禪), 조사선(組師禪).

의리선이란 종이에 도장 찍기와 같아서 아무나 그것을 볼수 있다. 여래선은 물에 도장 찍기와 같아서 사람들은 그 소리만 들을 수 있을 뿐 형체는 곧 사라져서 볼 수가 없다. 조사선은 허공에 도장을 찍는 것과 같다. 즉, 어느 누구도 알 수 없다. 모든 것들이 아무 거리낌 없이 오고 간다. 물에는 약간 저항이 있고 종이에는 집착이 있다. 즉, 여래란 이 셋 중 가운데에 있는 것이다.

'색즉시공 공즉시색'이란 '무색무공(無色無空)'을 뜻한다. 만일 네가 여래가 정말 무엇인가를 알고 싶다면 이 공안을 잘 들어보아라.

어떤 승려가 조주 선사에게 이렇게 질문을 한 적이 있었다.

'무엇이 부처입니까?'

조주는 대답했다.

'차나 들고 가거라.'

이 승려는 오랫동안 좌선을 했기 때문에 약간 이해를 할 수 있었다. 그는 '할!' 하고 소리쳤다. 그 때 조주 선사가 말했다.

'차를 다 마셨느냐?'

이 대화는 무엇을 의미하느냐? 만일 네가 이것을 이해한다면 그 때 너는 여래의 참다운 뜻을 이해할 것이다."

"이해한 듯합니다."

선사께서 말씀하였다.

"만일 네가 생각을 한다면 너는 이해한 게 아니다. '무색무공'이란 생각 이전이다. 만일 네가 생각을 한다면 그것은 여래선이 아니다."

다른 제자가 질문하였다.

"그 대화는 무엇을 의미하는 것입니까?"

선사께서 말씀하셨다.

"너를 30방 때려야겠다." (청중들의 웃음소리)

"그렇지만 저는 그 대화를 이해할 수 없습니다."

"나는 이미 다 설명을 하였다. 30방을 맞아야겠다."

"아, 이제 이해합니다."

"무엇을 이해하느냐?" (웃음소리)

"욱!"

선사께서 말씀하셨다.

"저녁 공양을 했느냐?"

"아직 못 했습니다."

"배가 고프겠다. 가서 뭐 좀 들어라."

그 제자가 절을 올렸다.

87. 달마 대사와 나

숭산 선사와 제자 한 사람은 켈리포니아에 있는 어떤 선원에서 법문을 들은 적이 있다. 그날 법사는 달마 대사 이야기를 했다. 법문이 끝난 후 어떤 사람이 그 법사에게 다음과 같은 질문을 하였다.

"소림굴에서 달마 대사가 9년 동안 했던 좌선과 지금 선사님께서 여기에서 하시는 좌선과는 어떻게 다릅니까?"

"팔만 사천 리만큼이나 떨어져 있다."

"그게 전부입니까?"

"몇 리만 빼든 더하든 하거라."

후에 숭산 선사께서 제자에게 물으셨다.

"대답들이 어떻더냐?"

"좋지도 나쁘지도 않습니다. 그러나 개는 뼈다귀를 쫓지요."

"너라면 어떤 대답을 하겠느냐?"

"'너는 왜 차이를 만드느냐?' 하고 대답하겠습니다."

"나쁘지 않은 답이다. 이제는 나에게 물어봐라."

"소림굴에서 9년 간 달마 대사가 했던 좌선과 지금 선사님께서 여기서 하시는 좌선과 다른 점은 무엇이겠습니까?"

"모르겠느냐?"

"듣고 있습니다."

"달마 대사는 소림굴에서 9년 간을 좌선했었고 나는 좌선을 하고 있는 중이다."

그 제자가 미소를 지었다.

88. 법사인 미국인 변호사와의 서신 왕래

선사님께

선사님께서 보내 주신 편지와 충고, 그리고 시를 잘 받아 보았습니다. 제가 지금 처리해야 할 사무가 너무 많기 때문에 편지는 짤막하게 쓰겠습니다. 저는 아직까지 쥐 공안의 답을 찾지 못했습니다. 수행으로서 저는 아침마다 좌선은 해도 관세음보살을 염하고 절하는 것뿐입니다. 중요한 수행은 오히려 낮시간 동안 다른 사람들과 어울려서 업무를 처리해야 하는 그 때에 합니다. 저는 무슨 일이 생기면 적절히 대처하려고 노력하며, 동시에 이보다 나은 다른 방도가 있는 것은 아닌가 하는 바람이나 감정이 생기는가를 주의깊게 살펴봅니다. 그런 감정이 생기면 전 가차없이 도끼를 휘둘러 쫓아 버리지요.

도움을 주시는 편지와 선사님의 모든 가르침에 진심으로 감사드립니다. 다음 기회에 제 숙제에 대한 편지를 다시 올리겠습니다.

1974년 12월 26일

안 한 드림

존경하는 안 한 씨

새해 복 많이 받으십시오. 당신께서 숙제를 끝내고 깨달음을 얻어 여러 사람들을 고통으로부터 구제해 주시기를 기원합니다. 지난번 당신에게 1쿼터는 25센트라고 말했습니다. 만일 당신이 이 말의 참뜻을 이해한다면 그 때에는 쥐 공안도 이해할 수 있습니다.

예를 들어, 어떤 사람이 내게 25센트를 달라고 했습니다. 내가 그에게 1쿼터를 주었더니 그는 큰소리로 "이건 25센트가 아니라, 1쿼터잖아." 하고 말합니다. 내가 아무리 "맞습니다. 25센트입니다." 해 봐야 그 사람은 막무가내로 우깁니다. "아니예요. 이건 1쿼터이지 25센트가 아니라구요." 결국 나는 10센트짜리 동전 2개와 5센트짜리 동전 하나를 꺼내서 줄 수밖에 없습니다. 이 사내는 25센트만 알았지 1쿼터가 얼마인지를 모르는 것입니다.

그럼 공안으로 돌아가 검토해 봅시다. 당신이 이해하는 것은 단지 쥐, 고양이 밥, 고양이 밥그릇, 깨졌다 뿐입니다. 그리고 그 뒤에 숨겨진 뜻은 모르고 있습니다. 우선 당신은 이 숨겨진 뜻을 찾아야만 합니다. 1쿼터의 숨겨진 뜻은 25센트이고, 25센트의 숨겨진 뜻은 1쿼터입니다. 당신은 이미 대장부입니다. 그런데 왜 바깥에 나타난 말에만 집착을 합니까? '사과는 빨갛다. 그리고 사과는 달다' 색깔은 무시하고, 맛만 보아야 합니다. 이름과 모양은 필요하지 않습니다. 먹기만 하세요. 여기 또 다른 시를 당신에게 드립니다.

달이 하얗고, 눈이 하얗고, 온 땅이 하얗다.
산이 깊고, 밤이 깊고, 빈객의 마음이 깊다.
부엉이가 '부엉', 메아리 소리가 차다.

그는 15일에 보름달이 뜬다는 것을 모른다.

나는 당신의 숙제 해답을 기다리고 있습니다. 좋은 답을 주세요. 당신은 좌선이 당신의 주된 수행은 아니라고 했습니다. 그것은 좋지 않습니다. 주된 수행이다, 주된 수행이 아니다 라는 생각이 바로 분별하는 마음인 것입니다. 무엇이 중요한 수행인가? 한 훌륭한 스승께서는 이런 말씀을 하셨습니다.

"행(行), 주(住), 좌(坐), 와(臥), 어(語), 묵(默), 동(動), 정(靜) 이 모든 행위를 하는 동안에도 한마음이 되어야만 한다."

이 한마음이란 무심(無心)입니다. 무심이란 참으로 공한 마음입니다. 참으로 공한 마음은 생각 이전입니다. 생각 이전이란 바로 여여함입니다. 그렇다면 주된 수행은 어디 있을 것이며 주된 수행이 아닌 것 또한 어디 있겠습니까? 좌선을 하면 좌선만 하고, 말할 때는 말할 뿐, 일할 때는 일할 뿐입니다. 모든 것이 당신의 주된 수행인 것입니다. 가끔씩 욕심이 나타날 겁니다. 이것은 좋은 것도 나쁜 것도 아닙니다. 그냥 깨끗한 마음만을 간직하세요. 건드리지도 말고, 도끼를 흔들지도 말아요.

한 조사께서 말씀하시기를, "나는 육도를 윤회하더라도 결코 부처님과 보살을 찾지 않는다." 했습니다. 생각하는 것은 좋습니다. 도끼를 흔드는 것 역시 생각입니다. 그러니 걱정하지 말아요. 다만 모든 것을 당신의 주된 수행으로 삼으면 됩니다. 나는 당신이 모든 것을 주된 수행으로 알고 당신의 모든 행동이 한마음의 행동으로 되어서 모든 사람들을 구제하시기를 바랍니다.

1975년 1월 2일
숭산

선사님께

쥐 공안에 대하여 :

　나는 태어난 적이 없다.
　나는 죽어 본 적도 없다.
　나는 지금 태어나고 있다.
　나는 지금 죽어가고 있다.
　$0 = \infty$

　맞다고 말씀하신다면 이름과 모양에 집착하시는 것이고, 틀리다고 하신다면 왜 고양이 밥그릇이 깨졌는가를 모르시는 것입니다. 무슨 말씀을 하시겠습니까?

1975년 1월 7일
합장하며
안 한 드림

　안 한 씨에게

　보내 주신 글월은 감사히 받아 보았습니다. 이 공안에 대한 당신의 해답이 아주 훌륭했습니다. 그렇지만 진짜 답으로부터는 8만 4천 리 만큼이나 멀리 떨어진 것입니다. 당신을 30방 때립니다. 이것이 옳습니까, 틀립니까? 간밤에 나는 꿈을 꾸었습니다.

$\infty = 0$

나는 지금 태어나고 있다.

나는 지금 죽어가고 있다.

그러나 나는 태어난 적도 없고

죽지도 아니할 것이다.

시간, 공간, 장애도 없다.

완전히 자유롭게 하늘을 날고 있다.

이 얼마나 멋진 일인가!

그런데 갑자기 허공의 뼈가 나타나 내 머리에 박힌다.

아야 ㅑ ㅑ ㅑ ㅑ ㅑ ! ! ! …… 난 깨어났다.

달빛이 창문을 통해서

마루를 비춘다.

이 답이 당신의 질문에 충분합니까? 못합니까? 만일 충분하다고 한다면 당신은 고양이 밥그릇이 깨진 이유를 발견한 셈입니다. 만일 충분하지 못하다고 한다면 당신은 아직도 꿈을 꾸고 있는 것입니다. 『벽암록』에는 이런 구절이 있습니다.

"네가 산 뒤의 연기를 볼 때에는 거기에 불이 났음을 알 수 있고, 담 뒤로 솟은 뿔을 보면 그 밑에 소가 있음을 안다."

1975년 1월 11일

숭산

선사님께

최근 보내 주신 두 통의 편지에 대해 심심한 감사를 드립니다. 선사님께서 영주권을 받으면서 한국으로 여행하실 수 있게 되었다는 소식을 들으니 전 무척 기쁩니다.

저도 함께 가자고 청하시는 선사님의 배려가 매우 감사합니다만 불행하게도 올해에는 불가능할 듯 싶습니다. 사무실의 일도 분주하지만, 대학에서 맡은 동양학과 일 역시도 제가 여행을 하면 저 대신 그 일을 할 사람이 없는 형편입니다. 아마 내년 혹은 그 후년쯤 되면 저도 아시아 여행이 가능할 듯 싶습니다. 만일 그렇게 된다면 선사님께서 저를 한국에 계신 스님들께 소개시켜 주기를 부탁드립니다.

만일 선사님께서 여행 도중에 로스앤젤레스를 방문해 주신다면 정말 멋질 것입니다. 만일 그러신다면 저희들은 모두 선사님을 만나뵐 날을 기다릴 것입니다.

제 숙제는 그만 꼼짝없이 얼어붙고 말았습니다. 선사님께서 자상하시게도 쥐 공안에 대한 방향을 일러 주셨음에도 불구하고 전 아직까지 확실하게 깨닫지를 못하고 있습니다. 맨 마지막 편지에다 선사님께서 '달빛이 창문을 통해 마루를 비춘다. 이 답이 당신 질문에 대해 충분한가, 안 한가?' 이렇게 쓰셨죠. 저는 선사님께서 저에게 그와 같이 '여여한' 경지로 살며 묘심(妙心)을 쫓지 말라고 이르시는 것으로 받아들입니다. 그리고 그 먼저에는 1쿼터짜리 동전 4개가 1달러가 된다는 것을 이해하라는 내용의 시도 보내 주셨는데, 저는 이것을 여러 현상에 대해 집착해서는 안 된다는 뜻으로 받아들이고 있습니다. 저는 이렇게 모르고 있습니다. 아마 저는 너무 개념적으로 정리하는 모양입니다. 저는 분명 얼어붙은 상태인 듯합니다.

또 선사님께서는 쥐 공안을 푸는 열쇠로 『벽암록』에 나와 있는 산불과 돌담 밑의 소 이야기도 쓰셨습니다. 선사님께서

이 공안의 숨은 뜻을 먼저 알아 내라고 하셨지만, 소생은 어리석게도 선사님의 의도를 눈치채지 못하고 있습니다.

첫번째(쥐 공안) 부분은 360°의 경계입니다. 그것은 분명합니다. 밥그릇이 깨진 부분은 먼저 것의 숨은 뜻을 의미합니까? 360°의 경계 뒤에는 무엇이 있을 수 있을까요? 아이구, 모르겠습니다.

아마 마지막으로 선원이나 '여여' 혹은 특정한 마음 상태에 대한 생각들까지 모두 던져 버려야 할 것 같습니다. 그래서 지금은 단지 모를 뿐으로 지켜 보고만 있습니다. 그럼에도 불구하고 이 일이 '고양이 밥그릇이 깨졌다'란 공안의 해답을 선사님께 드리기를 제게 요구하고 있습니다. 그래서 여기에 이런 답을 드리겠습니다.

'특별한 것이 아니다'

끝으로, 선사님께서 만드신 선원청규는 미국인에게는 정말 유익합니다. 그것을 널리 유포하도록 해 보겠습니다. 왜냐 하면 그 선원청규는 우리들 대부분의 가장 큰 결점인 타인의 두뇌와 경쟁하는 일을 고쳐 주기 때문입니다. 우리는 모두 너무도 많은 구업(口業)을 짓고 사는데, 그것이 그런 일을 멈추는 데 큰 도움이 될 것입니다.

> 1975년 1월 31일
> 만나뵙기를 고대하며……
> 안 한 드림

안 한 씨에게

편지 감사합니다. 요즈음은 어떻게 지내시는지요? 나는 당신의 그 '얼어붙은' 마음이 더욱더 강해져서 곧 견성하시기를 바라고 있습니다. 당신과 나는 똑같은 업을 지녔는지 결국 나 역시 이번 봄에는 고국을 갈 수 없게 되었습니다. 왜냐 하면 나는 현재 뉴욕의 원각사 주지인데다가 뉴욕 국제선원이 초창기이기 때문에 이곳에 머물러 있을 수밖에 없습니다. 수많은 한국인 신도들이 나와 함께 지내기를 원하기 때문에 요즈음은 프로비던스, 보스톤과 뉴욕으로 다니기가 분주하기만 합니다.

나는 당신의 '얼어붙은' 그 마음을 아주 환영합니다. 쥐 공안에 대한 좋은 해답을 찾는 일은 이 '얼어붙은' 마음을 지키는 것만큼 중요한 것은 아닙니다. 이런 마음을 갖는다는 것은 당신에게는 보배인 것입니다. 그러나 만일 당신이 그 마음을 당신 자신을 위해 지킨다면 그것은 다른 욕망과 같아집니다. 그러므로 당신은 이 보물을 남들과 나누어 가져서 모든 이들을 도와야만 합니다. 이것이야말로 우리가 공안을 사용하고 독참을 하며 또 견성을 해야 하는 그 참된 이유입니다. 여기에 또 다른 참고를 드리겠습니다.

$$3 \times 3 = 9$$
$$4 + 5 = 9$$
$$10 - 1 = 9$$
$$18 \div 2 = 9$$

여기에 많은 예가 있지만 그 숨은 뜻은 결국 같은 답입니다. 이 공안 역시 마찬가지입니다. 모든 말들이 ― 쥐, 고양이

밥, 밥그릇, 그리고 깨졌다 — 모두 같은 것 하나를 지적하기
때문에 아주 좋은 것입니다. 당신은 그 하나를 찾아야만 합니
다. 이미 나는 당신에게 많은 암시를 주었기 때문에 당신이
내 말에 집착하지만 않는다면 그것들이 서로 다른 것이 아니
라는 사실을 쉽게 깨달을 수 있습니다. 그것들은 모두 이 숨
은 뜻을 가리킵니다. 당신의 답은 좋은 것도, 나쁜 것도 아니
며 특별한 것도 아니었습니다. 그러나 '특별한 것이 아니다'
라는 말 자체는 아주 특별한 의미가 있는 말입니다. 이것은
숨은 뜻이 '즉여'인 것입니다.

선원청규가 유익하다는 당신 말에 대해 대단히 감사드립니
다. 또 다른 새 공안을 보내드릴 터이니, 이것을 유익하게 쓰
시기를 바랍니다.

1975년 2월 12일
숭산

선사님께

선사님의 선원이 동부에서 날로 번창해 간다는 소식을 들
었습니다. 저는 무척 흐뭇합니다. 많은 사람들이 그곳에서 도
움을 얻어 견성하리라고 봅니다.

'고양이 밥그릇이 깨진' 공안에 대한 제 숙제는 더 이상 할
말이 없습니다. 저는 제 나름대로 미국인들에게 친숙한 언어
를 쓰고 또 여러 가지 예를 들어가면서 그들에게 선에 대해
서 이야기할 방법을 찾고 있었습니다.

국제 불교 명상 센터에서 제가 한 법문은 다음과 같은 내

용이었습니다.(선사님께서 이런 법문 형식을 찬성하시는지를 알려 주시기 바랍니다.)

"대학의 심리학 강좌에는 인간의 지각에 대하여 여러분에게 가르쳐 주는 실험이 있는데, 그 중에는 다음과 같은 것이 있다. 그들은 세 개의 물통을 준비한다. 뜨거운 물 한 통, 얼음같이 찬 물 한 통, 실온 정도의 물 한 통. 피실험자는 오른손을 뜨거운 물통에 집어 넣고 동시에 왼손은 찬 물통에 넣는다. 그 상태에서 30초 정도나 그 온도에 익숙해질 때까지 그대로 있다가 그는 두 손을 동시에 빼내서 세번째 물통 — 실온 정도의 물이 담긴 — 에 함께 집어 넣는다. 그러면 같은 온도의 물임에도 불구하고 뜨거운 물에 담갔던 오른손은 차게 느끼고 차가운 물에 담갔던 왼손은 뜨겁게 느낀다. 여러분도 그것을 한 번 해 보면 직접 느낄 수 있다.

그것은 우리에게 참선에 관해서 무엇을 말하는 걸까? 이는 바로 뜨겁다라든가 차다와 같은 상대적 개념은 여러분이 대상을 관찰하는 특정한 관점에 따라 달라진다는 것이다. '차다'는 단지 '내 손보다 차다'이고 '뜨겁다'는 단지 '내 손보다 뜨겁다'라는 의미인 것이다. '내손이라는 비교치가 없이는 뜨겁다, 차다는 아무 의미가 없는 것이다. 이는 상대적 개념을 가진 모든 것에 적용된다. 뜨겁다와 차다. 명암, 선악, 존재와 무 등.

그래서 이는 여러분이 참선을 통하여 무엇을 배우는가를 보여 주는 것이다. 즉, 여러분은 위에서와 같은 비교치 없이 판단하는 것을 배우게 된다. '나'라는 특정한 관점을 배제하는 것이다. '나'라는 관점이 없다면 선과 악, 존재와 무는 존재하지 않을 것이다. 모든 종류의 생각은 사실상 전혀 터무니 없는 것이다. 모든 것은 비교되는 성질이 더해지지 않은, 있는 그대로인 것이다. 빨간 색이 오면 빨갛게, 고통이 오면 아파할 뿐이며, 태양이 비치면 방은 밝아진다. 오직 이럴 뿐이다.

나는 여러분들에게 참선하기를 격려하기 위해 이런 말을 한다. 그러나 이 말 속에 선은 없다. 이해하는 것은 아무것도 아니다. 여러분은 자신을 위해 체험해야만 한다. 열심히 정진해서 깨달음을 얻고, 모든 유정들을 구제하라."

아마 제 설법은 너무 수다스러운 것 같았지만 그래도 많은 사람들이 좋아했고, 또 이 말이 그들에게 참선을 하도록 격려를 한 듯 싶었습니다.

저는 1월 이후부터는 프로비던스 선원으로부터 아무런 소식을 듣지 못했습니다. 그래서 그들이 혹시 우편물 수취인 명부에서 제 이름을 지우지는 않았을까 걱정됩니다. 저는 선사님께서 서부 해안 쪽으로 여행하실 기회가 있으시다면 그 때 만나뵙기를 고대하겠습니다.

1975년 4월 7일
선사님의 지도에 감사드리며……
안 한 드림

안 한 씨에게

당신의 편지와 그 속에 담긴 친절한 표현에 감사드립니다. 나는 줄곧 당신의 숙제 답변을 기다려 왔는데, 아무 할 말이 없다고 해서 좀 실망을 했지요. 이 공안은 너무 쉬운 거지요. 당신이 알아야 할 것이라고는 1쿼터가 25센트라는 것뿐입니다. 그것뿐이예요.

당신이 어떤 식으로 설법을 하는가를 내게 알려 주셔서 감사합니다. 방법이 아주 훌륭했습니다. 그런데 조금 분명치 못한 점이 있더군요. 당신은 상대적 성질이란 전혀 의미 없는 것이고 모든 것은 상대적 성질이 보태지지 않은 상태의 있는 그대로라는 견해를 나타냈습니다.

그렇지만 빨갛다라든가 아프다라는 것 역시 상대적인 것이고, 햇님, 빛난다, 밝다 이 모두가 상대적인 것입니다. 당신은 상대적 성질이란 모두 무의미한 것이라고 했으면서 왜 여기에 그런 것들을 사용하는지요? 그리고 만일 '나'라는 특정한 견해를 모두 뺀다면 어떻게 빨갛다는 것이 나타날 수 있을까요? 빨간 것은 누가 보고, 고통은 누가 느끼며, '여여함'은 누가 이해한다는 말인가요?

세 가지의 영역이 있습니다. 상대적 영역, 무의미한 영역, 여여한 영역, 당신의 가르침을 보면 상대적 영역과 무의미한 영역의 차이는 뚜렷합니다. 그런데 무의미한 영역과 여여한 영역의 차이는 정확하지 않습니다. 대중들은 이것을 이해하기가 좀 힘들었을 것입니다. 한 조사께서 말씀하셨습니다.

"그릇된 견해라는 병을 가진 사람들을 치료하기 위해서는 우리는 그들에게 방편으로 약을 주어야 한다. 그리고 그 병이 고쳐지면 우리는 그 방편의 약을 다시 가져와야 한다."

우리는 왜 그 방편의 약을 다시 가져와야만 할까요? 이것은 매우 중요한 것입니다. 만일 우리가 그 약을 다시 가져오지 않는다면 그 환자들은 망상 속에 빠지게 될 것입니다.

법문 중에서 당신은 상대성에 집착하는 병을 고치기 위해 무의미라는 약을 썼습니다. 그러나 어떻게 이 무의미라는 약을 치워 버리실 건지요? 이 무의미는 어디로 갈 것인지요? 이렇게 무의미함으로부터 여여함까지가 정확치 못했습니다.

여기 맞는 가르침의 한 예를 적어 보겠습니다.

"차다, 뜨겁다라는 것은 생각에 의해 만들어진다. 만일 생각을 끊어 내면 모든 상대적 성질은 없어진다. 이것이 절대적 성질이다. 그래서 여기에는 선·악, 명·암, 찬 것이나 뜨거운 것이 없다. 그러나 생각 이전에는 문자도 언설도 없다. 개구즉착(開口卽錯)! 그러므로 '차지도 뜨겁지도 않다'고 말한다면 마찬가지로 틀린다. '할!'이라 외치고 몽둥이로 칠 수밖에 없다. 그러나 그것 자체는 공에 집착하는 것이다. 그러므로 생각 이전의 참다운 공의 세계에서는 여러분은 오직 깨끗한 마음을 지켜야만 한다. 모든 것은 있는 그대로이다. 마치 깨끗한 거울에 반사되는 것처럼 말이다. 빨간 빛이 오면 거울은 빨갛게 되고 하얀 빛이 오면 거울은 하얗게 된다. 찰 때는 차고 뜨거울 때는 뜨거울 뿐이다."

나는 위의 예가 당신에게 도움이 되기를 바랍니다. 그 약이 어디에서 오고 어디로 가져가야 할지에 대해 주의하셔야 합니다. 또 내가 뉴욕 국제선원 개원식 날에 설법한 법문을 한 부 복사해 보내 드리겠습니다. 당신의 지도 방법과 나의 지도 방법이 어떻게 다릅니까? 당신이 그 점을 관찰한다면 그 법문이 당신을 가르칠 것입니다.

우선 세상을 구분지어 상대적으로 보는 마음을 고쳐야 하는 점은 아주 중요한 일입니다. 그러나 사람들이 '여여함'을 이해할 때 '여여함'에 집착하는 것 역시 생각인 것입니다. 그 법문은 내가 '하나, 둘, 셋, 넷, 다섯, 여섯, 일곱, 여덟'이라고 할 때 사실상 끝이 난 것입니다. 나머지는 모두 설명이 되는 거지요. 그러나 설명은 필요할 것입니다. 그리고 나는 같으냐, 다르냐 하는 질문을 던짐으로써 한 번 더 대중들의 마음을 점검합니다. 마지막 문장은 모든 것을 다 내버리라는 뜻입니다. 같으냐, 다르냐, 설명, 여여함, 법문 그리고 그 모든 것을.

신문에 대해서 사과드립니다. 내가 프로비던스의 책임자에게 말해서 당신에게 날짜에 맞추어 보내도록 조치하겠습니다. 곧 만나기를 기대합니다.

1975년 4월 17일

숭산

89. 만인구제

어느 날 저녁, 케임브리지 선원에서 법문이 끝난 다음 제자 한 사람이 숭산 선사께 다음과 같은 질문을 하였다.

"선사님께서 여기 오신 것이 모든 사람들을 구제하기 위해 서라고 말씀하셨을 때는, 그들로 하여금 단지 견성만 하게끔 도와 주신다는 뜻입니까? 아니면 기아, 전쟁, 고통으로부터 구제하신다는 뜻입니까?"

선사께서 말씀하셨다.

"나는 이미 사람들을 구제하였다."

그리고 한참을 계시다가 말씀하셨다.

"너는 이 뜻을 이해하겠느냐?"

그리고 다시 또 한참을 계시다가 말씀하셨다.

"모두 놓아 버려라. 됐느냐?"

90. 달마사에서 나눈 대화

어느 일요일, 로스엔젤레스에 있는 달마사에서 법문이 끝난 다음 본원 거사가 숭산 선사께 올라와 질문을 했다.

"견성의 경지가 어떤 것입니까?"

선사께서 말씀하셨다.

"모르십니까?"

본원 거사가 바닥을 쳤다. 선사께서 말씀하셨다.

"당신을 믿을 수 없습니다. 다른 답을 내 놓으시오."

"바깥 날씨가 대단히 덥습니다."

"좋습니다. 내가 이제 당신에게 질문을 하나 하겠습니다. 옛날 서산 대사께서 견성하였을 때 이런 오도(悟道)의 노래를 불렀습니다.

머리는 세도 마음은 희지 않다고,
옛사람 일찍이 일렀구나.
닭울음 한 소리 이제 듣고 나니,
장부의 큰 일을 다 마쳤도다.

髮白心非白

古人曾漏洩

今聽一聲鷄

丈夫能事畢

위의 마지막 두 줄의 뜻이 무엇인가요?"

본원 거사가 말했다.

"점심을 먹었더니 이제 시장하지 않습니다."

"당신의 점심 공양과는 상관이 없습니다. 당신이 배부른 건 당신만이 아는 일이지요. 나는 지금 나무닭이 우는 소리에 대해 묻고 있습니다. 이게 무슨 뜻입니까?"

"꼬꼬댁 — 꼬 — 꼬."

"당신이 나무닭입니까?"

"선사님은 왜 구멍 없는 피리를 부십니까?"

선사께서 말씀하셨다.

"만일 당신이 삼세제불을 다 죽인다 해도 나는 당신을 믿지 않을 것입니다. '장부의 큰 일'의 뜻은 이미 시 속에 있습니다. 어떤 구절이 그 뜻입니까?"

"로스앤젤레스 하늘에는 매연이 심합니다."

"훌륭한 대답이 아니군요. 시를 다시 읽어 보시오."

본원 거사가 시를 읽고 나서 말했다.

"점심 공양 드셨습니까?"

"훌륭한 답이 아닙니다. 그 뜻은 시 속에 있습니다. 다시 읽어 보시오."

본원 거사는 다시 또 시를 읽고 잠자코 있었다. 선사께서 말씀하셨다.

"아직도 모르시는군요. 나에게 물으시오."

"장부의 큰 일을 마친다는 것은 무슨 뜻입니까?"

선사께서 말씀하셨다.

"머리는 세도 마음은 희지 않다."

이때 본원 거사가 크게 웃었고, 선사께서도 따라 웃었다.

91. 사공 스님

옛날 중국의 약산 유엄(藥山惟儼) 선사에게는 두 사람의 뛰어난 제자가 있었는데, 운암(雲岩)과 덕성(德誠)이었다. 두 사람은 모두 약산 선사에게 인가를 받아서 훌륭한 선사가 되었다.

운암은 신체가 건강하고 지칠 줄 모르는 정력적인 장부로서 목소리가 쩌렁쩌렁 울리고, 웃으면 그 소리에 지축이 흔들렸다고 한다. 그는 곧 아주 유명한 선사가 되었다. 전국 각지에서 몰려든 제자 수백 명이 그에게 배웠다.

반면에 덕성은 키도 작고 성품이 온후해서 세상 사람들은 그를 잘 알아 주지 않았다. 가끔 그가 말을 하거나 행동을 하면 사람들의 마음에 오랫동안 남아 있는 경우가 많았다. 그러나 그는 스승 약산 선사가 돌아가신 후 생각을 달리하여 운암에게 다음과 같은 부탁의 말을 했다.

"자네는 인연처에 가서 법당을 세우고 선사의 유풍을 전수하기를 바라네. 나는 원래 성질이 조야해서 산이나 물과 구름을 찾아 따르겠네. 금후 많은 수행자를 접할 때 혹 가다가 쓸

만한 인물이 있거든 한 사람만 나에게 보내 주게. 내가 얻은 법을 전하여 선사의 법은에 보답할까 하네."

이 말을 남기고 그는 훌훌 떠나서 화정현에 가서 중의 행색을 버리고 머리를 기르고는, 배 하나를 사서 강 둑 이편 저편으로 사람들을 태워 나르는 뱃사공 노릇을 하였다. 이렇게 덕성은 평범한 뱃사공으로서 완전히 초야에 묻혀 자유롭게 살았다.

그 후 몇 년이 흘렀다. 호남 예주 땅에는 선회(善會)라는 젊은 승려가 있었다. 그는 아홉 살에 출가하여 제방제석(諸方諸席)에 두루 참예하였으며, 도처 각지의 모든 뛰어난 선사로부터 배워서 경론에도 해박하였다.

결국 그는 나라 안에서 가장 뛰어나다는 명성을 얻게 되었고 전국 각지로부터 그의 강의를 들으러 몰려든 사람들로 그의 절은 항상 꽉 차 있었다.

어느 날, 대중들을 모아 놓고 설법을 하는데 돌연 한 중이 앞으로 나와서 물었다.

"어떤 것이 법신(法身)입니까?"

"법신은 무상(無常)이니라!"

"어떤 것이 법안(法眼)입니까?"

"법안은 흠이 없도다!"

갑자기 뒷자리에서 "하하하!" 웃는 소리가 났으며 그 소리가 너무 커서 땅이 흔들릴 정도였다. 선회가 멈추자 법당 안은 찬물을 끼얹은 듯 조용해졌다. 그는 재빨리 법좌에서 내려 법당 뒤로 걸어갔다. 그는 웃었던 나이 많은 객승 앞으로 가서 공손하게 합장을 하고 물었다.

"스님! 소승의 어디가 잘못된 것입니까? 명백하게 가르침을 베풀어 주십시오."

그 승려는 선회의 겸손함에 감격하여 미소를 지었다.

"화상의 가르침은 틀린 바 없었소. 그러나 화상은 정통한 법을 받지 못한 것 같으오. 화상에게 필요한 것은 눈 밝은 스승의 가르침이오."

선회가 간절하게 말했다.

"제게 가르침을 베풀어 주시겠습니까?"

"미안하지만 그것을 여기서 설할 수가 없소. 정 뜻이 있다면 화정현의 사공 스님을 찾아서 참문을 해 보시오."

"사공 스님이라니 도대체 어떤 분이십니까?"

"그분 위로는 기와 한 조각 놓을 곳이 없고, 아래로는 송곳 하나 세울 곳이 없는 분이오. 그분은 겉으로 보아선 평범한 사람 같아 보이지만, 그분께 가서 말을 하면 당신은 알게 될 것이오."

그래서 선회는 많은 제자들과 작별하고 자신의 행색을 변복하여 화정현으로 길을 떠났다. 그 후 며칠이 지나서 선회는 사공 스님을 찾아 냈다. 그는 얼굴에 주름이 쪼글쪼글하고 행색이 초라해서 평범한 다른 사공과 다를 바 없는 모습으로 변해 있었다. 선회가 배에 오르자 노인은 고개만 끄덕하였다. 노인은 몇 번 노를 저어 배를 강에 띄우고 말했다.

"스님은 어느 절에 사십니까?"

선회는 이 순수한 질문을 도전이라고 생각했다. 그는 일어서서 정신을 집중하곤 대답했다.

"아무 절에도 살지 않소이다. 산다면 벌써 맞지 않는 소리인 것입니다."

"맞지 않는 소리? 무엇에 맞지 않는단 말인가요?"

"그것은 목전(目前)의 법이 아니라는 말입니다."

"어디로부터 이것을 얻었습니까?"

"이목(耳目)이 미치는 곳에선 얻지 못하는 것이오."

선회는 좀처럼 굴하지 않고 의기양양하였다. 그러나 이미 사공은 그의 심지를 들여다보고 대갈일성(大喝一聲)하였다. 선회는 아무 말도 할 수 없었다. 잠시 후 사공 스님이 말했다.

"일구합두(一句合頭)의 말일지라도 오히려 만겁의 계려궐(繫驢橛)이야."

이 말은 조사의 뜻에 계합하는 한 마디일지라도 마치 나귀를 잡아 매어 두는 말뚝같이 속박만 할 뿐, 아무 소용이 없어 그것으로는 영원히 자유를 얻지 못한다는 뜻이다. 선회는 이번에는 당황해서 얼굴빛이 하얗게 되고 숨도 제대로 못 쉬었다. 이를 본 사공 스님은 더욱 다그쳐서 물었다.

"낚싯줄을 천 척(千尺)이나 내리우고 뜻은 깊은 못에 두었도다. 낚시 세 치(三寸)를 떠나서 자네 왜 말 못하는가?"

선회는 입을 열었으나 말이 안 나왔다. 바로 그 때 번개같이 사공의 노가 선회의 잔등을 탁 쳐서 사정없이 그를 물 속으로 집어 넣어 버렸다. 텀벙 물 속에 빠진 선회는 딱하게도 연거푸 물을 들이키면서 허우적거리다 간신히 뱃전을 더듬어 잡고 몸을 솟구쳐 올라오려고 하였다. 그 때 선사가 소리쳤다.

"빨리 말을 해라! 말을 해!"

다시 노를 들어 그를 물 속으로 밀어넣었다. 그 순간 선회는 노가 철썩 때리는 통증을 느끼면서 동시에 마음이 탁 트여서 모든 것을 깨닫게 되었다. 아푸푸……, 물을 들이키면서도 그는 희희낙락하여 머리를 세 번 끄덕여 보였다. 사공 스님은 그제서야 배에 올라오게 하고 기쁨을 감추지 못하였다. 몇 분 동안 그들은 서로 얼굴을 바라보기만 하였다. 그러다가 사공 스님이 말했다.

"대 끝의 줄은 네 마음에 맡기노라! 맑은 물결은 건드리지 않고, 뜻은 절로 빼어났도다!"

선회가 말하였다.

"선사께서는 낚싯줄을 드리워서 무엇을 하시려고 하십니까?"

"배고픈 고기는 미끼와 낚시를 함께 삼킨다. 만일 네가 존재와 무의 두 단계를 생각한다면 이 낚시에 낚여서 오늘 저녁 상에 오르리라."

선회가 웃으며 말했다.

"저는 선사께서 말씀하시는 바를 하나도 이해하지 못합니다. 선사께서 혓바닥을 움직이시지만 소리는 어디에 있는 것입니까?"

"강물에 낚싯줄을 던지니 오랫만에 오늘에야 처음 금린을 만났도다."

선회는 지나친 칭찬에 급히 두 손으로 귀를 틀어막았다. 사공 스님이 말하였다.

"훌륭하도다! 훌륭하구나! 이제 너는 자유인이다. 어디에 가든 흔적을 남기지 말라. 나는 약산 선사와 함께 오랜 시간을 통해 그것만을 배웠느니라. 이제 너는 깨닫게 되었으니 내게 빚은 다 갚은 것이다."

낮과 밤을 종일토록 두 사람은 강물에 배를 띄운 채 말하고 또 말했다. 새벽이 되자 두 사람은 배를 강가에 대고 선회가 배에서 내렸다.

"잘 가거라."

선사는 선회를 떠나 보냈다.

"너는 나를 다시 생각해서는 안 된다. 그 외는 다 필요 없다."

선회는 이별을 아쉬워하며 차마 떨어지지 않는 발길을 떠나면서 자주 뒤를 돌아보았다. 마지막으로 뒤를 돌아보니 선사는 배를 강 가운데로 저어 가 그곳에서 훌쩍 배를 뒤집어 썼다. 선회는 선사의 머리가 물 위에 떠 있는 것을 보았으나 이내 영영 모습을 나타내지 않았다. 다만 뒤집힌 배만 강물을 따라 천천히 흘러 시야 밖으로 사라져 갈 뿐이었다.

92. 참다운 길

프로비던스 선원의 용맹정진 기간 중인 이느 날 아침에 제자 한 사람이 독참실로 들어와 숭산 선사께 큰절을 올렸다. 선사께서 말씀하셨다.

"물어 볼 것이 있느냐?"

"없습니다."

"그럼 내가 너에게 묻겠다. 무엇이 참다운 길이냐?"

그 제자가 대답하였다.

"문을 통해 부엌으로 나갑니다."

"그것은 참다운 길이 아니다."

그 제자가 선사께 한 방을 내리쳤다. 선사께서 "아야, 아야!" 하셨다. 그 제자가 몸을 숙이고 말했다.

"제가 도와드릴까요?"

"아니다. 그런데 내가 또 다른 것을 묻겠다. 훌륭하신 한 조사께서 말씀하셨다. '종이 울리면 일어서라. 법고를 치면 절을 하라!' 이것이 무슨 뜻이냐?"

그 제자가 대답하였다.

"하늘에는 새가 납니다."

선사께서 말씀하셨다.

"너는 지팡이로 달을 치려느냐? 내가 한 가지 암시를 주마. 우리 절에서는 매일 새벽과 저녁에 종송이 끝나면 목탁 승려가 목탁을 친다. 그 때 모두 무엇을 하느냐?"

"일어납니다."

"그럼 목탁소리가 또 나면 그 때는 무엇을 하느냐?"

"절을 합니다."

"우리 나라에서는 목탁을 쓰지만 중국에서는 종과 법고를 쓴다. 신호는 달라도 행동은 같다. 그럼 너도 이제는 알았을 것이다. '종이 울리면 일어나고 북이 울리면 절을 하라.' 이것이 무슨 뜻이냐?"

그 제자는 일어나서 선사께 절을 올렸다. 선사께서 말씀하셨다.

"좋다. 항상 이 마음을 가져라. 이것이 너의 참다운 길이다."

93. 문익 선사 이야기

　옛날에 법안 문익(法眼文益)이라는 유명한 선사가 있었다. 그는 절도 많이 세웠고 63명이나 되는 제자에게 인가를 해주어서 법안종(法眼宗)의 시조가 되었다.

　나한(羅漢) 선사의 제자였을 때, 문익은 그의 뛰어난 기억력으로 유명하였다. 그는 수많은 경전을 한 자도 빼지 않고 모두 외울 수 있었으며 참선도 열심히 하여 맑은 마음을 지켰다. 그는 자기에게 진리를 물어 보는 사람에게는 이런 말을 들려 주었다.

　"과거·현재·미래의 세상과 모든 법과 모든 부처는 오직 마음으로 만들어지는 것이다."

　당시 중국에서는 모든 집착에서 벗어나 허공의 구름처럼 이 절 저 절로 선사를 찾아다니는 운수 납자들이 아주 많았다. 그들은 전혀 장애가 없는 중들이었다. 문익도 한때는 그런 운수들의 행각을 동경해서 결국 자기도 그렇게 해 보기로 결심을 하였다. 그는 나한 선사를 찾아가 말했다.

　"선사님께 작별 인사를 드리러 왔습니다. 이제부터는 저도 아무 거리낌 없는 생활을 해야겠습니다. 그래서 내일 이 절을 떠나기로 하였습니다."

그 말에 선사는 눈썹을 약간 올리고 말했다.

"네가 준비가 되었다고 생각한다면 좋다."

"저는 이미 준비가 되었습니다."

"좋다. 내가 확인하기 위해서 너를 한 번 시험해 봐야겠다. 너는 자주 온 우주가 마음으로 만들어졌다고 하는데, 저기 저 마당을 보아라. 네게도 저 큰 바위가 보이겠지?"

"네."

"그럼 말해 봐라. 저것이 너의 마음 속에 있느냐, 밖에 있느냐?"

조금도 주저하지 않고 문익이 대답하였다.

"물론 그것들은 제 마음 속에 있습니다. 어떻게 마음 밖에 있을 수 있겠습니까?"

선사가 킥킥대고 웃더니 다시 말했다.

"그렇다면 너는 가서 잠을 푹 자는 게 좋겠다. 그렇게 무거운 돌을 마음에 담고 있으니 내일 걸으려면 무척이나 힘이 들 게다."

이 말에 부끄러워진 문익은 마당만 물끄러미 바라보았다. 잠시 후 선사가 다시 말했다.

"네가 이해하려고 애쓸 때에 너는 보이는 것을 꿈꾸려고 애쓰는 사람과 같아지는 것이다. 참 진리는 바로 네 앞에 있다. 그것은 살아 있으며 아주 말할 수 없을 만큼 위대한 것이다. 어떻게 사람 마음이 그것을 담을 수 있겠느냐?"

문익은 정중하게 절을 올리고 간청하였다.

"제발 선사님, 가르쳐 주십시오, 저는 모르겠습니다."

"바로 지금 너는 모르고 있다. 이 모르는 것이 지구이고, 태양이고, 별이며 온 우주인 것이다."

문익은 이 말을 듣는 순간 마음이 확 열렸다. 그는 다시 절을 올리고 말씀드렸다.

"선사님, 지금 그 밖에 무엇이 준비되어 있습니까?"

갑자기 선사가 소리쳤다.

"문익아!"

문익이 소리쳐 답했다.

"네!"

"아주 훌륭하다. 이제 너는 준비가 되었으니 떠나도 좋다."

94. 뭐라고 말했느냐?

목요일 저녁, 케임브리지 선원에서 법문이 끝난 뒤 한 제자가 숭산 선사께 질문을 했다.

"당신은 무엇입니까?"

선사께서 말씀하셨다.

"뭐라고 말했느냐?"

"당신은 무엇입니까?"

"뭐라고 말했느냐?"

이번에는 그 제자가 아주 천천히 말했다.

"당신은 … 무엇 … 입니까?"

선사께서 말씀하셨다.

"매우 고맙다."

잠시 동안 청법 대중들이 웃더니 곧 잠잠해졌다.

"이해가 되느냐?"

"아닙니다."

선사께서 말씀하셨다.

"내가 '고맙다'고 했다. 넌 누구냐?"

그 제자가 말했다.

"모르겠습니다."

선사께서 말씀하셨다.

"내가 널 쳤다. 이제 알겠느냐?"

"모르겠습니다."

선사께서 말씀하셨다.

"좋다. 네가 물었다. '당신은 뭐요?'라고. 내가 대답했다. '뭐라고 말했느냐?' 다시 또 네가 물었다. '당신은 뭐요?' 나는 다시 또 '뭐라고 말했느냐?'고 대답했다. 너는 또 한 번 물었다. '당신은 뭐요?' 그래서 난 '매우 고맙다' 하고 대답했다. 이 대화는 이미 끝났다. 그런데도 너는 이해가 안 되는 모양이구나.

그래서 내가 너에게 물었다. '넌 무엇이냐' 너는 알지 못했다. 그래서 내가 널 쳤다. '이해가 되느냐?' '뭐라고 말했느냐?'는 너의 질문에 대한 나의 답이었다. 모두 이 답을 알고 있었다. 그래서 너는 모든 사람에게 가르쳤던 것이다. 그래서 내가 '매우 고맙다'고 했던 것인데, 너는 자신의 가르침을 알지 못했다. 그래서 내가 쳤다."

그 제자는 아주 강한 의심이 드는 듯한 표정을 짓고 잠시 앉아 있다가 천천히 절을 올렸다.

95. 아무것도 아닌 일에 야단법석

구산(九山) 선사께서는 삼보사(三寶寺) 주지 덕산(德山) 스님에게 다음과 같은 편지를 썼다.

"옛날에 앙산(仰山)이 위산 영우 선사(潙山靈祐禪師)에게 '진불(眞佛)이 있는 곳은 어디입니까?' 하고 물었습니다. 위산이 대답했습니다. '절대계(본체)와 상대계(현상)가 부합될 때 빛이 되느니라. 이 빛은 공이요 이 공은 참으로 충만한 것이다. 모든 현상이 다하면 그 근원으로 돌아가게 되나니 그곳은 본체와 현상이 다 깨끗해지는 곳이다. 본체는 본체이고 현상은 현상이다. 이와 같느니라. 이것이 진불이다.' 이 말을 듣고 앙산은 견성하였습니다. 자, 덕산 스님의 견해는 어떠하십니까?"

덕산 스님은 답장으로 다음과 같이 썼다.

"마음에는 거처가 없다고 합니다. 로빈산의 삼보사 산문을 지키는 수문장 덕산에게 거처나 견해가 따로 있을 수 없습니다. 앙산과 위산의 대화를 보고 소승은 그 두 중을 모두 30방씩 쳐서 굶주린 개 먹이로나 주겠습니다."

구산 선사가 답장을 썼다.

"화상께서는 편지에 화상이 삼보사 산문을 지키는 수문장이라고 썼습니다. 그러나 참 공에 있어서는 들어감도 나감도 없음인데, 대체 화상은 무엇을 지킨다는 말입니까?

화상은 앙산과 위산을 30방씩 쳤다고 하는데, 나에게도 언어 이전의 답을 써 보십시오. 화상께서는 30방씩 쳤다고 하는데 누구를 쳤습니까?"

덕산 스님은 그때서야 숭산 선사께 편지를 썼다.

"이 질문들엔 어떻게 답을 해야 될까요? 친절하신 조언을 부탁드립니다."

숭산 선사는 구산 선사에게 답을 했다.

"삼보사 산문을 지키는 수문장의 칼은 부처를 만나면 부처를, 조사를 만나면 조사를 모두 죽입니다. 만일 구산 스님께서 입을 열었다 하시면 이 잔인무도한 칼날을 피하실 수 없게 됩니다.

두번째 질문에 대해서는 ― 매를 맞은 사람들은 앙산과 위산입니다. 그런데 왜 스님께서는 이 30방을 스님 어깨에 지고 다니십니까?

할!

허늘은 푸르고 풀은 파랗다."

96. 법계의 숨은 복병

프로비던스 선원의 용맹정진 기간중인 어느 날 아침에, 한 제자가 독참실로 들어와 숭산 선사께 절을 올렸다.

"물어 볼 말이 있느냐?"

그 제자가 말했다.

"네. 조사 한 분이 한때 제자들에게 이런 말을 했다고 합니다. '무엇이 불성이냐?' 한 제자가 '할!'이라고 외쳤습니다. 다른 제자는 '토끼의 뿔을 뽑고 물에서 달을 뜹니다.' 하고 대답하고 또 다른 제자는 '꿀벌이 꽃을 찾아 날아듭니다.' 했습니다. 어느 답이 가장 좋은 것입니까?"

선사께서 말씀하셨다.

"그것들은 모두 나쁘다."

"왜 그렇습니까?"

선사께서 말씀하셨다.

"꿀벌이 꽃을 찾아 날아든다."

"그건 가장 나쁜 답입니다."

"왜냐?"

제자가 말했다.
"창 밖의 나무가 푸릅니다."
선사께서 말씀하셨다.
"아, 만일 네가 일러 주지 않았더라면, 나는 나의 길을 잃을 뻔했구나!"

97. 운문 선사의 단언촌구(短言寸句)

하루는 한 제자가 운문 선사에게 이와 같이 물었다.

"부처님과 모든 조사님들을 뛰어넘는 것은 무엇입니까?"

운문이 답했다.

"호떡."

이번에는 다른 제자가 물었다.

"일념불기시(一念不起時: 한 생각도 일으키지 않을 때)에 도리어 허물이 있습니까?"

운문이 답했다.

"수미산."

또 다른 사람이 물었다.

"학인의 본래면목이 무엇입니까?"

운문이 답했다.

"유산완수(遊山翫水)."

이것이 운문 선사가 항상 제자들의 질문에 짧게 답을 함으로써 선을 가르쳤던 방법이었다. 어떤 때 그는 제자들의 마음을 지적하는 데 한 마디 말만 쓰기도 했다. 한 제자가 선사에게 물었다.

"취모검(吹毛劍: 가장 날카로운 칼)은 무엇입니까?"

운문이 답했다.

"조(祖: 훌륭한 스승)."

다른 제자가 물었다.

"무엇이 정법안(正法眼)입니까?"

운문이 답했다.

"보(普)."

또 다른 제자가 물었다.

"줄탁의 기미(啐啄之機: 달걀이 부화하는 시기)는 어떤 때입니까?"

운문이 답했다.

"향(響)."

다른 사람이 물었다.

"부모를 죽이고는 부처님께 참회하는데 부처와 조사를 죽이고는 누구에게 참회하여야 합니까?"

운문이 답했다.

"노(露)."

다른 제자가 또 물었다.

"화신(化身), 보신(報身), 법신(法身)의 삼신 중에 어느 몸으로 설법합니까?"

운문이 답했다.

"요(要)."

이와 같이 운문 선사는 짧은 답을 함으로써 많은 사람들의 마음을 열게 해 주었다.

98. 고봉 선사 시(詩)를 설명하다

한 제자가 숭산 선사의 스승이신 고봉(古峯) 선사를 찾아와 다음과 같이 말했다.

시방으로부터 온 사람들이 함께 만난다.
모두 각자는 아무것도 않는 것을 배운다.
이것이 부처 되는 경계이다.
공한 마음이 시험을 통과해 다시 돌아온다.

"이런 말들이 사람들에게 도움이 되겠습니까?"
고봉 선사가 답했다.
"도움이 된다."
"어떤 구절이 도움이 됩니까?"
"하나씩 여기로 가져오너라."
"첫번째 '시방으로부터 온 사람들이 함께 만난다'란 무슨 뜻입니까?"
"용과 뱀이 화합한다. 견성과 무지는 서로 통한다."

"누가 아무것도 않는 것을 배웁니까?"

"부처님과 조사들을 삼켰으니, 눈이 하늘과 땅을 잇는다."

"무엇이 부처되는 경계입니까?"

"서에서 동으로 10만, 북에서 남으로 8천이다."

"마지막의 '공한 마음이 시험을 통과하고 다시 돌아온다' 란 무엇입니까?"

"행동과 행동 없음에서 옛 방법이 나타난다. 그 길은 소란 의 틈새로 끌려내려가지 않는다."

"각 문장의 특성이 보입니다. 각각 모두가 진리입니까?"

"네가 본 것이 무엇이고 얻은 것이 무엇이냐?"

그 제자가 소리쳤다.

"할!"

고봉 선사가 말했다.

"이것은 지팡이로 달을 치려는 것과 같다."

99. 숭산 대선사

숭산 행원 대선사는 1927년 평안남도 순천에서 장로교 계통
의 기독교인 가정에 출생하였다.

당시는 일제의 강점기였으므로 정치적·문화적인 활동은
극심하게 탄압받고 있었다. 1944년, 선사는 지하 독립운동에
가담했다. 그로 인해 몇 달 뒤 선사는 일본 헌병대에 의해 체
포 수감되어 좁은 감방에서 갖은 곤욕을 다 치렀다.

감옥에서 풀려난 이후 그는 두 명의 친구들과 함께 부모님
으로부터 돈 500원을 훔쳐내어 경계가 삼엄한 한·만 국경을
넘어 만주에서 독립군과 합세하려 하였으나 뜻을 이루지 못
하였다.

다음 해 제2차 세계대전이 끝나자 선사는 동국대학교에서
철학을 전공하게 되었으나, 당시는 남한의 정치적 상황이 극
도로 불안하던 때였다. 결국 선사는 자신의 정치적 운동으로
나 학문으로는 사회에 도움을 줄 수 없음을 깨달았다. 그리하
여 그는 머리를 깎고 절대적 진리를 얻기 전에는 다시 돌아
오지 않을 것을 맹세하고 산으로 들어갔다.

처음 세 달 동안 그는 대학(大學), 중용(中庸), 논어(論語) 같은 유교 경전을 공부하였으나 그것만으로는 만족할 수가 없었다. 그 때 친구 중 한 사람이 작은 암자의 중이었는데 선사에게 『금강경』을 주었다. 이것이 불교를 처음 접하게 된 계기였다.

'범소유상 개시허망 약견제상비상 즉견여래(凡所有相 皆是虛妄 若見諸相非相 卽見如來)'

이 글을 읽는 순간 그는 마음이 맑아졌다. 그 이후 몇 주간 그는 경전을 여러 권 읽고 드디어 승려가 되기로 결심하여 1947년 10월에 계를 받았다. 선사는 벌써 경을 모두 이해하였으므로 자신에게 필요한 것은 오직 수행뿐이라고 생각하였다.

그래서 수계한 지 10일이 지나서 선사는 산 속으로 더 깊이 들어가 원각산(圓覺山) 부용암에서 100일 기도를 하였다. 그는 식사로는 솔잎을 말려 빻은 가루로 벽곡을 하면서 매일 20시간 동안 신묘장구대다라니(神妙章句大陀羅尼) 기도를 하였다. 또 하루에도 몇 번씩 얼음을 깨서 목욕을 하였다. 그것은 대단히 종교적인 수행이었다.

그런데 곧 회의가 들기 시작했다. 이런 기도가 무슨 소용이 있겠는가? 뭐하러 이토록 극심한 고생을 하는가? 산을 내려가 조그만 암자를 하나 얻어서 일본 중처럼 결혼하고 단란한 가정을 꾸미는 가운데 천천히 도를 닦을 수도 있지 않은가? 밤이면 이런 생각이 너무 간절해서 선사는 떠나기로 결심하고 짐을 꾸렸다.

그러나 다음 날 아침이 되면 마음이 맑아져서 다시 짐을 풀게 되었다. 또 며칠 뒤 똑같은 마음이 일어나서 이렇게 보따리를 싸고 풀고 한 것이 9번이나 되었다.

50일이 지나자 선사는 몸이 쇠약해져 기운이 하나도 없게 되었다. 매일 밤마다 무시무시한 환상이 보였다. 마구니가 어둠 속에 나타나 욕설을 하기도 하고 유령이 나타나 삼킬 듯 달려들면서 차가운 발톱으로 목을 할퀴기도 하였다. 커다란 딱정벌레가 나타나 다리를 물려고도 했다. 호랑이와 용이 나타나 바로 앞에서 삼킬 듯 덤벼들어서 그는 전신이 다 얼어붙는 듯하였다.

그 뒤 한 달이 지나자 무시무시한 환상에 이어 이번에는 즐거운 환상이 나타났다. 부처님이 나타나 경을 가르치시기도 하고 어떤 때는 멋진 옷을 입은 보살이 나타나 선사에게 극락에 갈 것이라고 말하기도 했다. 또 어떤 때 선사가 지쳐 잠깐 무릎을 꿇고 엎드려 있으면 관세음보살이 나타나 잠을 깨우기도 하였다. 80일째가 되면서부터는 선사는 힘이 솟구치는 것을 느낄 수 있었다. 그의 살갗은 솔잎처럼 파랗게 변색되어 있었다.

100일 기도가 끝나기 1주일 전인 어느 날, 선사가 목탁을 두드리며 도량석을 돌고 있을 때였다. 갑자기 11살이나 12살쯤 되어 보이는 동자 둘이 양쪽에 나타나서 선사에게 절을 올렸다. 동자들은 알록달록한 옷을 입었고 하늘에서 내려 온 듯 얼굴이 아름다웠다. 선사는 그들을 보고 무척 놀랐다. 자신의 마음이 굳세어지고 완전히 맑아졌다고 느꼈는데 대체 어디서 이런 것들이 나타나는지 알 수 없었다. 선사가 좁은 산을 걸어갈 때 두 동자는 뒤에서 따라왔는데, 바위 사이로 지날 때 동자들은 바위 속을 통과해 걷는 것이었다. 그들은 30분 동안 조용히 뒤에서 따라오다가 선사가 불단 앞에 다가가 절을 올릴 때가 되면 불단 뒤로 사라지는 것이었다. 이런 일이 1주일 동안 계속되었다.

드디어 마지막 100일이 되었다. 선사는 암자 밖으로 나와 목탁을 두드리며 염불을 하고 있었다. 그 때 갑자기 자신이 몸을 떠나서 무한한 공간에 있음을 느꼈다. 뿐만 아니라 저 먼 곳으로부터 들려오는 목탁 치는 소리와 자기 음성도 들을 수 있었다. 그는 잠시 그 상태에 머물러 있었다. 선사가 다시 자신의 몸으로 돌아왔을 때 그는 깨달았다. 바위, 강뿐만 아니라 모든 것을 있는 그대로 볼 수도 있고 들을 수 있으며, 이 모든 것이 참다운 자성이라는 것을 깨달았다. 모든 것은 있는 그대로인 것이고 참 진리는 바로 이와 같은 것이었다. 그날 밤 선사는 잠을 푹 잘 수 있었다.

다음 날 아침 그는 깨어나서 한 사나이가 산을 오르는 것을 보았다. 그 때 나무에는 까마귀들이 날고 있었다. 그는 다음과 같은 시를 썼다.

원각산하 한 길은 지금 길이 아니건만,
배낭 메고 가는 행객 옛 사람이 아니로다.
탁, 탁, 탁, 걸음소리는 옛과 지금을 꿰었는데,
깍, 깍, 깍, 까마귀는 나무 위에서 날더라.
圓覺山下非今路
背囊行客非古人
濯濯履聲貫古今
可可烏聲飛上樹

그 후 곧 선사는 산을 내려와 만공 선사의 가르침을 받았던 고봉 선사를 만났다.

고봉 선사는 당시 국내에서 가장 뛰어난 선사였으며, 또 가장 엄하기로도 소문이 난 분이었다. 당시 그는 거사들만 가르쳤는데, 평소 그의 입버릇이 '중들이란 다 도둑놈' 이라는 것이었다.

선사께서는 자신의 깨달음을 고봉 선사로부터 점검받고 싶어서 목탁을 들고 찾아갔다. 고봉 선사 앞으로 간 선사는 "이것이 무엇입니까?" 하면서 목탁을 내밀었다. 이 물음에 고봉 선사는 목탁채를 집어서 목탁을 쳤는데 이런 행동은 선사가 예상한 대로였다. 숭산 선사가 질문을 했다.

"어떻게 참선하여야 합니까?"

고봉 선사가 말하였다.

"옛날 한 스님이 조주 선사에게 묻기를 '달마 대사가 서쪽에서 온 까닭이 무엇입니까?(如何是 祖師 西來意)?' 하고 말했더니 조주는 '뜰 앞의 잣나무(庭前栢樹子).' 하고 대답했다. 이게 무슨 뜻이냐?"

선사께서는 알 것도 같았으나 어떻게 답을 해야 될지를 몰라 "모릅니다."라고 했다. 고봉 선사는 "모르면 의심덩어리를 끌고 나가라. 이것이 바로 참선 수행법이다." 하였다.

그 해 봄과 여름 동안에 숭산 선사는 항상 행선(行禪)을 하였다. 가을이 되자 선사는 수덕사(修德寺)로 옮기고 100일 간의 결제에 들어가 선과 법거량을 배웠다. 겨울이 되었을 때 숭산 선사는 중들이 열심히 수행을 하지 않는다는 생각에 무슨 수를 써서든지 다른 스님들의 공부를 도와야겠다는 마음이 들었다.

선사가 불침번을 서는 어느 날 밤에 (당시는 도둑들이 많았다) 그는 부엌으로 들어가 놋사발과 냄비를 모두 꺼내 앞마당에 둥그렇게 늘어 놓았다. 다음 날 밤에는 법당 안 불단 위의 부처님을 벽을 향해서 돌려 놓고, 국보였던 향로를 내와서 견성암(見性庵) 마당 위 감나무 꼭대기에 올려 놓았다. 다음날 아침이 되었을 때 절에서는 난리가 났다. 어떤 사람이

왔다고도 하고 또 산신이 내려와 스님들 공부 열심히 하라고 혼을 냈다고 하는 소문이 쫙 퍼졌다.

셋째 날에 그는 비구니들 처소로 가서 방 밖의 고무신 70켤레를 집어다가 덕산 선사 방 앞 댓돌 위에 고무신 가게 진열장같이 늘어 놓았다. 바로 그 때 비구니 한 사람이 밖으로 나왔다가 신발이 없어진 것을 알고 잠자는 다른 비구니들을 전부 깨웠다.

결국 그는 붙잡히게 되었다. 다음 날 그는 대중공사에 불려나갔다. 거기에 참가한 스님들 대부분이 숭산 선사에게 또 한번의 기회를 주기로 결정하여 (비구니들은 그를 미워했지만) 선사는 수덕사에서 쫓겨나지 않을 수 있었다. 그러나 대신 그는 큰스님들을 찾아다니며 참회를 해야만 되었다.

맨처음으로 그는 전월사(轉月舍)의 덕산(德山) 스님을 찾아가 절을 올렸다. 덕산 스님은 오히려 "공부 열심히 하라"고 격려를 하였다. 다음으로 그는 큰 비구니 스님을 찾아갔다. 큰 비구니 스님은 "젊은 사람이 산중을 이렇게 시끄럽게 했는데, 이럴 수가 있는가?" 하며 꾸짖었다. 그 때 숭산 선사가 웃으며 "이 세상이, 온 우주가 시끄러운데 견성암만 시끄럽겠습니까?" 하고 되묻자 비구니는 아무 말도 못하였다.

그 다음으로 숭산 선사가 찾은 사람이 바로 거친 행동과 상소리로 유명했던 춘성 선사였다. 선사는 절을 한 뒤 이렇게 물었다.

"스님, 제가 어젯밤에 삼세제불을 다 죽여서 도반을 구하려 했습니다. 스님 어떻게 하시겠습니까?"

춘성 선사는 "아!" 하고 감탄하며 숭산 선사의 눈을 그윽히 들여다 보았다. 그런 다음 "네가 본 것이 뭐냐?" 하고 물었다.

숭산 선사가 말했다.

"밖에 눈이 하얗지 않습니까?"

"아하, 이 사람 큰일 낼 사람이네. 그래 밖에 눈이 하얀데 그 눈 속에 불이 붙는 소식을 아느냐?"

"왜 구멍 없는 젓대소리를 하십니까?"

춘성 스님이 웃으며 "아하!" 하고 감탄하며, 몇 가지 질문을 더하자 숭산 선사는 하나도 막힘 없이 술술 답하였다.

드디어 춘성 스님이 자리에서 일어나 숭산 선사 주위를 돌며 덩실덩실 춤추면서 외쳤다.

"행원이가 견성을 했다! 견성했어!"

그 소식은 삽시간에 퍼져 그 다음 날 모든 사람들이 전날에 있던 일을 소상히 알게 되었다.

1월 15일, 해제한 뒤 숭산 선사는 고봉 선사를 찾아 길을 떠났다. 서울로 올라가는 길에 숭산 선사는 금봉 선사, 금오 선사를 만나서 두 스님으로부터 모두 인가를 받았다.

숭산 선사는 누더기를 입고 걸망을 진 채 고봉 선사의 절을 찾아갔다. 그가 고봉 선사 앞에 절을 올리고 "제가 어제 저녁에 삼세제불을 다 죽였기 때문에 송장을 치우고 오는 길입니다."고 하자, 고봉 선사가 "내가 그걸 어떻게 믿을 수가 있느냐?"고 했다. 숭산 선사는 걸망에서 오징어 한 마리와 소주 한 병을 꺼냈다.

"송장을 치우고 남은 것이 있어서 여기 가지고 왔습니다."

"그럼 한 잔 따라라."

"잔을 주십시오."

이 말에 고봉 선사가 손바닥을 내밀었다. 선사는 술병으로 고봉 선사의 손을 치우고 장판 위에 술병을 내려 놓았다.

"이게 스님 손이지 술잔입니까?"

고봉 선사가 빙긋이 웃고 말했다.

"나쁘지 않다. 네가 공부를 좀 하긴 했지만 몇 가지를 더 묻겠다."

고봉 선사는 1,700가지 공안 중 어려운 것을 골라 물었는데 숭산 선사는 막힘 없이 모두 대답하였다. 이를 본 고봉 선사가 말했다.

"서식야반 반기기파라. 쥐가 고양이 밥을 먹다가 밥그릇이 깨졌다. 이게 무슨 뜻이냐?"

"하늘은 푸르고 물은 흘러갑니다."

"아니다."

숭산 선사는 정신이 번쩍 들었다. 선문답에서는 한번도 틀린 적이 없었다. 얼굴이 벌개져서 또 다른 '여여한' 답을 말했다. 고봉 선사가 고개를 흔들었다. 참다 못한 숭산 선사는 화가 났고 또 실망했다.

"춘성, 금봉, 금오 선사님들 모두 제게 인가를 해 주셨는데, 왜 스님만 아니라고 하시는 겁니까?"

"그게 무슨 뜻이냐? 말하라?"

50여 분 간 고봉 선사와 숭산 선사는 서로 고양이같이 상대방을 노려보기만 했다. 불꽃이 번쩍번쩍 튀는 듯했다. 그 때 갑자기 선사께서 대답을 하였는데 그것이 '즉여'의 답인 것이었다. 고봉 선사는 이것을 듣자 눈에 눈물이 고이고 얼굴에 기쁨이 넘치며 환히 웃고 숭산 선사를 얼싸안고 말했다.

"네가 꽃이 되었는데 내가 왜 네 나비 노릇을 못하겠느냐?"

1949년 1월 25일, 선사께서는 고봉 스님으로부터 법을 전수 받으니, 그 법맥의 78대 조사가 되었다. 그리고 이는 고봉 선사께서 주셨던 유일한 전법이었다.

건당식이 끝나고 고봉 선사는 숭산 선사에게 이렇게 말하셨다.

"지금부터 3년 간을 너는 묵언하여라. 너는 이제 무애한 대자유인이다. 우리 500년 후에 다시 만나자. 네 법이 세계에 퍼질 것이다."

숭산 선사는 이렇게 해서 선사가 되었으며 당시의 나이는 22살이었다.

100. 무엇이 사랑이냐?

어느 날 저녁, 케임브리지 선원에서 법문이 끝난 후 한 제자가 숭산 선사께 질문을 하였다.

"무엇이 사랑입니까?"

선사께서 말씀하셨다.

"내가 너에게 묻는다. 무엇이 사랑이냐?"

그 제자는 잠자코 있었다. 선사께서 말씀하셨다.

"이것이 사랑이다."

그 제자는 아직도 조용히 있었다. 선사께서 말씀하셨다.

"너는 나에게 묻고, 나는 너에게 물었다. 이것이 사랑이다."

10년 전이다. 김용옥 씨의 글 "나는 불교를 이렇게 본다"를 보다가 숭산 스님에 대해서 알게 되었고, 스님의 법문집 『Dropping asheses on the buddha』가 여러 해 전에 이미 여러 나라의 글로 옮겨졌음을 알고 어떤 내용인지 궁금했다. 그런데 아직 우리 나라에는 소개되지 않았음을 알고 직접 숭산 스님을 찾아가 우리 글로 옮기겠다고 청했다. 생각했던 것보다 스님은 쾌히 승낙하셨고, '선'이란 한자도 틀리면 안 되니 모르는 것이 있으면 언제라도 찾아와서 물을 것을 당부하셨다. (나중에 알고 보니 그렇게 스님께 찾아와서 책을 받아간 사람이 내 앞으로도 199명이 있었다고 한다.)

불립문자(不立文字)인 선을 글로 옮긴다는 것이 무척 어려운 작업이었고 일찍이 선에 대한 지식이 없었던 나는 기초적인 불교 상식만으로 그 일에 덤벼든 것이 얼마나 무모한 짓인가를 곧 깨닫게 되었다. 그러나 어려움은 그것만이 아니었다. 가장인 남편이 회사에 사표를 던지고 사업을 시작했기 때문에, 가계를 내가 책임져야 했던 것이다. 낮에는 영어 강사로 밤에는 번역과 교정으로 그리고 토요일이나 일요일, 혹은 수요일 밤에는 스님을 찾아 뵙는 나날이 계속됐다. 그렇게 해서 책이 90년에 고려원에서 출판되었고, 불교 신도와 비신도, 그리고 미국에서 오래 거주했던 교포들까지, 일상 생활 속에서 참구하고 참마음을 깨우칠 수 있도록 한 이 책에 크게 감명을 받았다고 하였다.

그리고 10년이 지난 뒤에 여시아문에서 이 책을 다시 출판하게 되었다. 그 동안 내가 무엇을 얻고 깨달았는가?

결코 쉽거나 평탄하진 않았다. 남편은 사업상 빚을 지고는 아이들을 떠맡기고 증발하였고, 친정 식구들에게까지 경제적 책임을 지게 했던 그의 실수로 나는 고개를 들 수도 없는 입장이 되고 말았다. 설상가상으로 보증을 섰던 동생의 남편마저 병으로 세상을 떠나게 되었다. 그러면서도 나를 의지하는 아이들에게는 가장이 되어야 했고 또 그를 대신해서 항상 주변에 사죄를 해야 했다. 땅에 넘어진 자 그 땅을 짚고 일어서야 한다고 하였던가?

나는 그 고통의 시간들이 망각의 저편으로 흘러가서 더 이상 고통 받지 않기를, 어서 세월이 가기를 바랐다. 또 한편, 어차피 짊어지고 가야 할 이 무게가 가볍게 느껴질 만큼 불보살님의 가피를 듬뿍 받기를 기원하였다. 아니면 차라리 숭산 스님이 제자들에게 내어 주시는 공안을 모두 통과하고 도통을 해서 이런 것들이 아무것도 아닌 일이 될 수 있기를 바랐다. 그런 가운데서도 한편으론 나와 두 아이들을 가난과 좌절 그리고 배신의 감정 속으로 밀어넣고 모른 척하는 남편에 대한 증오심으로 내가 중독될까 걱정이 되어 많은 시간 기도를 하였다.

그렇게 여러 해가 흘렀다.

불과 수주 전에 그 동안 소식을 끊고 살았던 그로부터 전

갈을 받았다. "그 동안 자신의 도리를 다 하지 못하였기에 괴로웠다. 아직도 자신의 능력은 없지만 조금만 더 기다려 준다면 자신이 책임져야 할 것은 책임지겠으니 믿어 주길 바란다"는 내용이었다. 10년의 세월이 그에게도 작용하였던 것이다. 나는 피해자로서 고통의 한가운데서 힘겹게 버티면서 차츰 강해졌고, 그는 가해자면서도 고통을 피한 만큼 양심의 고통을 받아왔다 하였다.

나는 참회와 용서라는 단어를 떠올린다. 우리는 스스로 잘 못하였다고 느낀 순간부터 상대방에게 용서를 구하기 위해 노심초사한다. 반면 내가 용서를 해야 하는 입장이면 상대방의 고통 따위를 헤아리는 일은 쉽지 않다. 도저히 용서할 수 없는 마음이 되기도 한다. 그러나 진정한 용서는 이익을 얻기 위해서, 혹은 어쩔 수 없는 입장이어서, 아니면 망각에 의해 그 분노가 사그러졌기 때문이 아니라 내게 일어났던 혹은 주변에서 있었던 과거에 대해 비판이나 원망 없이 그냥 그대로 받아들이는 마음이 아닐까 생각한다. 그래서 살아가면서 벌어지는 일들에 대해 아무런 마음의 짐이 되지 않도록 여여하게 바라보는 마음을 갖도록 노력한다. 어제 있었던 일로 오늘과 내일이 얼룩지지 않기 위해서 참회와 용서가 필요한 것이 아닌가.
『반야심경』에는 아무것도 얻을 것이 없다 하여 '이무소득고(以無所得故)'라 하였다. 공한 마음을 지니려면 항상 참회와 용서를 해야 된다.

　작지만 소중한 깨달음까지 얻을 수 있도록 지도하여 주신 화계사의 숭산 스님과 재출판의 기회를 주신 여시아문에 감사드린다. 부처님의 마음으로 세상을 가꾸어가는 여러 분들께 이 글을 올린다.

1999년 7월 20일
대각심(大覺心) 합장

숭산 행원 대선사(崇山行願 大禪師) 약력

1927 평안남도 순천군 순천읍 출생.

1940 평안남도 순천군 순천공립학교 졸업.

1945 평양시 평안공업고등학교 졸업.

1946 동국대학교 국문학과 입학.

1947 마곡사 출가 득도.

1949 고봉 선사로부터 수계 건당(1. 25.), 동국대학교 불교학과 졸업.
    수덕사에서 고봉 선사를 법사로 비구계 수지(3. 1.).

1950 수덕사에서 하안거 이래 11안거 성만(4. 15.).

1951 마곡사에서 대교과 수료(9. 2.).

1952 육군 입대(12. 3.).

1957 육군 중위로 전역(7. 20.).

1958 화계사 주지로 취임(3. 15.).
    효봉, 동산, 청담, 경산 스님 등과 불교정화운동 추진.
    대한불교 조계종 종의회 구성, 종회의원 피선.

1960 대한불교 신문사 설립, 초대사장 취임(5. 3.).

1961 대한불교 조계종 총무원 총무부장 취임(6. 5.).
    군승(軍僧) 제도 시행으로 젊은층 신자 흡수,
    신불교 포교 시대 전개.

1962 대한불교 조계종 비상종회의장 피선.
    비구·대처 통합종단 비상종회 초대 의장 피선.
    승려의 기강 확립을 위한 감찰 제도 설립, 초대 감찰부장 취임.
    예비역 군출신, 법조인으로 구성된 불교 지식인 단체 '달마회' 조직.
    동국대학교 동국학원 재단상무이사 피선.
    대한불교 조계종 재무부장 취임.

1964 한국불교 최초로 승려 대학 교육 실시, 종비생 제도 실시.
    불교과, 인도철학과 포함 도제 양성, 역경, 포교 종단 3대 사업 확정.

1966 일본 홍법원 개설, 초대원장 취임. (한·일 국교 정상화 이후
    최초로 일본에 한국 사찰 건립)
    한·일 불교 유학생 교류와 문화 교류를 일본 정부와 협의,
    민간 외교에 지대한 공헌.

군에 불교, 기독교, 천주교 3대 종교의 동등한 헌법상의 종교 활
동 자유 보장을 정부에 건의, 국회 국방의원회에서 심의 결
정.(군법사 제도 확립)
1969 홍콩 홍법원 개설, 원장 취임.
1972 미국 홍법원 개설, 원장 취임.
1974 캐나다 토론토 선원 개설.
1978 폴란드 바르샤바 홍법원 개설, 8개 선원 개설, 원장 취임.
1980 영국 런던 선원 개설.
1981 스페인 팔마 선원 개설.
1982 미국 로드아일랜드주 프로비던스에서 재미 홍법원 개설 10주년
기념 "세계 평화 종교 지도자 대회" 개최.
1983 브라질 상파울로 선원 개설.
1985 프랑스 파리 선원 개설.
세계평화문화인 대회(WUM)에서 세계평화상 수상(5. 13.)
중국 북경 불교회 초청, 여러 고승들과의 법거량 통해 한국 선
불교 위상 떨침.
1986 소련 정신문화협회 초청으로 모스크바에서 개최된 "문화적·정
신적 지도자들의 역사적 회합"에 참가, 소련 포교 여행.
1987 수덕사에서 "제1차 세계일화대회" 개최.
1988 폴란드 한국 선 불교 포교 10주년 기념 행사 개최.
1989 남아프리카공화국에 한국 선지식으로는 최초로 포교 활동.
1990 소련 모스크바에서 개최된 "생존과 환경을 위한 국제대회"에
종교분과위원으로 초청 강연.(소련 공산당 서기장 고르바쵸프의
영접 받음)
대만에서 한국 선을 지도하고 포교.
서울 화계사에서 국제선원 신축을 위한 불사 시작.
수덕사에서 "제2차 세계일화대회" 개최.
1992 중국 본토 육조 혜능 대사 님화사에서 승려와 일반인을 위한
참선 지도.
홍콩 국제선원 개설.
재미 홍법원 개설 20주년 기념 대회 개최.
1993 싱가폴 국제선원 개설, 수덕사에서 "제3차 세계일화대회" 개최.
1994 한국인 선지식으로는 최초로 베트남 방문.(베트남 지도자급 승

려들과 법거량)

1995 스리랑카, 미얀마 성지 순례 및 한국 선 불교 포교 활동.

1996 대한불교 조계종으로부터 "해외 포교 30주년" 감사패 전달 받음(6. 20.).

1997 미국, 유럽 선 지도차 순방.

현재 대한불교 조계종 화계사 조실 및 주지.

각국 선원 현황

북미 : 42개
서유럽 : 22개
동유럽 : 30개
남아공화국 : 12개
아시아 : 7개
호주 : 4개
남미 : 3개
총 120여 개 선원 및 단체